猿與鳥

二百五十年後的幻想
另一類的科學思維

第三冊

陳永騰 著

文學叢刊
文史哲出版社印行

國家圖書館出版品預行編目資料

猿與鳥 / 陳永騰著. -- 初版. --臺北市：文史哲, 民 97.11

頁： 公分. --（文學叢刊；206）

ISBN 978-957-549-816-0 (全套：平裝)

1.科幻易理小說

857.7 97019990

文學叢刊 206

猿與鳥 （全四冊）

著者：陳永騰

出版者：文史哲出版社

http:// www.lapen.com.tw

e-mail：lapen@ms74.hinet.net

登記證字號：行政院新聞局版臺業字五三三七號

發行人：彭正雄

發行所：文史哲出版社

印刷者：文史哲出版社

臺北市羅斯福路一段七十二巷四號

郵政劃撥帳號：一六一八〇一七五

電話886-2-23511028・傳真886-2-23965656

全四冊定價新臺幣一二八〇元

中華民國九十七年（2008）十二月 BOD 初版再刷

ISBN 978-957-549-816-0

猿與鳥 二百五十年後的幻想 另一類的科學思維 (三) 目次

第二十三象　增援東北智星蠶變入終制六合總攻首都淪陷似亡君

第一幕　先開戰的援軍

話說楊恒萱、蔣婕妤、蔣嫒妤、夢彤與姜麗嫒等四名女兵，到了青島地下兵工廠。吳升象仍代替楊恒萱管理這個地下兵工廠。

吳升象看了楊恒萱帶著七名美女進基地，瞪大眼說：「楊大人這段時間去哪了？怎麼會帶這麼多美女回基地？」楊恒萱板了嚴肅的臉孔，不發一語，他只好靜聲不敢再說下去，隨其後深入地下工廠的指揮室。徒然瞥見七女子當中，竟然有大明星夢彤在這，又不禁走上前去仔細端倪。逐漸基地內的官兵們，也都盯著夢彤看。

到了指揮室門口，楊恒萱對眾女子說：「等我一下，我拿一下資料就出來。」然後獨自進入房門，其餘女子都待在門外等候。吳升象終於忍不住說：「請問小姐妳是大明星夢彤還是夢蘿？可以給基地的官兵們獻唱一小曲嗎？」夢彤回頭對吳升象等官兵說：「我是夢彤，不過別讓我替你們獻唱歌曲，之前我替首都新河洛的官兵們獻唱過，結果他們最後都戰死了。你們不怕的話，我就唱。」蔣婕妤笑著在夢彤耳邊說：「我看我們就宣稱是妳的伴舞吧。」

官兵們仍然圍上來要求簽名，夢彤只好一一應付，吳升象對著夢彤身邊的姜麗媛說：「我們才不是首都的那些笨官兵，這裡基地有很多戰力強大的機械獵犬，所以各位小姐可以安心地待在這躲避戰火。」姜麗媛冷冷笑了一下，答道：「我們來這可不是躲避戰火的！」

吳升象看了這些女孩，除了夢彤之外，全部紅套裝甲衣褲，手持各式重武器，遂呵呵笑了一下說：「是的是的，我想妳們是夢彤的保鑣吧？美女明星的保鑣們也是美女。真讓我們大開眼界啊！」眾官兵也呵呵笑了出來，紛紛對女孩們搭訕。

楊恒萱走出來，嚴肅地說：「你們有完沒完？這些女孩不是來陪你們聊天的！」眾官兵見了，遂紛紛退下。蔣婕妤笑著問：「楊大哥，看不出你還這麼有威嚴啊。」楊恒萱轉而微笑對她說：「還不都因爲機械獵犬只聽我的話，完全不聽他們的調動，不然他們還真都造反了。」

吳升象還沒有退下，勉強維繫笑容，點頭說：「中行士大人說笑了，我們怎麼會造反呢？弟兄們的生命，還得都靠您來保護呢。」楊恒萱微微點點頭說：「假設沒什麼重要事情，你可以回房休息去，我還有事情要跟這些姑娘們談。」吳升象點頭稱是，正要上樓梯離開最底層的指揮室外大廳時，忽然又回頭拿出一信件說：「啊！報告中行士大人，我這有一封元首大人寫給你的親筆信，是托一個信使昨天送到的。」楊恒萱疑問：「元首大人怎麼不透過網路保密訊息傳信？」吳升象答道：「信使說，人類的網路訊息完全可以被龍族截獲，裡面所有資訊都可以被破解，所以採用這種原始的辦法來聯絡主要幹部。」

楊恒萱接過信件，甩手指示他離去，然後領著眾女子到大廳旁的會議桌。眾人入座之後，楊恒萱打開了信件，看完神色忽然變得凝重。蔣婕妤問：「元首大人寫些什麼？」楊恒萱把信件拿給她看。其他女子也就靠上前，想要看寫些什麼。蔣婕妤對眾女子說：「我唸給妳們聽便是。現在是備戰時期，可得都聽我的命令啊！」眾女子點頭稱是。

於是唸道：「楊中行士恒萱弟鈞鑒：聽聞弟將率領所屬機械獵犬，進攻龍族在山東的宇陣器，余以為這並非當務之急，而今國家東南沿海、大東北地區與內陸的各省重點城市，都已遭受龍族兵器進攻，人民飽受慘禍，似將重蹈世界各國覆轍。而今之計，弟除加速生產機械獵犬外，當率部歸建於大東北軍區，以支援大東北戰局。不然大東北若同列島地區同樣失陷於龍族之手，全國民心士氣將崩落谷底，望弟以國家大局為重，拯救人民於水深火熱之中，事後必當委以重任。至此！」

姜麗媛急問：「楊組長真的要去大東北嗎？我們找家人的事情該怎麼辦？」楊恒萱微笑著說：「我是非去不可，剛好我家也在大東北。不過妳們找家人的事情，我會調遣大量的機械獵犬給蔣婕妤指揮，以保護妳們路途無事，若遇到軍方官兵，機械獵犬也會自動認定建制。必要時妳們還可以請他們幫忙呢！」黃敏慧問：「楊大哥家人都連絡得上嗎？」楊恒萱心中已經一團混亂，但表面仍強作微笑著點頭說：「一切都安好，這次去大東北，會把他們接到安全之所。」蔣婕妤比其他女孩敏銳得多，看得出楊恒萱眼神飄忽，必然因爲這信件而心情不定，轉而說：「我跟妹妹，還有夢彤，跟你一起去大東北戰鬥。把機械獵犬交給其他女兵妹妹們指揮好了。」

楊恒萱搖頭說：「這可不行，我會快去快回，妳跟妳妹妹還是待在這地下兵工廠安全。況且機械獵犬跟袁毓真的機器人層次不同，指揮起來更加麻煩瑣碎，這些妹妹還需要妳領導呢！假若要報仇雪恨，我猜測不久之後首都又會陷入戰火，元首大人必然會要我增援，妳們到時候可以入援首都，請元首大人幫妳們找親人。」姜麗媛點頭說：「是啊，沒有蔣姐姐妳來指揮，我們可怕得很啊！而且現在我們也連絡不上親人，有元首大人幫忙，才會有機會找到他們。」姜麗媛雖然大蔣婕妤一歲，但是仍然叫她姐姐，也是希望她來領導四人。其他三名女子也都點頭說是，蔣婕妤只好打消念頭。

次日一早，楊恒萱將所有機械獵犬分成兩隊，自己開著快速小裝甲車，帶領五千台機械獵犬往大東北進發。蔣婕妤等人，開著好幾台箱型懸浮車，率領一千台機械獵犬，往首都進發。吳升象等人繼續留守基地，生產機械獵犬。

果然，當楊恒萱在大東北與守軍會合，跟大批龍族兵器交戰時，元首大人不顧訊息被竊聽的危險，緊急通電話要求楊恒萱回首都協防。

第二幕　六合總攻

啓易三年，五月四日。

新河落再次陷入一片戰火中，從天上，到地下避難室，到大街小巷，都是龍族兵器與首都防衛部隊交戰的場面。前一次大戰的屍體才剛處理完畢，現在又陷入地獄般地戰火，而且攻勢比之前還猛烈。

地下行政中心的元首大人辦公室。新任行宰大人趙仰德、真理部長曾有能等眾官僚，陪著元首大人聽取軍方回報戰況。

新任陸軍大將軍郭劍鋒列出了部署圖，沉痛地報告說：「……戰況變化非常大，幾乎是一日數變。目前我們發現首都的上空、東南西北四方、地下往來通道，都出現大批的龍族自動兵器，見人就開火，景象慘不忍睹。而我防衛首都的，三個陸空聯合兵團，正兵分六路全面抵抗……」元首大人面如土色，握緊拳頭，激動地打斷說：「上空、四方。這五個方向出現龍族部隊我可以理解，爲什麼地下避難場所也有龍族部隊？」

郭劍鋒見他發火，卻又不敢不說實話，低著頭小聲地說：「據我所知，是因爲郊區淪陷，充斥著龍族部隊……地下避難室的郊區出口，已經被龍族知道……所以……」元首大人憤怒地拍桌罵道：「那爲什麼沒有封鎖所有通道？不知道沿著地下網路，龍族兵器可以打到這裡來嗎？」

郭劍鋒繼續低頭小聲道：「因爲……地下太多老百姓，混亂成一團，執行任務有點困難……而且龍族似乎能打通我們設的阻礙物……」元首大人罵道：「笨蛋！不會把通道給炸坍塌嗎？或是灌快速凝固水泥封閉也可以啊！給你那麼多工程師是幹什麼吃的？」郭劍鋒低聲道：「請元首大人息怒，假設把通道炸坍塌，雖然可以阻礙龍族部隊，但也代表我們不能從該通道突圍出去……畢竟……首都已經被包圍了……」

元首大人幾乎歇斯底里地問：「援軍呢！？各地方的援軍呢！？」郭劍鋒看了新任空軍大將軍陳俊翰，元首大人確實派陳俊翰求援軍，轉而看著他。陳俊翰也低聲說：「各地部隊指揮官都說立刻來增援，即使犧牲生命再所不惜。不過我去催促的時候……他們都說自己的防區出現大批龍族部隊屠殺人民，不得不分兵抵抗……所以都遲遲沒有消息……」

元首大人大罵：「藉口！這全部是藉口！大西部高原軍區、還有新疆帕米爾軍區，都根本還沒有被龍族進攻，還抵抗個屁！」轉而露出狐疑的神情說：「難道這是故意不來增援？故意讓首都淪陷，自己好跟龍族達成默契？還是想要搞軍閥割據？」又大聲罵道：「叛徒！事後一定要軍法嚴辦！」

趙仰德低頭說：「報告元首大人，現在暫時別對他們動怒，不然反而更加不來救援了。我建議展開突圍計畫，可以到海南島，我先前與官方合作的兵工廠，這段時間全面趕工，已經製造了上萬台的機械獵犬，雖不能增援此地，卻足以自保。」元首大人瞪大眼睛說：「海南島？我不去小島！我不當無能又可恥的蔣介石！」又轉而狐疑道：「機械獵犬？楊恒萱呢？我不是要他從大東北來增援嗎？他青島區生產的機械獵犬比較先進！怎麼不來增援？」

大家看著他激憤異常失去理智，都頗爲擔心，曾有能壯膽地開口說：「楊恒萱告訴我，他已經派了智慧四人組……不……三人組之一的蔣婕妤，帶領一千機械獵犬來首都。很快就會到達……而行宰大人說的海南島……雖然不必要去，但是『突圍轉進』，遷都到其他地區，是這場戰爭邁向勝利的必要手段，請您三思。」到了此時，曾有能言談中，還是不忘記把袁毓真排除在外。

元首大人沉吟半晌，緩緩點頭說：「好吧……就轉進吧……下令首都陸空部隊，展開『北進計畫』，主力部隊保護所有中央政府單位，前往陪都新河溯……通知新河溯的留守部隊，南下會合……大家立刻行動……」他一字一句壓抑自己不滿的情緒，緩和地說出，在座眾人也都知道自己該做什麼事了，遂各自離開地下元首辦公室的會議室。

過沒有半天，晚上七點鐘，各兵團的突圍行動，都還沒有準備完成，龍族的上、下、東、南、西、北六個方向的自動兵器大軍，就已經對首都新河洛發動總攻擊。首都各防區的部隊與機械獵犬，被打得措手不及，空軍也幾乎被殺得片甲不留，所有空軍基地根本沒有飛機可以迎戰，固定的防空飛彈基地也都被摧毀，只有靠機械獵犬配備的防空飛彈迎擊。

趙仰德衝到元首大人地下辦公室，大喊說：「元首大人，不好啦！地下避難室全部淪陷啦！現在龍族兵器已經開始進攻地下行政中心，很快也要防守不住啦！」元首大人還穿著睡衣，準備等候親衛隊來保護自己突圍，然後他再慢慢換衣服，表演自己『臨危不亂，處變不驚』然後傳訊息給全國百姓看。結果竟然是這種結果，嚇得他從床上翻滾下來，趙仰德急忙上去攙扶。元首大人睡衣也沒有換，就大喊著問：「還有哪個地方沒有敵人？快告訴我！」

趙仰德沉靜了片刻，瞪大眼說：「有！原來地面上的元首府邸還沒有受損，那邊也有很多部隊與機械獵犬留守，我們現在逃回地面上還來得及！」元首大人也瞪大眼說：「那還不快點通知所有秘書，還有我的親衛隊，趕快帶著重要幹部回官邸！」

元首大人的親衛隊，原本是由一百名男兵與一百名女兵組成，之後機械獵犬發明，又加派了三百台的機械獵犬以增其裝備。而秘書約十五人，都是漂亮的年輕女性組成，雖然跟郊區別墅裡面的女人不一樣，但是平常也都跟元首大人有親密的關係，所以不管逃到哪裡都一定得帶著她們，原本讓賀嘉珍以總參士來領導這些女人，但是現在她不在此處。

地下室已經聽得到龍族兵器與部隊交戰的槍砲聲，元首大人急得連睡衣都沒換，就跟著一行人往地面上奪路而逃。最前面是一百名男性親衛兵，之後是趙仰德與曾有能等數十名中央部會官僚，之後是元首大人，而其身邊跟著十五名女秘書，攙扶著他往前逃，再之後是一百名女性親衛兵保護著，最後是被女親衛兵隊長指揮的三百台機械獵犬斷後。

眾人穿梭通道，到達快速電梯前，打先鋒探路的男親衛隊，打開電梯讓元首大人先行。快速往來將所有人載離這地下十幾層的堡壘，回到地面上的元首府邸。府邸中駐紮著防衛部隊，與特勤廠的曲縱橫等『影易特務組』成員。

兩隊人馬會合後，擠在元首大人周圍，元首大人急忙問曲縱橫說：「曲隊長，我的專機還完好嗎？」原本都是稱他爲『惡棍』，但是危難之際展現親和，改稱他爲曲隊長。他回答道：「報告元首大人，飛機性能還可以，不過空中現在非常不安全，所有來增援的飛機都被擊落，所以不建議元首大人乘坐飛機逃跑。」元首大人心中暗暗叫苦，前任行宰大人就是搭飛機被龍族擊落而死，讓他心有餘悸，真是有飛機也不能搭，皺了眉頭，但是忽然又瞪大眼睛嚴肅道：「誰說我要逃的？我是要與官邸共存亡！世界其他國家的領導人，首都還沒有失陷就逃跑了，所以最後才徹底亡國。只有我！現在還在這！這裡是人類最後的希望！」眾人紛紛點頭稱是。

他又忽然發現自己把話說過頭，萬一真的龍族兵器打來，難道真的要共存亡嗎？馬上命令男親衛兵隊長，把元首府邸通往地下的所有通道堵住。隊長說：「可底下還有其他人呢。」元首大人罵道：「笨蛋！地下還有其他出口，底下的人還可以往其他地方逃，但是這裡一定要死守！不能淪陷！」隊長急忙點頭稱是，帶領人馬炸燬電梯，堵塞其他通道去了。其餘所有人也各自堅守自己分配的崗位。元首大人帶著女秘書，拉著趙仰德與曾有能進辦公室，緩緩問：「不是讓你們跟軍方打聽『轉進』路線嗎？到底哪一個方向可以『轉進』？」

曾有能說：「剛才在地下問過陳俊翰了，他說無人迷你偵察機回報，首都四方全部被龍族約三十多萬自動兵器團團圍住，如鐵桶一般出不去。空中還約有一千多台龍族飛行兵器。

除非冒險北上突圍，不然沒有真正安全的地方！」元首大人聽了才真正開始恐懼，坐到椅子上緩緩對趙仰德說：「我不是讓你安排人去跟龍族求和嗎？結果呢？」趙仰德苦著臉說：「早在智慧四人組的時候，就已經派人找過龍族，但是都不回應。世界各國也如此，現在我們也都如此……」元首大人發著抖問：「龍族對俘虜的世界各國領導人，有什麼待遇？」趙仰德苦著臉說：「除了逃出去的，像美國新任總統這樣，其他沒有聽說過能活命的……聽說都是在實驗遭到酷刑而死。」眾人一片苦臉相對。元首大人對趙仰德說：「馬上通知首都所有部隊來這裡防備，我要計畫突圍！我不能等死！」趙仰德急忙出去傳令。

第三幕　歷代亡國之主

元首大人想到剛才在地下行政中心，對著大家的面拒絕逃亡小島，不當可恥的蔣介石。但是聽到龍族不讓俘虜的其他各國領袖活命，忽然又想到，晉朝永嘉之禍，懷帝與愍帝先後在洛陽與長安被抓。還有宋朝靖康之變，徽宗、欽宗被金兵抓走，再也回不來。前後四個皇帝之死讓他不寒而慄。心思：（不！我不當可恥的蔣介石，更不當這四個亡國之君！我一定能突圍出去！）

正在惆悵悲憤間，趙仰德跑進會議室來，苦著臉道：「不好啦！除了府邸附近剛才部署的小股防衛隊，首都主要各部隊指揮官，各自帶隊逃跑啦！」剛才在地下行政中心聽郭劍鋒說，首都駐防部隊正分六路抵抗，結果竟然是分六路各自逃跑。氣得元首大人大罵：「這些可恥的叛徒！」罵完後，呵氣不順，不斷咳嗽。兩名女秘書，急忙替他撫背順順氣。轉而對趙仰德說：「快去傳令給男女親衛隊長還有曲隊長，我們立刻要往北轉進，讓他們三人去組織防衛。」趙仰德急忙點頭稱是而去。

一行人以三百台機械獵犬爲先導，一百名男性親衛兵繼之，而一百名女性親衛兵保護著眾官僚與元首大人緊跟在後，最後由影易特務組殿後，衝出元首府邸大門，組織府邸外的各小股官兵，企圖往北突圍。這讓元首大人忽然想到，拋棄大都，而北逃的元順帝脫歡帖木兒，心中異常感慨。

結果發現大批的龍族兵器攔路，前面的小股官兵與機械獵犬傷亡慘重，不得不又退回府邸。

一行人與眾官兵退回府邸死守，由剩餘的機械獵

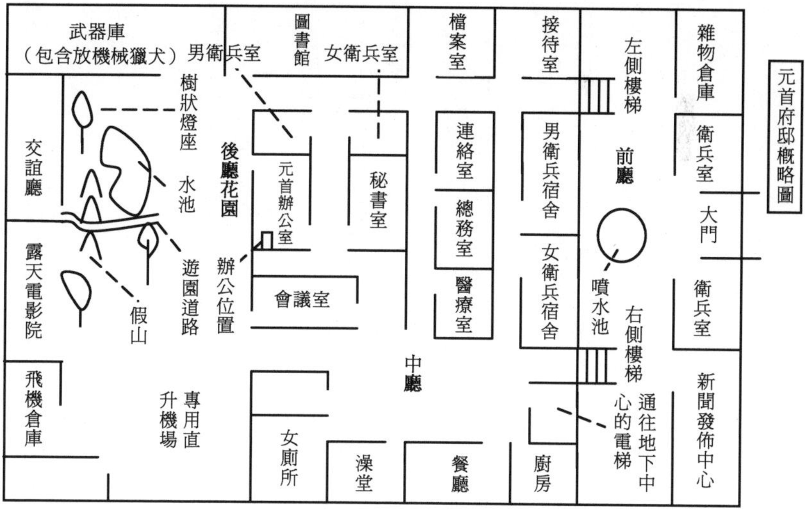

犬與官兵守著大門，女親衛隊防守各通道，影易特務組防守花園，眾官員眾秘書與元首大人擠在連絡室，拚命要各空軍部隊快速來空降救援。各部隊長官收到元首大人視訊，當然立正站好，保證馬上來援救，但是關閉通訊之後就不再打開，藉口通訊故障而不再理會。

等了一天一夜都沒來。五月五日早上八點，元首大人在餐廳氣得大罵：「軍方這些叛徒！他們巴不得我快點死！好可以各自佔山爲王，軍閥割據！這批危害國家的禽獸！禽獸啊！」這讓元首大人想到了梁武帝蕭衍，被侯景圍困台城，而四方勤王軍不肯盡心救援，最後城破，被囚而死。因而惆悵悲憤，吃不下飯，眾人也因此都苦臉相對。

最憤怒的是趙仰德，趁著曾有能去廁所，藉機跟上去，一拳打他臉頰罵道：「都是你！我在海南島好好的，竟然被你拖下水！」曾有能沒有還手，苦著臉笑道：「我哪裡拖你下水？你現在是行宰大人也！龍族進攻難道怪我嗎？我自己也陷在這裡啊！」趙仰德哼了一聲，氣憤地離開。

元首大人私下秘密問曲縱橫：「爲什麼龍族等了一天還沒進攻這裡？」答道：「據蛇殺手的觀察，周圍的龍族兵器都在搜索首都的活人，暫時只把這裡包圍而沒有進攻。但是遲早會打進來的！」元首大人說：「我要冒險搭飛機離開！」曲縱橫吃驚地說：「可是飛機坐不下這麼多人，而且龍族的飛行兵器還是在附近盤旋……」元首大人說：「影易特務組與女秘書們可以搭飛機，其他人只有自行突圍北上啦！你快去叫女親衛隊長準備！」然後帶著『可以搭飛機的眾人』準備好後，開始動身，才走到男廁所旁，聽到轟然巨響，女親衛隊長哭著回來說：「我的兩姐妹才剛從飛機倉庫開出飛機，飛機就被龍族兵器炸毀，兩人也都死了……」一行人只能再退回去。

忽然也聽到四方都傳來槍砲交火聲，原來龍族要生擒元首大人，不對此處轟炸，而讓四方龍族自動兵器對元首府邸發動最後進攻。大門口竄入大批的龍族兵器，消滅了所有機械獵犬，前廳已經開始進入戰鬥，不少官兵與男親衛隊屍塊，掉入噴水池中，水已經被染紅。武器庫也被攻破，兵器竄入花園，影易特務組拼死抵抗，唐山河與司馬婉瑜從假山跳出，發射肩式火箭筒把武器庫炸掉，其餘殺手火力交叉把龍族兵器摧毀。但是槍砲聲仍然不斷，龍族兵器越來越多從兩地方竄入，露天電影院也已經被攻破，女親衛隊趕緊支援影易特務組。眾官員躲在秘書室不敢出來。元首大人呆坐在元首辦公室的椅子上，眼神呆滯地看著窗外花園地獄般地血戰，女秘書們哭著圍在元首大人身邊。

曲縱橫哭著從花園進入辦公室，下跪哭著說：「龍殺手唐山河、虎殺手魯克強、馬殺手江麗麗，還有十多名女親衛兵，都壯烈犧牲！我們守不住十分鐘了……我請求元首大人做出最後決斷！」

聽到『最後決斷』四字，元首大人渾身發麻，之前才想道晉懷帝、晉愍帝、梁武帝、宋徽宗、宋欽宗、元順帝、蔣介石等七人，而這四字又讓他想起另一個亡國之主。即明朝崇禎皇帝朱由檢，被李自成攻破北京，在媒山自縊身亡。元首大人緩緩道：「最後決斷？你的意思是要我當明朝的崇禎皇帝？」曲縱橫大聲哭著說：「已經沒時間了……請求元首大人效法崇禎皇帝，壯烈殉國！千萬別讓龍族生擒，不然會在實驗室酷刑而死！我們替元首大人戰鬥到最後一人！一彈！」粗野的臉哭喪起來，頗爲滑稽，元首大人卻笑不出，癱軟在座椅上，緩緩地對身旁女秘書說：「把毒老鼠的藥拿來……想必一定很痛……」女秘書也大聲哭了出來。

曲縱橫含淚哭著說：「元首大人！我這裡有特務組自殺的毒藥！」於是遞了上去，旁邊的女秘書則端來一杯水，元首大人雙手發抖，左手拿著毒藥，右手拿著水，竟然也哭了出來。

正當嘴巴要含入毒藥丸時，忽然四方出現大批機械獵犬的鳴笛聲，花園內的龍族自動兵器也都快速地被擊毀。元首大人放下毒藥與水，站起來看窗外問：「怎麼回事？」忽然女親衛隊長闖進門，笑臉著說：「報告元首大人！智慧四人組的蔣婕妤，帶領大批機械獵犬來救援啦！正在消滅闖入的龍族兵器！」元首大人趕緊變臉，擦掉眼淚問：「他們從哪裡進來的？」女隊長說：「還不知道，但是龍族兵器的背後出現大批的救援是事實！」元首大人轉而一喜，假設再來慢一點，自己就真的要自殺了。

夢彤帶著兩百台機械獵犬從大門打進來。蔣婕妤、蔣媛妤、姜麗媛、夢彤，四人持著輕重槍炮，帶領著三百台機械獵犬從破損的武器庫方向進入。黃敏慧、歐陽玉珍與何佩芸，各持兵器與醫療箱，帶領著兩百三十台機械獵犬從露天電影院攻入。進入元首府邸的龍族兵器被兩面夾攻，全數被消滅。府邸外四周的龍族兵器暫時停止攻擊，繼續組織包圍圈。

元首大人在中廳位置，見了這一批娘子軍。握住蔣婕妤的手說：「太好了！妳們是從哪裡進來的？」蔣婕妤微笑著說：「我們本來在地下道作戰，去救護被屠殺的人，但是地下的龍族兵器越來越多，只好轉移陣地。當我們從地鐵站衝出來時，就剛好在元首府邸附近。夢彤說，她掃瞄到元首府邸有激戰，於是我們就衝過來支援了。」元首大人看了夢彤，皺著眉頭轉問趙仰德說：「這不是虛擬人嗎？怎麼會有真人？」只見趙仰德下巴落下三公分多，自己虛擬的人物，已經成真了。

夢彤把重機槍扛上肩，回答說：「我是元首大人你的敵人喔！是皇帝陛下袁續居製造的機器人，就像之前的克莉絲蒂娜一樣。現在陛下駕崩，所以由袁毓真領導我們。不過這次行動，我被指派在蔣婕妤屬下，她收到我的報告後，要我來救你，我只好過來。」

元首大人微笑著說：「沒關係，沒關係，至少現在不是敵人。」轉而對蔣婕妤問：「我們現在有沒有辦法突圍出去？」蔣婕妤搖頭說：「這點力量只夠防護府邸，等待救援，想要突圍恐怕很難。所以請元首大人，快調派部隊進首都！」

元首大人頗爲失落，恨恨地道：「不瞞你說，那些軍方都一再藉故拖延。除非我能出去，不然他們恐怕在打算，如何在我死後自立爲王！所以我一定要出去，不然國家就完蛋了！」

蔣婕妤皺了眉頭，回答道：「既然如此，請元首大人借一個地方，跟我們姐妹們討論該怎麼突圍出去。我們一定要保護國家，不能讓那些軍閥得逞！」元首大人自然是滿口答應。

元首大人、曲縱横、男女親衛隊長便與七名娘子軍成員，關閉會議室兩邊的門，商量該如何突圍。此時十二影肖死了三個，而兔殺手談玉琰在袁毓真那邊，只剩下八人，帶領著蔣婕妤帶來的機械獵犬大隊，守護於花園。女親衛隊兵只剩七十人防衛於中廳，並照顧醫療室的傷員。男親衛隊兵只剩三十五人，在圖書館外的走道，架設各種武器防護，眾官員與女秘書們則躲在秘書室等候指示。

會議室中，先分析了周圍情況與自身兵力。

然後蔣婕妤說：「先前我們來首都，還有幾台懸浮車代步，但之後被龍族兵器炸燬，現在只能靠兩條腿走出去。而龍族兵器移動快速，我們一行人分散走則容易被各自擊破，集中出發則容易被包圍的龍族兵器集中圍攻。兩害只能取其輕，至少在突圍這行動上，元首大人得先做這一項決定。」

元首大人思索片刻，倘若分散行動，必定也要分兵保護，對於這一點僅有的武力不想分散給其他官僚，遂點頭說：「集中一起行動！」

蔣婕妤看了夢彤，示意她來說話，夢彤遂說：「四面都有強大的龍族兵器，預計往北突圍到黃河邊上，邊走邊打邊躲，得花上十五個小時，每人都必須帶一些糧食與飲水。因爲首都這一帶，已經一片殘破，無法供應飲食。依照我的中央處理器計算，我們全隊的人，走到黃河邊上將會被龍族兵器徹底消滅，所以不能只靠我們的力量突圍，而必須要找救援！」

元首大人問：「誰會來救援？」蔣婕妤緩緩地說：「這點想請元首大人原諒……不然我們真的突圍不出去……」說了有些停頓。元首大人說：「都什麼時候了，還說這些話，妳救我們，我們感謝都來不及，絕對不會責怪，妳說下去吧。」蔣婕妤遂點頭說：「我來到首都才知道，龍族重點進攻這裡，當發現自己衝不出去時，請求袁毓真帶機器人來救援。他現在正乘坐飛碟趕過來，倘若元首大人……」說到這停頓看著他。元首大人微笑著點頭說：「沒關係！只要他真的把我們救出去，那麼我就撤銷他的通緝令，恢復一切名譽與智慧四人組的官銜。」然後瞪大眼追問說：「他現在知道是來救我們嗎？」蔣婕妤皺眉苦笑著說：「還不知道呢，只以爲是來救我。但我想他也猜得到。」他遂苦著臉道：「那萬一他聽到來救我，就不肯盡力，怎麼辦？」姜麗媛插嘴說：「不會的！不看僧面看佛面，袁大哥一定會聽我們幾個女孩的意見。」元首大人聽了百感交集，這些女孩竟然成了『佛』，而自己淪爲了『僧』。

蔣婕妤知道姜麗媛說錯話，趕緊說道：「那麼我們就快點行動吧！首都空域太多龍族兵器，已經飛不進來！我立刻去通知袁毓真，在黃河邊上選一處當集合點，突圍過去跟他會合。請元首大人組織部下，帶好糧食飲水，由我們姐妹幾個率領機械獵犬打先鋒，替你們殺開一條路。」元首大人搖頭說：「不成，不能讓女孩打先鋒。」轉面對男親隊隊長說：「你們打先鋒。」隊長點頭稱是。蔣婕妤阻止道：「不必了！讓他們保護眾官員吧！我們幾個跟龍族打過很多場戰鬥，已經身經百戰，況且還有這麼多機械獵犬，肯定沒問題的！」元首大人只好同意，談好細節，開始行動。

第四幕　黃河會，帶汁元首與神兵再現

一行人再度嘗試衝出元首府邸。第一隊由一百多台機械獵犬先衝出去，與大門口的龍族

兵器先行交火。而後第二隊，夢彤轉制成離子砲，帶著另外一百多台機械獵犬殺出一條安全的路。蔣婕妤等六名女子，持武器與各器材，身邊也一百台機械獵犬護衛，當第三隊，隨後衝出去，女秘書們攙扶著元首大人，緊跟在後。第四隊由男女親衛隊保護著眾官員，又跟在後。最後第五隊則是曲縱橫與十二影肖所剩成員，帶領著所剩的機械獵犬殿後隨行。當經過中廳、右側樓梯，出了大門，元首大人不禁回頭看了一下府邸，情緒落入谷底。

經過新河落街道上，城市建築已經崩塌殆盡，成了一片廢墟，還有滿街龍族兵器，正在燒毀死屍。忽然偵測到一行人的蹤跡，大批圓頓怪、蛇形怪、花型飛行器，往眾人撲殺過去。一時機械獵犬導向火箭齊放，轟掉不少花型兵器，接下來就是一場火拼。

蔣婕妤等六名女子護著女秘書們與元首大人，指揮著獵犬拼命開火搏殺。第一隊很快就全軍覆沒，而第四第五隊也受到龍族兵器左右攻擊。

夢彤右手一邊開離子砲對空射擊，一邊對著身後的蔣婕妤大喊說：「大家散開前進！這樣擠會被空襲轟炸！讓機械獵犬當導向！」蔣婕妤遂邊跑邊通訊各隊隊長，大家沿著廢墟分散，邊打邊逃邊走。四方龍族兵器逐漸往這裡集結，殿後的親衛隊與影易特務組已經混在一起，失去了原有的分隊，且被龍族兵器切隔開，與第二第三隊失散。只好自行向著預定方向前進。

紅二號飛碟上，擠了五十台戰鬥機器人。

袁毓真皺眉頭說：「那些笨丫頭沒事惹什麼腥啊！讓我去救她們也就罷了，竟然要我去救元首大人還有那批貪腐無能的爛官僚！飛碟哪可能載那麼多人？」談玉琰衣底黃色女漢服衣褲，外加全黃色裝甲，髮型已經剪短，表示與過去的種種徹底切割，手持衝鋒槍，背著火箭筒，坐在沙發上微笑著沒說話。李韻怡與廖香宜坐於飛碟的駕駛座，但是紅二號自動駕駛，她們不必操作。李韻怡回頭說：「不如把蔣婕妤等人救上來之後，就別理會其他人了。」袁毓真苦臉說：「我也這麼想，但是蔣婕妤說，我若讓元首大人死亡，造成國家分裂，那我不只是中國歷史的罪人，還是人類歷史的罪人。她們以後就不理我了。」李韻怡笑著說：「她們不理就不理，有我們理你就好！」袁毓真搔頭說：「罷了，大家都朋友一場，我還是聽她的意見吧。」

後艙、衛浴室、還有駕駛艙，都擠滿了鐵人型戰鬥機器人，眾人要走動都得側身。廖香宜苦著臉說：「這麼尷尬的援軍，恐怕歷史上少有。竟然還說我們是罪人！不如毓真大哥強制讓她們上飛碟，然後讓我去處理那個爛元首。要怪怪我，省得多事。」之前直呼其名，已經開始改變稱呼了，袁毓真暗暗欣喜，微笑道：「總不能殺他吧？況且我們能不能打贏那麼多龍族兵器，還不知道呢……」

克莉絲蒂娜擠在另一側的沙發上說：「這些機器人屬於『漢級』，戰力僅次於我們，以先前的戰鬥經驗看來，勉強可以跟龍族地面兵器對抗。」夢蘿說：「素質雖差不多，但是數量差太多了。等一下開戰，皇帝陛下就讓我們先衝吧！」袁毓真搖頭說：「別叫我皇帝陛下啦！讓其他機器人叫就可以了，妳們跟真人一樣，叫我毓真大哥就好。」

沿著黃河飛到約定地點，忽然三架花型飛行器追奔過來。紅二號體型比花型飛行器大，速度慢了許多，只能不斷發射飛彈與機上重離子砲，先行將之擊毀，並且左右閃躲花型器的射擊。

紅二號說：「我們已經被龍族的另一隊空中武力盯上，跑不掉也降落不了。預計五分鐘後它們就追上來」袁毓真急忙問：「有多少架？」答道：「一百二十三架。」袁毓真嚇得魂飛魄散，走到駕駛座，對著紅二號的收聲器道：「快點逃啊！我們打不過這麼多！」紅二號說：「來不及了，我也措手不及！」袁毓真大喊道：「胡扯！我命令你立刻降落！」紅二號只好開始低飛，但是花型器很快追上來，開始猛烈開火，紅二號邊往下飛一邊左右閃避，室內機器人也都相互推擠支撐，袁毓真抱著李韻怡閉眼不敢看。

忽然紅二號周邊的花型器，逐漸被某兵器擊毀，眾人躲過了一劫。

廖香宜見到他抱著李韻怡，頗有些吃醋，但是竟然自己也不知道是吃誰的醋，感覺自己已經從同性戀變成雙性戀。遂轉面問紅二號：「快回報，怎麼回事？」答道：「是龍族十大神器之一的『天帝』！它救了我們！」袁毓真放開李韻怡，瞪大眼，扶起眼鏡，開心地道：「是邦邦！牠沒有死！牠救了我們！」李韻怡笑著說：「我就知道我們對牠還有利用價值，牠一定會來找我們！」

紅二號說：「邦邦傳遞龍族訊息過來，說牠要馬上離開這，不然龍族部隊就會發現牠。要我轉告你們，把事情辦完之後，立刻連絡牠。」袁毓真問：「怎麼連絡？」紅二號答道：「已經把傳訊碼與牠的躲藏地告訴我了。」袁毓真長嘆一口氣，笑道：「你先降落，先把事情辦好再說。」降落到黃河南岸，袁毓真與談玉琰，全身穿著防彈裝甲下來，李韻怡與廖香宜，除了原有服裝與金屬指套外，還手持衝鋒槍。集結眾機器人後，已經是五月五日夜晚九點。已經可以聽到南邊的田野間，有槍砲交火的聲音。

此時天上皎潔明月群星，映照田野，元首大人與身邊的女秘書們，躲在改良的水稻田裡面，渾身都是泥，姜麗媛與何佩芸帶領十台機械獵犬隨身護駕。蔣婕妤姐妹與黃敏慧、歐陽玉珍，正指揮剩下的十五台機械獵犬佈防。不遠的田野處，夢彤與二十台最後的機械獵犬與後面的追兵交火，夢彤此時已經體無完膚，肌膚修復系統已經停擺，可以看見她全身鋼鐵裝甲的骨架，拼命開離子砲迎戰，身上的氫電池武器也只剩最後一枚，而不敢再投放。

元首大人見到自己竟然這麼狼狽，想到自己現在像漢獻帝當年逃出長安城，躲避李傕、郭汜，奔回洛陽一般，也是在黃河附近狼狽不堪。先前才想到晉懷帝、晉愍帝、梁武帝、宋徽宗、宋欽宗、元順帝、明崇禎、蔣介石等八位亡國主，現在又想到第九個，也是年代最早的漢獻帝。感覺這九人陰魂不散纏著自己，忍不住大哭了起來，女秘書們也都滿臉泥巴跟著哭。

眾女子之前只在電視上，看他是很有霸氣的領導人，四處頤指氣使，萬人低頭，也是世界上最有權力的人，從沒有見過他哭，見到這種狀況，不禁仔細端倪這一切情境。蔣婕妤心思：（我們都沒哭他倒哭了……這反讓我想到北宋汴梁淪陷時，有一個『帶汁諸葛亮』。現在他成了帶汁元首大人啦……）

正在痛哭間，夢彤全身殘破，到蔣婕妤身旁，回報說：「機械獵犬隊已經抵抗不住了，南面有將近一千多台龍族兵器攻過來，距離我們最後被殲滅，不到五分鐘。」本來元首大人見她來，還以爲有什麼奇蹟，暫時停止哭泣，聽到她這樣說，又大哭了起來。

忽然夢彤大喊趴下，所有機械獵犬也往南邊撲去，眾人應聲趴下。原來龍族兵器又追上來，眾女子趴在石頭後做爲掩護，拼命助射，元首大人躲在水稻裡面不敢吭聲，只感覺自己氣數已盡。心思：（有這麼多女性保護我而死，也就罷了……）

正當機械獵犬全軍覆沒，龍族兵器追上來時，地面出現五十台鐵人型機器人，擺出陣式猛發砲彈，把衝上來的龍族兵器打得四分五裂，並投射威力強大的飛彈，最後在眾人周圍建立防線，龍族兵器暫時撤退，重新組織隊伍。

正當眾人狐疑之間，忽然在黑暗的背後出現一神祕男子的聲音，先哼了一段卡通歌曲，沿著田間道路走上前來，看不到他的輪廓而更顯神秘，他邊走邊說道：「天慌嗎？地哭嗎？人悲嗎？白陽末世，群魔亂舞，看我神兵二人組，捍衛正義，鬥神一號，在此現形！」正當元首大人還搞不清楚是誰，身影掠現，原來是袁毓真到來，只見他全身裝甲與頭盔，手持鐵人操控通訊器，身後跟著李韻怡、廖香宜、談玉琰、克莉絲蒂娜與夢蘿。蔣婕妤兩姐妹、姜麗媛、黃敏慧、歐陽玉珍與何佩芸全部露出笑容，跳起歡呼，都衝上前去抱著袁毓真，摟成一團，一陣尖叫般地開心呼喊。

元首大人與女秘書們緩緩站起，元首大人悻悻然開口說道：「袁秀士果然是英雄，不枉我之前冊封你爲救美英雄啊！」袁毓真從小到大一直窩囊吃鱉，被人看不起，很少有機會可以真正地神氣一番，看著蔣婕妤，白了元首大人一眼，歪著嘴笑說：「是啊！也不枉你通緝我跟我祖父！更不枉你在地下行政中心，企圖判我死刑！」蔣婕妤開心地解嘲說：「別這樣啦！那是誤會啦！元首大人說要解除通緝了！」

元首大人帶著女秘書們往田埂上走，邊走邊說：「是啊……這一切都是誤會。都是曾有能那個王八蛋挑撥離間，詳情我實不知啊！等到了陪都之後，我會撤銷一切通緝與罪名，恢復你一切官位與名譽。」說得十足誠懇，也撇得乾乾淨淨。畢竟是全國的領導者，不能不給面子，不如趁機討價還價。

袁毓真只好微微笑道：「好吧……那過去就過去了……除了你說的這些之外，這些女孩子們還是歸我指揮，你不可以管。還有海裡的移動基地，與兩艘我祖父偷來的潛水艇，都要歸我個人擁有。」元首大人自然是滿口說好。姜麗媛也趁機說：「請元首大人到新河湖後，也幫我們四個女兵找家人！」元首大人自然也是點頭答應，命令女秘書們分別把四個女兵家人的資料記錄下。然後轉問袁毓真道：「請問你祖父袁續居在嗎？我親自跟他解釋道歉。」袁毓真嘆口氣道：「唉……在青島之戰戰死了……就別提啦……」元首大人鞠躬道歉。然後上前握緊袁毓真的手，誠摯地問：「現在我們該往哪裡去？」袁毓真看了看身後十五個渾身泥巴，疲憊不堪的女秘書，開口說：「到我的紅二號飛碟吧！我的飛碟還裝得下這些人，至於機器人就讓它們在這等等吧。」

正當眾人往黃河岸上過去，要搭乘紅二號時，忽然西邊傳來呼喊，大喊說：「元首大人，我們在這裡！」只見遠方四十多人跑來，原來是剛才逃難的第四組與第五組。官僚們只剩十人了，但是曾有能與趙仰德都沒有死，甚至連姜擇明都還活著。男女親衛隊只剩二十八人，接著就是曲縱橫與影易特務組的成員，都跑上前來。原來他們把機械獵犬殿後，全部邊躲邊逃跑到集合地，也都是狼狽不堪。談玉琰見到曲縱橫等影易特務組成員，便躲在袁毓真身後。

袁毓真瞪大眼歪著嘴道：「天啊！你們這些人怎麼都沒死啊？我的飛碟載不下這麼多人，你們這些後到的，自己游泳過黃河，走路去新河潲！」其實把浴室廁所都加在內，勉強還擠得下去，只是見到有曾有能這些人在場，實在不想載客。眾人面面相覷，而後看著元首大人。元首大人轉臉說：「這裡我交給袁秀士作主，一切聽他調度。」

趙仰德身上漢服在逃難時，刮破許多處，還髒兮兮地頗狼狽，見他趕緊上前行禮說：「袁英雄，我之前在歡樂部送過次易原理作者的電腦與手稿，也很誠心跟你交往。不如再加我一個吧。」袁毓真笑著說：「是啦！那些古董『經鑑定』是假貨。不過看在你還有誠意去告那個變態藝術家，我再多擠一個人。」趙仰德滿面通紅，但是仍行禮感謝。其他人也都紛紛上前攀親帶故，甚至曾有能也笑著臉來說是一場誤會，元首大人大喝一聲，叱退他們。然後對袁毓真說：「袁秀士，不如把這些人分成第二批，先把第一批載到最近的安全處。同時派你的機器人保護第二批人。最後再回來載他們吧！」

袁毓真點頭說：「好吧……趙仰德是最後一個，其他後到的人，在這等著！」眾人頗失望，但是除了等下去，沒有第二個辦法。

於是袁毓真、元首大人、趙仰德、十五個女秘書、談玉琰、李韻怡、廖香宜、克莉絲蒂娜、夢彤、夢蘿、蔣婕妤兩姐妹、姜麗媛、黃敏慧、歐陽玉珍與何佩芸等三十人，外分十台鐵人機器人，一同擠上了飛碟，騰空而去。

第五幕　半熟英雄

飛碟起飛後，元首大人與趙仰德終於露出笑容。趙仰德稱讚飛碟很先進，元首大人也點頭說，將來國家要仿造這種東西對抗龍族，要請袁毓真兼任兵器製造局局長。女子們都在飛碟後艙，或是在浴室洗澡，因爲都太疲累，本來袁毓真以爲會很聒噪，但是竟然出奇地安靜，反倒是趙仰德與元首大人喋喋不休。

忽然紅二號發聲：「留守的機器人通訊說，地面又開始戰鬥了，是否要回來救援？」袁毓真點頭說：「好！快回去增援！把裡面的機器人換上那些人上碟！」元首大人阻止道：「等一下袁秀士，現在這種狀況只能棄車保帥。千萬不能回頭啊！」趙仰德也幫腔道：「是啊！現在必須要先把我們撤到安全地方再說。他們有機器人保護，還可以支撐一陣子。」

袁毓真皺眉頭說：「拜託，這裡往返新河溯，需要兩小時。他們能支撐這麼久嗎？」趙仰德說：「不是這問題，現在軍方都不來救援，都巴不得元首大人死掉，中央可以接手繼任的官員，也通通死在新河洛！這樣他們就可以各自軍閥割據，國家將會四分五裂，最後逐一被消滅。不能只看眼前的問題啊！」他幫元首大人說出想說的話，估計袁毓真會聽從，所以先放下了心。袁毓真點點頭說：「好吧……那就先把你們送到新河溯再說……」

接近了新河溯郊外機場，元首大人就拼命通訊該處軍隊，自己在這飛碟上，不可以認錯目標。這裡還沒有被龍族兵器攻擊，所以新河溯的防衛部隊戰力還算完整，好不容易辨別敵我完成，把元首大人、趙仰德與女秘書們放下去後，快速回頭，飛回原來的黃河邊。軍隊遂接手把這些驚慌之人，接到安全處。

回程中，蔣婕妤摟著袁毓真親了他一下，袁毓真驚訝地問：「這是幹嘛？」蔣婕妤說：「我沒想到你心地這麼好！所以給妳獎勵一下。」袁毓真搞懂怎麼回事，呵呵對著姜麗媛等女兵笑說：「妳們四個也該獎勵我啦。」姜麗媛等四人只好也照做。正要上前，李韻怡推開袁毓真說：「你別這麼佔人家便宜好不好！還當自己是真英雄啊！」蔣婕妤冷冷說：「這關妳什麼事呢？」李韻怡紅了臉說：「在這飛碟內就跟我有關！」說罷躲入後艙。

眾人又飛回到黃河上空，機器人通訊說先前激戰有些傷亡，已經掩護眾人，搭著浮木過了黃河，在北岸樹林中激戰，要求立刻飛下來支援。於是即忙迫降，蔣婕妤這一行人經過連場激戰，已經疲憊不堪，身上也有些掛彩，遂留守飛碟內。袁毓真帶著李韻怡、廖香宜、談玉琰，克莉絲蒂娜與夢蘿，還有十台鐵人，衝向交戰處。此時這第二批人，已經死亡七名高官，男女親衛隊十八人，影易特務組的羊殺手胡慧君，與豬殺手宋任行，也力戰身亡。

眾人以為必死無疑，袁毓真等人又突然增援，於是曲縱橫指揮大家，做最後的反撲。二十多台龍族自動兵器也開火迎戰，增援的十台鐵人，都已經損壞殆盡。談玉琰全黃色衣底與防彈裝甲，短髮而不減秀麗，手持衝鋒槍忽左忽右，秉著戰鬥射擊步伐往前衝去，機器人克莉絲蒂娜負責保護她，但是卻只能跟在後頭，衝不到她前面。衝鋒槍打完，一個側身動作，右手抽出導向火箭筒，然後跳躍射擊，龍族自動兵器一一被炸毀。其餘影肖成員見了，也掃光敗沮之情，配合機器人奮力反擊，最終擊退了這一波龍族兵器。

袁毓真集合眾人一看，曾有能、姜擇明兩人竟然都還活著，旁邊跟著兵器製造局局長，高官也只剩這三人，都渾身濕泥，必然是渡過黃河時弄得很狼狽。姜擇明看到克莉絲蒂娜在場，心有餘悸，低頭不敢說話。袁毓真冷冷地說：「天啊！曾有能你還真耐命！我當你會死呢……」他微笑著點頭說：「一切都托袁英雄的福，過去的事情就算啦！」袁毓真非常惱火，還想開口奚落，以洩地下行政中心受審判之氣，李韻怡拉著他的袖子說：「別多說啦！讓克莉絲蒂娜領他們上飛碟，關在廁所，送回去給元首大人就好啦！」袁毓真點頭同意，克莉絲蒂娜遂帶了三人上飛碟。而夢蘿帶著所剩的三男五女，八名親衛隊兵，上飛碟後艙。影肖成員走上前來，包括組長在內只剩七人，身上的衣物雖因激烈戰鬥而風乾，卻也渾身是泥。見了談玉琰，大多不敢抬頭直視。忽然曲縱橫拿起槍對著談玉琰說：「兔殺手，特勤廠對叛徒向來不輕饒，妳竟然還敢來這！」李韻怡與廖香宜見了，也伸出雙手食指指套對準曲縱橫，李韻怡說：「混蛋！你可別輕舉妄動啊！」影肖成員也都舉起了槍。

袁毓真抽出手槍，吞了口水緩緩道：「你又是哪隻野兔啊？元首大人見了我都禮讓三分……竟敢對我的人動粗！」此時夢蘿也跳下飛碟，變制離子砲上前。這邊五人，那邊七人，兩幫人互相對峙。談玉琰心中非常溫馨，因為袁毓真這句話已經把她當成自己人。開口說：「都別開槍！」轉而問感情跟她較好的鼠殺手李蓮蓮說：「其他人呢？」李蓮蓮竟也繃緊臉道：「你沒看到的代表都戰死了！只剩妳一人站在對面。」談玉琰不希望自己讓袁毓真為難，遂轉面對袁毓真說道：「你別管我了，讓我回去受他們處置。」

袁毓真猛搖頭說：「妳閉嘴！妳已經是我這邊的人了！誰敢動妳我就要他死！沒我的批准，妳也不准離開！」轉而對曲縱橫說：「這裡有一台我的機器人，相信你也見過她的實力！我飛碟上還有機器人，你想硬碰硬試看看嗎？」曲縱橫其實已經無力再戰，而且在黃河南岸時，也見到元首大人對他頗為恭敬，遂不敢再造次，轉變話題問：「元首大人已經在新河溯了嗎？」袁毓真皺眉頭道：「這是個笨問題，假設不在新河溯，我還會回來救你們嗎？看到你拿槍指著我，早知道我就不回來了！你現在到底要不要去新河溯？」

曲縱橫遂收回槍口，眾人也都紛紛收回武器。李韻怡說：「你們想上飛碟的話，把全身武器都卸下！不然誰也不准上去！」曲縱橫對眾人點頭，影肖成員遂把身上武器都丟到地上。夢蘿遂帶眾人上碟，帶到後艙看牢了。

袁毓真從來沒有這麼強硬過，沒有機器人在身邊而被槍指著，還頗讓他嚇了一大跳，已經尿褲子了。所幸夜色掩護，才沒有穿梆，直到夢蘿跑來才壯了膽，對粗野的曲縱橫嗆聲。李韻怡與廖香宜卻聞到這味道，等影肖成員都上飛碟後，廖香宜拍了他肩膀說：「你怎麼尿褲子啦？」袁毓真頗爲尷尬，遮蔽羞慚說：「這……是剛才被那個流氓氣成的！」

李韻怡露出懷疑眼神，抓了他的束髮說：「不是氣的吧？我看是被嚇的！」袁毓真呵呵笑說：「好啦……我不隱瞞妳們，沒有機器人在身邊，真的被嚇到了……」廖香宜又拍了他的肩膀說：「拜託……你不相信我跟紅嗎？」袁毓真瞪大眼搖頭說：「不是，我也是怕妳們受傷害啊。」談玉琰微笑著說：「趕快去指揮艙換褲子吧……」三女子一陣嗤笑。

李韻怡搖頭說：「還真搞不懂你，在恐怖的九宮幻方，還有龍族大軍面前，你那麼神勇智謀。怎麼在這種小場面，被一個痞子嚇成這樣……這樣還能說是什麼英雄？」廖香宜說：「是英雄，只是半生不熟的英雄而已。」袁毓真嘆口氣道：「我一切都是被逼迎戰的，只想躲在安全舒適的地方，從來沒有真正主動過，所以別再叫我什麼英雄啦！」談玉琰推著他上飛碟說：「知道了，半熟英雄！快點走吧！把這些人送走，我們才可以躲回安全舒適的海裏！」

元首大人終於逃到新河溯，龍族還會追擊嗎？邦邦駕駛天帝，救袁毓真等人一命，到底目的爲何？楊恒萱的戰況又如何？欲知後事如何，且待下象分解。

第二十四象　無限蠶變血戰東瀛破龍族　慣性定制我執變易成親噬

第一幕　戮力王室

話說袁毓真也把第二批人送到新河溯，而後乘坐紅二號，帶著眾女子撤退回海中的太空船中。

啓易三年，五月十一日。新河溯，元首大人臨時府邸。

透過各種還可以運作的通訊媒體，對全國發表一篇抵抗龍族的文告。除了表示自己還活著，還要求全國人民一同團結奮戰，共同獲得最後的勝利。

文告說：「全國父老們，孩子們，兄弟姐妹們。我是元首大人。首都新河洛的失陷，並不代表國家抵抗龍族的意志受到動搖，相反地，抵抗意志將會更堅決。我們有許多同胞，跟世界其他國家民族一樣，慘遭龍族的屠殺，也都身歷其境龍族怪物的殘暴，但是世界這麼多國家，現在只有我中國獨存，代表我們這個民族幾千年來堅強的韌性，即便遇到外星強敵，亦能支撐下去。我將在這更堅決地告訴龍族怪物，地球人是不會屈服的，爾等只要還堅持滅絕人類，我們的抵抗就不會停止，將更堅強地保護人類的生存空間。父老兄弟姐妹們，雖然有很多城市遭到毀滅，有數億人死於非命，但是在這種考驗中，我們的戰鬥力將越來越強。過去的失敗我們一定會記取教訓，政府近期將會嚴厲督促軍方，展開大規模的反擊，以保護我親愛的子民。雖然有很多人失去信心，認爲我們打不過龍族，但是在龍族堅決要滅亡人類的狀況下，我們不能坐以待斃。對於失去信心的人，我要對他說一句東晉名臣王導說過的話：『當共戮力王室，克復神州，何致坐楚囚對泣！』全國同胞必須更加團結在政府的領導下，打贏人類存亡的一仗。」然後就是文宣單位，製作對龍族作戰的某些勝仗畫面。最後還出現行宰大人趙仰德，與真理部長曾有能的談話，表示將穩定政府，團結對抗龍族。

大東北海參威港。

這即時視訊，楊恒萱在軍事基地內全程看完，旁邊東北軍方的指揮官，頗爲恐懼。因爲元首大人說嚴厲督促軍方，已經代表他之前對軍方保不住新河洛，非常地惱火，必然又是一堆人撤職查辦。楊恒萱心思：(用王導的名言？徒然讓知道歷史的人笑話！這句戮力王室克復神州喊完，王導有做什麼？最後是族弟王敦，舉兵犯闕，率軍攻陷建康。別說神州無法克復，王室都差點垮掉。最後對泣的正是王導……連這麼簡單的文告都沒深思熟慮，真能深思怎麼反擊龍族嗎？到了這種地步，還是用這些親暱小人，慣性仍然多於自擇……罷了……）

走出地下室，忽然就是防空警報響起，地對空飛彈紛紛升空。原來龍族的自動兵器又開始激降。楊恒萱在眾多機械獵犬的保護下，衝往一台裝甲車，車上已經載著他的妻子與小孩，很快地開入海港中靠岸的潛水艇，機械獵犬也都跟著裝載，而後潛水艇潛入海中。

楊恒萱心思：（袁續居的技術好不容易拿到，這是兩雙域固力結合的關鍵！一定要完成後續的新方向，無量蠶變意義。如同原子物質的相互連接，可以在另一種層次的分子形式中，千變萬化組合訊息，而成爲無窮多生命體的實體運作。若這方向真的達成，武器與戰術形式就是千變萬化！這樣一來，龍族就算再強，也不可能消滅人類了！我一定要打敗龍族！）

五月十二日下午，列島戰區，東瀛省，富士山腳下。

這個地區已經完全被龍族攻陷，但仍有少數逃不出去的人，正在激烈地抵抗。數十名游擊隊員，正在跟龍族圓盾怪激戰，但是已經被圍攻到樹叢中，被四面火力壓制。

十多名男子手持散彈槍，往北衝殺，企圖打出一條生路，才打毀兩台圓盾怪，就全數被消滅。躲在一掩體物後面的一名女子，痛哭失聲，突圍而死的人當中有他的兄長。身邊一名男子安慰她說：「不能哭，堅強起來！我們發誓過的！」說罷男子也衝出去猛開火，女子迅速擦乾眼淚，拿起短火箭筒也隨眾人往外衝。龍族兵器在這一區雖然只有十多台，但是面對無重裝甲的游擊部隊，仍然佔有絕對優勢。很快地，這批人只剩不到六人，各自躲在掩護物的後面，五台龍族兵器，快速穿插到分散的六人中間，擺出五角幾何陣，三百六十度地密集地開火。立刻打死三人。

正當三人陷入絕望之時，一枚快速導彈打到五台龍族自動兵器的中間，全數將之炸燬。剩下的龍族兵器迅速回頭開火，只留一台監視這三個沒被打死的人。大批機械獵犬衝過來，相互還組合成新的戰鬥體，一陣交火下，把龍族兵器全數消滅。

三人抬頭往外看，知道這是人類的部隊，都露出如獲重生的喜悅。一台裝甲車開來，走下來一個禿髮的中年男子，正是楊恒萱。他對著三人喊：「有受傷的人嗎？」這撿回性命的三人都走出來，兩男子身穿漢服，手上只剩手槍這種輕武器，這一女子手上的短火箭筒也沒有彈藥，身穿粉紅色女漢服衣褲，繫腰帶，背包於後，盤束長髮於頭，單眼皮，身材一米六左右，長相雖不豔麗，卻有氣質。三人都是二十多歲的年輕人。

一名男子問：「你是軍方的人嗎？」楊恒萱拿著通訊器，整隊機械獵犬，並沒有馬上回答他，整隊好後才緩緩地說：「我是人類就成了！我再問一次，你們當中有受傷的嗎？」男子被他的氣勢所懾，趕緊答道：「沒有，只剩我們三人，其他都戰死。」

楊恒萱點點頭，帶領機械獵犬回頭。另一名男子說：「等一等，我們是否能跟你一起行動？」楊恒萱回頭一笑說：「我想沒必要。」說完又回頭往前走。女子先是皺眉露出疑惑，轉而大喊道：「你是中行士楊恒萱對嗎？我在網訊上看過你！」楊恒萱沒回頭繼續往前走，邊走邊說：「算妳說中了，但是回去之後請把我忘記。」女子追了上去，大喊：「等一下！請讓我們協助你對抗龍族！」另兩男子也跟了上去。楊恒萱邊走邊緩緩說：「我剛才說過，沒有必要。」

女子終於攔到他前頭，機械獵犬也都隨楊恒萱腳步停止，女子說：「我叫做蔡早苗，東瀛省本州島人，我們都是這裡的反抗龍族游擊隊，請讓我幫助你！」

楊恒萱皺了眉頭，看了看三人，另外兩男子也開口。一名身材短小，不足一百六十公分的男子說：「我是東瀛省四國島人，叫做武田雄。」另一身高一百七十的男子也說：「我也是本州島人，李上介。」楊恒萱微微笑說：「我喜歡獨來獨往。感謝三位抬愛，還是各自保重吧！」蔡早苗急道：「我們不會麻煩到你，況且我們也是有經驗的戰鬥人員。只要你答應，就當我們的領袖。」武田猛也說：「是啊！我們做你的助手。」

楊恒萱搖搖頭，三人以為他仍然拒絕，但是卻緩緩說：「可以！但是我的命令你們一定會聽嗎？」李上介說：「當然聽！你是有名的智慧三人組之一！抵抗龍族的大英雄。」楊恒萱瞪大眼說：「三人組？你這訊息是從哪裡聽來的？」李上介答道：「真理部的宣傳網訊。」楊恒萱搖搖頭沒有回應，走到了裝甲車旁，緩緩問：「你們不去掩埋戰友的屍體嗎？」

三人才醒神，蔡早苗卻問：「那麼你會在這等我們？」楊恒萱從裝甲車拿了一把鏟子給三人說：「我不能坐在車上等嗎？」李上介接過鏟子，帶領著三人離開。

夜晚，楊恒萱潛水艇指揮艙。

對著三人嚴肅地喊道：「別亂碰儀器！以前東瀛人不都很嚴肅有禮？」武田猛點頭道歉。蔡早苗問：「現在我們上哪裡去？是不是要回內地？」楊恒萱冷冷地問：「待在東瀛不好嗎？」蔡早苗答道：「東瀛省已經徹底被龍族攻破，軍隊也全軍覆沒，已經成了死域。」楊恒萱說：

「首都新河洛不也成了死域？而且你們三人不還在跟龍族作戰？怎麼能說軍隊全軍覆沒呢？」李上介說：「我們只是沒有死的老百姓，軍隊慘敗後，我們收集軍隊丟掉的武器，自發組織游擊隊保護家園，累積戰鬥經驗，以對付龍族部隊。」蔡早苗從楊恒萱的話中聽出些端倪，開心地問：「你是來收復東瀛的嗎？」

楊恒萱說：「可以這麼說，我們要到橫濱港的地下兵工廠，你們就幫我製造機械獵犬。」李上介問：「橫濱港有地下兵工廠？我五年前當過兵，在那邊服役，沒聽說過有地下兵工廠啊！」楊恒萱冷冷地沒回話。武田猛忽然點頭說：「我知道有一個，那是一百多年前，太上前元首大人，進攻並兼併日本國後，建造的兵工廠，已經廢棄了很多年，你怎麼會想去那邊？」楊恒萱冷冷說：「現在我想安靜一下，假設再問東問西，那麼就請你們回去，別再跟著我。」三人遂沉默不敢多說，各自回潛水艇中安排的房間內。

第二幕　無量蠶變計畫

六月一日，橫濱地下兵工廠。

廢墟已經開始啓動生產系統，元首大人也派海軍潛水艇，秘密送來楊恒萱需要的各種生產器具。視訊中，元首大人問：「你的後續蠶變計畫進行得怎樣？」楊恒萱微笑著點頭說：「請您還不能急，生產線現在才佈置完成，第一台戰鬥機器人還沒生產出來呢。」元首大人急躁著說：「已經不能等！新河溯現在被圍困啦！又跟上個月的新河洛一樣！」楊恒萱問：「內地各省區兵工廠，不是早就生產新武器了嗎？」答道：「全部都被龍族攻破啦！我猜一定有內奸！不然龍族不可能知道那幾所隱密的兵工廠！」

楊恒萱忽然瞪大眼睛，似乎思考到某種事情，急忙說：「不是內奸！而是我們的通訊根本不保密！請元首大人關閉視訊，龍族現在一定知道我們通訊內容！」元首大人搖頭說：「不可能的！以前的通訊方式是被龍族破解，這次帶人送給你的通訊機碼，是新河溯的『龍族專家』設計的！而且我還是頭一次用，你不用這麼擔心。」楊恒萱不敢反駁，暗暗叫苦，心思：（人類哪有什麼龍族專家？抓到一點端倪，混吃騙喝之輩而已……）只好苦笑著點頭。

元首大人說：「總之你快點生產新武器，然後增援新河溯！我絕不能讓這裡變成第二個新河洛！」楊恒萱點頭稱是。元首大人又問：「另外，你有賀嘉珍的消息嗎？」搖頭答道：「沒有。」元首大人嘆口氣說：「唉……希望她吉人天相……」

正當完成通訊會議，關閉視訊。李上介跑到地下指揮室大喊道：「不好啦中行士大人！監視器發現龍族兵器正在搜索這一地區，好像已經發現了一個通道孔！」楊恒萱瞪大眼坐在沙發上，緩緩說：「什麼龍族專家……愚蠢的混蛋……」轉而對李上介說：「你！快去聯絡另外兩人，帶領機械獵犬把守所有通道，必要的時候把通道炸毀，徹底封閉這裡，也不能讓龍族兵器打進來，知道嗎？」李上介點頭稱是，迅速離去。

龍族兵器果然分析通訊方位後，迅速打進了這裡，在三條通道口與機械獵犬激戰。眼看著就快要失守，三人按照楊恒萱的指示，用高爆炸藥把通道炸坍塌，而後退回工廠大廳，此時已經全部轉成第二備用電源。三人見到楊恒萱坐在大廳椅子上，他的妻子與一個兒子正在身邊哭著，楊恒萱喝道：「不要吵！全部回房間去！」妻子與小孩都深怕他的威嚴，各自回房間去。

李上介走來道：「報告中行士大人，我們把通道都封死了，還藏著第二階段的炸藥，龍族兵器暫時進不來。但是這裡的氧氣系統頂多支撐三天，電力系統支撐五天，而飲水與食物只有兩天的份。」楊恒萱點點頭，陰沉沉地說：「兩天，夠了……」忽然兩名新河溯派來的人員，驚慌失措地跑來，其中一個中年男子是海軍乙級將軍，另一位中年男子正是負責通訊的『龍族專家』。龍族專家一跑來就罵：「你們做了什麼？到底是什麼東西把龍族兵器引來的！」除了罵這句，還頗多責難。

楊恒萱衝上去把他推倒，大叱道：「就是你的笨通訊器把龍族引來的！」專家倒在地上見了他兇惡神情，頗爲害怕說：「那……不可能的……那是元首大人……」楊恒萱罵道：「好了！我不想聽你說話！不然我就把你斃了！」他當場就傻眼，閉口不敢再言。

將軍緊張地問：「中行士大人，現在該怎麼辦？機械獵犬能幫助突圍嗎？」楊恒萱搖頭說：「不可能了……」將軍竟然哇哇叫了起來，坐在地上發瘋地喊道：「我不要死，我要活著……我不要像上海區那樣……我不要！」堂堂將軍竟然如此失態。楊恒萱衝上去給他兩耳光，拉他起來坐到椅子上說：「將軍，你冷靜一點！不然我就把你綁起來！」將軍遂呆若木雞，攤在椅子上。

楊恒萱轉面對李上介等人說：「你們三人去跟技工人員說，現在把所有電源都接上生產系統，開始生產新的機器人。生產出來馬上連通我的電腦，然後你們全副武裝保護生產線的安全。」三人點頭稱是。楊恒萱回到指揮室調整電腦系統，喝口茶冷靜下來，心思：（兩雙域固型態的結合，最脆弱者就是新型態自擇出來的時候。依照次易原理的蜷生卦，初始型態若受到外界刺激，則銜接最多變易路徑，可能產生更多的型態演變能力，只是我們大部分狀況下，都無法掌握這段變化區間，以致於都產生較不理想的型態。我反而得利用這時候，突變出最強的型態意義。）

於是坐下來重新規劃，開頭就先生產老頭子的鐵人機器人，當作突破困境的頭批部隊，接下來結合鐵人與飛行機械獵犬的變形功能，生產第二代新兵器。最後再生產老頭子壓箱法寶三板變形機，並予以改裝，有與機械獵犬組合的功能，來當作自身的指揮座機。除了保存原有的武器型態，還要再加上可以應付眼前變局的新形態設計。而下一階段的蠶變，則要疊合前兩種型態。

六月三日夜晚。龍族兵器偵測眾人還在底下，並且繼續執行生產線，判斷必需深入消滅眾人。派遣三角立身怪，不斷地挖掘堅硬

楊恒萱型態設計的疊合概念

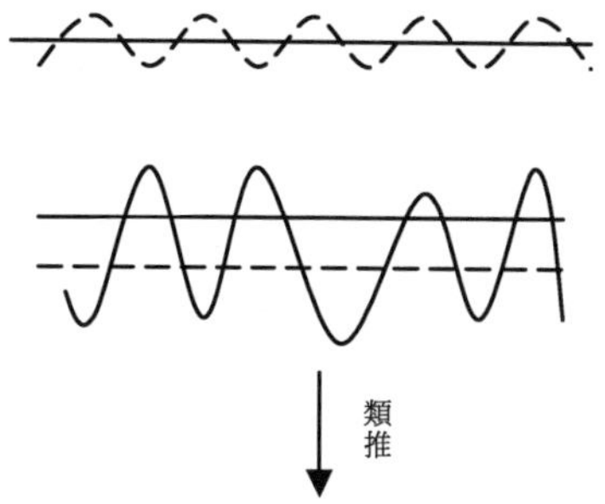

的阻礙物，正當眾人飲食已經匱乏，以爲山窮水盡時，裡面的機器人也開始挖掘阻礙物，轟然一聲，一大堆阻礙通道的雜物與岩石都鑽開。機器人趁勢擊毀龍族的三角立身工程兵器，開始向外衝出。通道外陷入一場大混戰，接著鐵人與機械獵犬的結合體出現，裝甲厚重，火力齊發。每一台結合體都配合三台機械獵犬協助，厚重與靈活相互結合，成爲一個戰鬥伍。最後楊恒萱座機，載著妻子與兒子一起破土而出，協助眾多機器人大反擊。三人全副武裝，帶著基地內所有人員，最後衝出通道。

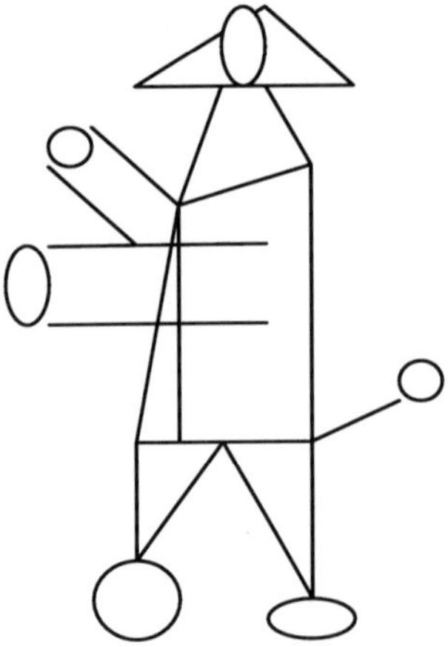

結合機

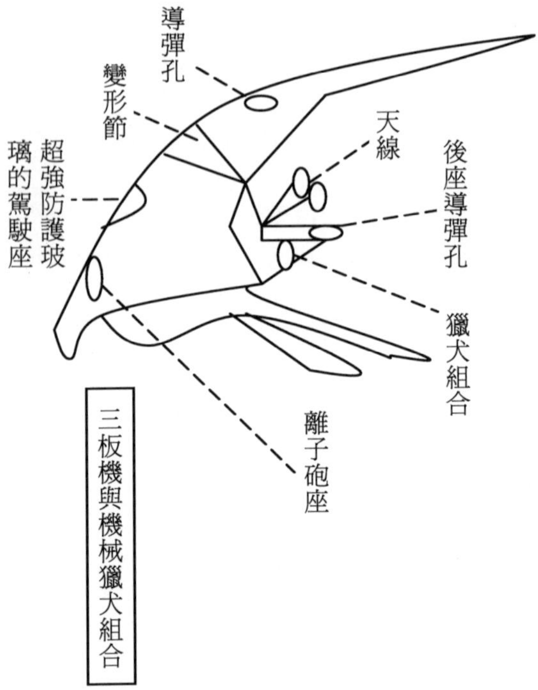

三板機與機械獵犬組合

龍族兵器緊急請求增援，怪頭飛艦開始釋放大批的增援兵器。楊恒萱眼睛帶著血絲，已經兩天沒有睡覺，但是憤怒支撐著他的精神，座機拼命帶領著飛行獵犬往怪頭飛艦攻打過去，空中你來我往火力互射。龍族大部隊都已經部署進攻新河瀨，沒料到東瀛島會出現新型態的人類兵器，楊恒萱使用老頭子青島之戰那一招，擊破怪頭飛艦防護罩，而後火力全開把飛艦擊落，裡面的十五個龍族都因而殞命。眾人在地面看了，大聲歡呼，直喊佩服。

楊恒萱不敢輕敵，深怕重蹈袁續居的覆轍，通知地面說：「立刻通知潛水艇的電腦進港！還有，所有人快把重要生產模具，全部搬到潛水艇去！這裡不能待了！回第二生產基地去！」

第三幕　怒濤之龍

楊恒萱突圍同一時間，外太空，龍族艦隊總旗艦，超級戰艦級『剔哈蚵蚵』號。審判庭五條龍，在戰艦指揮室，再一次使用四條似列意見，與一條整併意見的討論方式，討論如何對付人類在東瀛島出現的新力量。忽然一個龍族個體，在指揮室投影出實影。頭戴著盤旋狀，閃閃發光的金橘色帶狀纏繞物，身穿金綠色的套裝衣服。頭上金橘色纏繞物代表這條龍是特級思維學者，可以選爲二十年一任的龍族領導者，而這條龍正是剛當選爲領導者的個體。而審判庭五條龍爲中級思維學者，可以候選爲審判庭的成員。

五條龍兩腿向後彎曲的關節，同時向後微蹲，然後相互換座位，表示對領導者之間溝通的重視。領導者叫做『姿嘎』，此龍原本叫做姿姿，不重複名字，代表進入到特級思維的尊名，開頭就表示：「聽說人類出現兩股域固蠶變型態的力量，而爾等一股力量都沒有殲滅，反而讓兩股力量結合，造成不少龍族子民傷亡是嗎？」

五條龍同時發聲，各有不同的語言，但是在領導者的大腦中，很快就整併成一條綜合意見：「我們承認估計不足，人類兩股域固蠶變力，不但都已經可以走位，相互還開始結合型態，極有可能如同生命演化路徑，變成無窮型態的演變循環。但是人類滅絕的『啓易』命運已經打通，必然要走向滅亡。」姿嘎說：「雖然啓易命運啓動，但是人類所剩的生存時間，還是會干擾我們空間路線的宇陣器，進而影響到空間路線的行徑。所以特級思維層，已經準備再調動十大神器中的兩樣『龜闔』、『天麟』，增援現在的所有進攻部隊。」五條龍整併意見說：「先前就動用過兩台神器，造成邦邦偷走一台。是否該慎重使用？」姿嘎頗有些憤怒說：「打人類是不必動用到兩台，但是制服邦邦你認爲不用嗎？先前爾等進攻『卡里嗚嗚』，竟然還讓他逃走，甚至事後用『天帝』保護了人類第一股域固蠶變力。得以干擾我們的空間路線！這不也都是貴組審判庭指揮無方嗎？倘若這次再失敗，我就會讓其他審判庭的成員來替代你們指揮。」五條龍同聲『乎珠』整併，表示道歉。

姿嘎繼續說：「這下就有三台神器與大規模部隊，打人類還有邦邦，非贏不可。貴庭還有整併意見嗎？」五條龍整併說：「空間路線已經可以開始，但假若轉移移民艦隊，對於進攻人類的力度就減小。若等消滅人類之後才開始轉移，則讓邦邦有機可趁，去宣揚時間路線。這問題希望給予指示。」姿嘎說：「開始轉移艦隊！除了戰鬥單位之外，全部都轉到九九星球去。這樣子空間路線就成定局，邦邦就算偷再多的神器，也不能阻擋。另外我還要加派第二級戰鬬超兵器八台，協助三台神器。如此則必勝無疑。」五條龍同聲表示遵令。

之後又整併一條訊息：「我們發現一個很奇怪的現象，這兩股人類域固力量，在破壞一些宇陣器之後，就停止進攻宇陣器，甚至他們還有機會進攻宇陣中樞，卻也停而不打。我認爲這是人類對我們透漏一種訊息。至少這兩股域固力，已經知道龍族的矛盾，並且不想要破壞空間路線，只想要保護人類的生存。既然現在人類滅絕命運已定，我們是否改在這附近其他無人固態星球，架設宇陣器。這樣既不用再拼命進攻人類，也可以保持這中繼站的順暢。」

姿嘎說：「可以！只是人類也有初級宇航的能力，也是會記錄仇恨的生物。況且他們已經有域固蠶變的能力，很快地就會進步！我們必須把人類的數量減少到可以控制的程度，並且把他們的文明破壞掉，使其回歸較爲原始的生活，屆時就不必再進攻人類了。按照爾等給我的資料來說，我們只要摧毀掉人類最後一個國家組織，那麼就可以徹底收兵，放過人類，全部都轉移去九九星球，太陽系的中繼站通道，就讓地球的衛星，與鄰近紅色的行星來擔任。」

通訊完畢後，審判庭五條龍遂開始計畫四管齊下，進攻新河溯、邦邦、袁毓真與楊恒萱等四股力量。第一路，由特級思維學者『哾哩』駕駛著『天后』，率領三十多台怪頭飛艦，在外太空尋找邦邦的座艦『卡里嗚嗚』。第二路，由特級思維學者『唬啦』駕駛著『龜闔』，率領十三台怪頭飛艦，進入海底尋找袁毓真的海底飛船。第三路，由特級思維學者『洑嘞』駕駛著『天麟』，率領著十七台怪頭飛艦，往東瀛島降落尋找楊恒萱這一股力量。第四路，也是力量最強的一路，以僅次於十大神器層級的八台超兵器，與一百三十台怪頭飛艦，增援包圍新河溯的龍族部隊，並且直接派出三艘與琉球之戰同級的宇宙戰艦『朱邦嚕嚕』、『科理拉拉』、『此舒彬彬』三艘宇宙戰艦，隨後降入大氣層，引為最後的本隊，增援第四路軍。

龍族領導徹底憤怒，已經動用強大的主力，對人類打最後一戰，準備徹底把人類打回穴居時代。

第四幕　體制內與體制外

啓易三年六月五日，新河溯元首大人地下府邸。

原來的陸軍大將軍郭劍鋒與空軍大將軍陳俊翰，都在新河洛戰死，原來的海軍及宇宙軍大將軍也都被罷免。元首大人重新任命周邦國、唐生智、江力軍與吳台生，爲陸海空宇四軍種大將軍。經過嚴格地整肅，全國各地的援軍都不敢怠慢首都防務，全國最精銳的陸空軍全在新河溯嚴密佈防。吳台生報告了，戰略宇宙軍，發射的迷你間碟衛星，回報的龍族四股戰力動向。其中一路最龐大的部隊，正突破大氣層，依軌道判斷是往新河溯殺來，讓會議所有官員又是一陣驚慌。

有了上次經驗，元首大人害怕極了，發著抖說：「這批龍族畜牲……實在逼人太甚……發射所有核武器，跟牠們拼啦！」周邦國軟弱地勸阻說：「萬萬不可啊元首大人……世界其他主要國家，就是因爲使用核武器，所以現在一片焦土，徹底滅亡啦……」元首大人兩手發麻，抖著說：「使用會滅亡，不用還是會滅亡，不如就派空軍敢死隊，拼命貼近牠們的宇宙戰艦，然後發射威力最強大的集束氫彈雨，一定可以轟掉那些畜牲！」唐生智小聲地說：「這招美國人之前也用過，在混亂中發射，是穿破了防護罩，打掉了一台宇宙戰艦，但是之後就被其他戰艦的龍造小太陽集束毀滅武器，把美國所有的城市都轟掉了……這實在划不來啊……我們還有很多城市沒有被摧毀……不能重蹈覆轍啊……」元首大人拍桌罵說：「那你們說該怎麼辦！」

行宰趙仰德說：「不如躲到海南島……」元首大人拍桌罵說：「怎麼還是那個爛意見！我死都不學蔣介石那條豬！」趙仰德只好閉嘴，曾有能與姜擇明也都苦著臉。

吳台生小聲地說：「我們宇宙軍參謀部判斷，月球軌道附近的龍族艦隊分出的四股兵力，另外三股龍族兵力，動向很值得研究。第一股，往外星飛走，目的無法判斷。但是第二股似乎已經潛入太平洋，依照楊恒萱中行士綜合資訊判斷，可能是在尋找袁毓真等人。第三股降落在東瀛省，如今我們部署在東瀛省的武力，只有楊恒萱中行士的人工智能部隊，判斷可能是去找他們……」元首大人不耐煩地打斷道：「那又怎麼樣？能夠救新河溯嗎？」吳台生點頭說：「請元首大人反過思維方向來想！這代表在龍族看來，袁毓真的人工智能部隊，與楊中行士人工智能部隊，是有戰略層次威脅的。所以才要派另外兩股龐大又奇怪的兵器，去找尋他們……」

元首大人聽出了些端倪，閉上眼睛緩緩說：「你的意思是，請袁毓真與楊恒萱來這裡協防？」吳台生點頭說：「是的……全國製造機械獵犬的工廠，都已經被摧毀，雖然技術釋放給民間的工廠，但是緩不濟急。目前只有庫房的機械獵犬可以拿出來用。而新河溯的地下工廠生產效率很慢，人工智能部隊的生產力，還是這兩個人厲害，青島區一戰的紀錄片，昨天楊中行士也給我們看過，他們聯手打龍族確實很有戰力……雖然袁毓真是逃犯……我還是建議元首大人赦免他，令他帶隊來支援……」

元首大人鐵青著臉，問曾有能說：「你認為赦免袁毓真可以嗎？」曾有能搖頭說：「楊中行士來援助我很贊成，但是袁毓真與政府有嫌隙，這萬萬不能赦免啊！」吳台生皺眉頭說：「之前新河洛突圍時，我怎麼聽說你真理部長，是讓袁毓真的飛碟救出來的？現在什麼時候啦？還在玩排擠政敵的把戲！」曾有能辯解道：「我並沒有排擠誰，而是他畢竟是國家體制外的力量，難以控制。」

吳台生更火了，怒目道：「詩經有云：普天之下莫非王土，率土之濱莫非王臣！領導者有德而不拒四方，即使再疏遠的人也願意被驅遣！自己就已經先切割，誰是體制內！誰是體制外！那麼國家能用的，就只有類似曾先生你這種外表光鮮亮麗的飯桶！」曾有能也怒目說：「你說誰是飯桶？」兩人眼看就要吵起來。元首大人拍桌喝斥道：「都閉嘴！」兩人沉靜下來。

吳台生不甘心，而再進言說：「報告元首大人，現在是新河溯存亡的關鍵！倘若再沿襲過去的慣性思考，這裡就要變成第二個新河洛了！諸葛亮的前出師表也說過：親賢臣遠小人，此先漢所以興隆也，親小人遠賢臣，此後漢所以傾頽也！現在我們不能再分親疏遠近！」

這話刺激到元首大人的內心世界，使得他對吳台生非常惱火，但是畢竟處在存亡關鍵，不得不有大度量。緩緩地說：「我明白了，現在立刻通知楊恒萱來這裡增援。另外，讓行宰通知袁毓真，請他在太平洋牽制一些龍族部隊。另外，新河溯人民也都加入地下兵工廠生產行列，在軍方作戰的同時，也不停止製造武器！」眾人點頭稱是。吳台生心思：（不讓他進新河溯幫忙，可見內心還是存著芥蒂……罷了……希望楊恒萱能撐得住。）

楊恒萱才讓工作人員退回青島地下兵工廠，與吳升象的生產部隊會合，並睡了一覺，馬上就收到新河溯的求援通知。於是馬不停蹄，駕駛新生產出來的座機，帶領八百台鐵人與機械獵犬結合機，三千台飛行機械獵犬，先行飛往新河溯。蔡早苗、武田猛、李上介則駕駛三台快速裝甲車，率領五千台陸地機械獵犬，從陸上日夜不停地向新河溯挺進。

第五幕　烽火燒盡九重天

六月五日深夜，楊恒萱的飛行部隊已經先趕到新河溯郊外空域，此時新河溯上空已經盤旋著龍族大軍。陪都的空軍似乎已經沒有招架之力，只能拼命發射防空飛彈，並用機械獵犬在陸地抵抗龍族的自動兵器。正當楊恒萱想要冒險突入空域時，突然飛來一台鳥型四肢怪，帶領著大批的花型飛行器往這裡撲殺。

這超兵器台鳥型四肢怪，正是這次行動的八台超兵器之一，是僅次於十大神器的次級兵器。由龍族中級思維學者，『啷啷』駕駛。似乎已經察覺有人類飛行物靠近，遂率領八十台自動的花型飛行兵器過來。雙方同樣都只有一個駕駛員，其他都是自動飛行兵器助陣，兩邊很快就發生遭遇戰。楊恒萱從前觀飛行機械獵犬，收到視訊之後，知道這批龍族兵器與以往不同，這兵器很類似於先前在青島之戰時，遇到的天后。於是不敢怠慢，立刻讓飛行機械獵犬展開六合圍攻陣。利用數量眾多，從上下四方圍剿對方，自己的座機也在眾多護衛下，投入穿插猛攻。一邊是次級鳥型怪，一邊是三板組合機，這方是龍族精銳次兵器，那方是人類智能聯合體，龍族要攻破河溯滅人類，人類要

龍族次級兵器，超兵器鳥型四肢怪

捍衛陪都抗龍族。雙方在空域做出殊死戰鬪。

花型兵器與飛行機械獵犬，都開始小伍掩護射擊，只是獵犬五台一伍，花型器四台一組，戰鬥火力的交錯軌跡也不一樣，代表兩種戰術智能邏輯的方向不同。

以原點爲視角的空中戰術組織

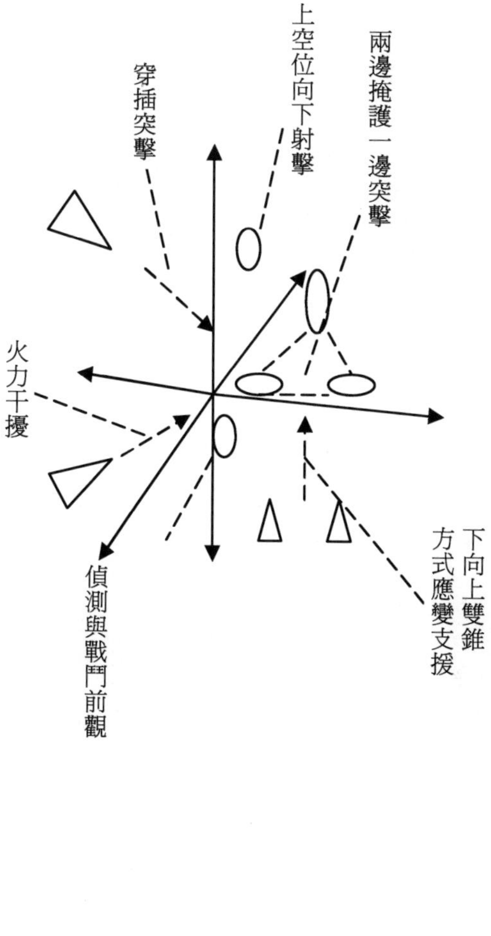

楊恒萱電腦迅速分析出龍族戰術結構，這樣傷亡比將會是花型器一而機械獵犬三，但是提不出應變的方式。楊恒萱自己也在戰鬥中，暫時也無法應變，只以數量眾多而繼續猛烈突擊。一下子八十架花型兵器就被消滅，但是發現大批的機械獵犬，一台一台地被鳥型四肢怪兵器擊落，就像是打蒼蠅一般容易，機械獵犬的飛彈都無法穿破其防護罩。於是楊恒萱指揮眾部隊退後，身邊的突擊機械獵犬衝上去，使用之前擊毀怪頭飛艦的方式，暫時破除對方的防護罩。座機猛烈地發射高速離子砲，打中鳥型兵器的身軀。

楊恒萱大喜，呵呵冷笑一聲說：「畜牲！死定了！」結果鳥型怪抖動一下全身裝甲，竟然往這邊開火反擊，所幸護衛機械獵犬抵擋住火力，零件彈射在座機強化玻璃窗外，不然楊恒萱就當場被擊毀。唧唧使用龍族語言，呱呱道：「這些低等生物還有點智商，可惜質量武器太慢，穿不過防護能的破損區間，離子武器打不透這超兵器的特殊材質。」於是繼續開始反擊，機械獵犬紛紛墜落。

楊恒萱見狀不好，迅速變形成機器人，邊退邊打，改變戰術，忽然十台機械獵犬飛過去，又是一招自爆電磁彈，短暫突破防護罩，而其中一台同時衝入罩內，忽然產生劇烈爆炸，把鳥型四肢怪兵器當場炸毀，唧唧只感到一陣強光，而後殞命。楊恒萱流汗喘著氣說：「呵呵！沒想到我會在某幾台機械獵犬內，裝置戰術核武器吧……呵呵！不然還真打不穿那個怪東西……呵呵……」這訊息龍族的三台指揮戰艦都收到，所有龍族大為震驚，立刻調整部署，正在摧毀地面建築物的超兵器，調動五台同等級的超兵器，並五百架花型器，往楊恒萱這裡撲殺。

前觀機械獵犬偵測到立刻回報，楊恒萱目瞪口呆，喃喃自語說：「五台怪物……糟糕……我打不過五台……」於是通訊所有機械獵犬撤退。剛打勝的楊恒萱竟然成了逃亡的一方，被龍族兵器死命地追趕，殿後的機械獵犬損傷慘重。逃跑中，緊急通知蔡早苗等三人道：「快點在集群空射點掩護我！發射集群火力！」三人點頭稱是。三人率領的機械獵犬，紛紛對追來的龍族兵器發射快速導彈。一時三千發帶有人工智能的導彈，像蜜蜂群一樣飛往龍族空中追擊隊。花型器猛烈地開火攔截，但是前面一批炸掉後面又補上，一時間彈雨亂竄，從小火光逐漸演變成空中巨大的火團，在黑夜中如同一個巨大的太陽出現，照亮大地。楊恒萱則指揮所剩的一千台機械獵犬，並八百台後衛的鐵人結合機，開始往遠方巨大火團方向反擊。楊恒萱呵呵笑道：「我這招『烽火燒盡九重天』威力如何？龍族畜牲們該接受教訓了！」

花型器確實因之折損一半，但是五台超兵器卻因防護罩抵擋毫無受損，分兩台往地面衝去，另外三台率所剩花型器，迎頭與楊恒萱的空中部隊開戰。八百台鐵人結合機列隊迎戰，與飛行機械獵犬同時使用剛才那一招，但是龍族已經不會再上當，所有隱藏戰術核武的兵器迅速被辨識出來，三台超兵器將之紛紛擊落。

楊恒萱只好使出最後一招，趁眾兵器拚死纏鬥中，率所一百台鐵人結合機，拚命地向上空飛去，穿過了對流層，進入平流層最上方，把纏鬥的空域定向出範圍。包含座機在內，所有機器人相互接通能量線，排列成一矩陣。座機機器人伸出一圓型鍋體，集中所有能量準備發射激光武器，同時通知地面部隊再一次發射連環人工智能導彈。一火團再一次出現，圓鍋體凹面發射強激光武器，隨著火團繼續猛擊。這威力雖小於龍族的龍造太陽武器，卻趁火團中和掉三台超兵器的防護罩能量時，又撲殺一陣天火。果然三台超兵器，與周圍雙方自動兵器全部墜毀。而後這一群機器人矩陣，除了楊恒萱的座機之外，全部能量耗光墜落在大氣層中燒毀。

楊恒萱座機剩下不到三分之一的能源，緩緩降落回來，呵呵笑道：「火燒赤壁連環船，兩千餘年後再一次重演……可惜我的隊伍也覆沒了……」正當以為成功之時，地面蔡早苗回報：「兩台鳥型大怪物我們打不過，機械獵犬損傷過半，我們現在正往新河溯逃跑！」主力部隊都損傷殆盡，等於一場慘勝，那麼在新河溯的地面龍族兵器，將難以抗衡。楊恒萱正當苦思之中，兩台超兵器飛過來，一砲打中機器人雙腿，楊恒萱的三板變型機墜落於地。

這場戰鬥結果，除了傳到三台宇宙戰艦，也傳到了龍族所有艦隊上。審判庭五條龍非常地吃驚，雖然龍族最後還是打贏，但是人類域固力量，竟然能擊落四台超兵器。

龍族艦隊總旗艦，超級戰艦級『剔哈蚵蚵』。審判庭五條龍，正透過立體傳輸器與龍族領導姿嘎對話。五條龍的整併意見，與姿嘎的意見相互成雙錐模式，疊合意念資訊。

姿嘎收到回報，也頗為驚訝：「陣亡四台超兵器與四個中級思維學者！人類兩股域固力量結合，竟然能快速演變到這種程度。『淛嘞』駕駛的『天麟』，沒有找到域固力的本據地嗎？」五條龍整併意見：「『淛嘞』撲了一個空。但是我們查出這域固力轉移的地點了，已經派一百艘怪頭飛艦與眾多自動兵器進攻該處！」

姿嘎說：「這項命令繼續執行！但實在太誇張，低等生物垂死的抵抗，竟然能殺掉我們這麼多同族同胞，甚至還有中級思維學者。依照審判庭法則，必須要更換審判庭成員。」達達、卡卡、嚕嚕、塔塔、咕咕，五條龍相互調換座位跑來跑去，表示遵令而行。靜下來之後，姿嘎說：「很快就有接手人員，爾等就率領同族同胞們，先去九九星球定居。」五條龍又跑來跑去，表示遵令而行。

姿嘎說：「新任的審判庭成員到達之前，你們下達的指令仍然有效。其他兩路狀況如何？」五條龍整併意見：「另外兩路也都撲空，不過間接尋找到他們的動向。邦邦那一路向地球逃竄。海底第一股域固力似乎在與第二股域固力結合後，力量變得很衰弱。衰弱則代表人類域固力使用很不成熟，不會等價均質地雙錐互動，只要堅持摧毀之，那麼第二股域固力量也將衰滅。」姿嘎快速地運動眼瞼，由下而上迅速開開闔闔，此爲龍族領導階層的文化，表示非常地認同。約莫十幾秒，姿嘎停止開闔，緩緩說：「新任審判庭成員，將會有新的思維模式，盡速打完這一仗，讓人類快點滅亡。」

龍族審判庭五條龍成員更換，將有什麼新的作戰模式？楊恒萓座機被擊毀，命運如何？新河溯遭到大批龍族武力進攻，也會同新河洛一樣淪陷嗎？袁毓真與邦邦都同樣遭受追擊，能逃過一劫嗎？欲知後事如何，且待下象分解。

第二十五象　焦土必爭終極奮戰險生還
極地避難人鵝一處躲追蹤

第一幕　末日危城

話說楊恒萱座機被擊毀，墜落於地，他逃生艙及時彈跳出去，拿著通訊儀器躲入草叢物中。剛才若稍爲遲疑一秒鐘，自己就如老頭子一般身亡，不斷地喘氣直呼「好險」。

啓易三年，六月六日清晨五點，終於聯絡上蔡早苗等人，蔡早苗回報說：「我們已經進入新河湖市區內，這裏也跟東瀛省一樣，被龍族打成一片焦土，大家都躲入地下頑抗，躲避龍族的大型怪兵器。大人你現在在哪裡？我們還要堅持增援新河湖嗎？」楊恒萱回答道：「依照被擊落前的最後座標來看，應該是在河北一帶。我們一定要堅持增援，不然國家就真的沒救……現在只能動用最後一批自動兵器……」忽然通訊器切入訊息，原來是吳升象來報告。

聲音顯得很嘈雜，還有爆炸與槍彈呼嘯聲，吳升象哭著回報說：「楊中行士大人，基地被龍族兵器發現啦！現在弟兄們與機械獵犬正在拼殺！」楊恒萱心驚膽跳，因爲自己的妻小與最後一批兵力，都藏在青島的地下兵工廠，於是大喊說：「你快率隊突圍，往新河溯方向跑，我這邊也殺得分不開身。你是我們最後的希望啦！」吳升象說：「可我不會駕駛你發明的三板變型機啊……」楊恒萱苦著臉說：「你讓我妻子還有我兒子駕駛，你坐在副手座位！先往新河溯方向飛，一個小時候我會發射我在的地點，你們再來接我！」吳升象點頭稱是。

清晨六點，吳升象與楊恒萱的妻小，果然到達會合地點，除了變形三板與機械獵犬組合機之外，還帶著五百架飛行機械獵犬，這已經是最後的力量。

楊恒萱問：「其他人呢？」吳升象低頭說：「各自逃命，生死未卜。但肯定基地的生產線是完蛋了……所有生產模具也都毀掉，包括藏在潛水艇的……」楊恒萱苦臉嘆氣道：「糟了……保存無窮域固演變力量的火種，徹底被摧毀……這次行動我沒有轉移陣地，實在太小看龍族怪物……」其他三人才剛要開口，楊恒萱就瞪大眼搶先說道：「我得快點離開，增援新河溯。你們帶著機械獵犬躲回東北去！」吳升象說：「不，我的家人也在新河溯，所以這次戰鬥我要帶領機械獵犬參加！讓夫人與小孩回東北吧！」

在他的堅持之下，遂讓妻子與兒子帶領一百台機械獵犬，從陸上潛行回東北老家。自己乘坐第二台三板變型組合機，與兩百台飛行獵犬，低空衝入新河溯增援。吳升象帶領另外兩百台機械獵犬從另一路進入新河溯。

此時新河瀰的地面仍激烈地交火，防空飛彈集束地對花型兵器進攻。但是在四台鳥型超兵器的助戰下，空中仍然是龍族的天下，所有建築物紛紛被炸倒塌。同時其他城市也都告急，各戰區兵力瀕臨枯竭，無力來增援新河瀰。元首大人孤注一擲，派一台飛機載著眾多核彈，集束全發，在高空偷襲龍族的三台宇宙戰艦之一，先頭小規模核彈爆炸暫時中和掉防護罩，而後發者在千鈞一髮之際穿過防護罩，多彈頭在防護罩圈內四散，轟掉了『此舒彬彬』。上面有上千名龍族個體，全部因此死亡。

『朱邦嚕嚕』與『科理拉拉』上的龍族大爲驚駭，紛紛動用所有能量加強防護罩等級，並且迅速撤走四台超兵器與地面眾多兵器，準備同發龍造小太陽集束毀滅砲。

楊恒萓見龍族兵器撤退，大感意外，當通訊軍方，知道他們用核武摧毀龍族宇宙戰艦。大爲吃驚，聲通訊蔡早苗躲入深層地下室，也通知吳升象往郊外撤退。果然兩艘戰艦的集束砲從高空打下來，新河瀰地面所剩的一切東西都灰飛煙滅，而且還照此，逐步轟掉其他城市。

楊恒萓在座機上暗暗叫苦道：「既然雙方都使出殺手鐧，那就真的是只能做最後奮戰！」於是楊恒萓動力全開，大膽地靠近龍族宇宙戰艦，吸引大批龍族兵器追擊，然後又急速退回新河瀰地面。因爲重力失調，楊恒萓當場暈眩嘔吐，急忙施打藥物。埋伏的飛行機械獵犬趕來，與追擊的龍族大批花型兵器交戰。新河瀰上空又出現戰鬥，藏在地下的軍方部隊，見了急忙報告元首大人。元首大人知道楊恒萓還在孤軍奮戰，代表新河瀰之戰還可以繼續打下去，於是通令地下所有部隊出擊，以協助楊恒萓。

一時快速裝甲車、機械獵犬冒出地面出擊、所有庫存的飛彈全面升空。龍族的超兵器與各類陸空自動兵器又殺來，雙方在灰燼之中繼續交戰下去，打到最後的一兵、一卒、一槍、一彈！

雙方從清晨戰到黃昏，都在不斷地補充自動兵器，楊恒萱的座機在眾多機械獵犬護衛下，迎戰龍族四台超兵器，雖有地面火力增援，卻仍然節節敗退，座機險象環生。楊恒萱知道同樣的招數已經無法使龍族上當，於是拼出所有戰術核武的機械獵犬，穿炸第一台衝來的超兵器，然後自身雙眼血絲佈滿，衝撞入這台超兵器的頭部，朝之近距離火力全開，又殺掉一個龍族中級思維學者。當龍族兵器爆炸，自身機體也陷入一堆火團，楊恒萱的自動駕駛座彈跳出去，穿過火團撞入地面。

另外三台龍族超兵器大為震驚，機體有了防護罩就難以使用逃生艙，況且若掉落地面被人類所抓，後果不堪設想。八台超兵器只剩下三台，三艘宇宙戰艦被炸掉一艘，人類諸多城市雖然已經被炸毀，死亡不計其數，但是人類垂死一擊卻讓龍族傷亡頗重。死了中級思維學者五條龍，還有一艘次級戰艦上的一千名龍族個體。而軍方模仿楊恒萱穿透防護罩的辦法，讓少有的空軍飛機擔任敢死隊，拼死猛擊剩下的三台超兵器，又轟掉了一台，其餘兩台緊急撤退。龍族新任審判庭五條龍才剛上任，就面對這種傷亡，憤怒異常。調動『天后』、『龜闔』、『天麟』三支大隊趕來增援，並出動兩艘戰艦上的所有怪頭飛艦部隊，四十多架，在新河溯這堆廢墟當中大量地釋放地面兵器，尋找人類地下通道系統。

楊恒萱的逃生艙已經被找到，已經昏厥過去，蔡早苗等三人帶領機械獵犬，帶著他潛回地下。中途遇到一隊龍族地面自動兵器，武田猛與李上介，率隊掩護，因而戰死，蔡早苗背著他回到地下。雖然軍方又因之擊毀了一台超兵器，讓所剩兩台緊急撤退。但是當『天后』、『龜闔』、『天麟』趕到戰場時，地面與空中部隊一瀉千里，紛紛敗逃，空中部隊全滅，地面部隊竄回深入的地下。

三條龍族特級思維學者，頭上都纏繞的金橘色條帶，但身穿全金色戰袍，代表現在正是在作戰時候。

『天后』駕駛者『呪哩』對著其他兩個特級思維學者說：「地面偵查部隊，已經將人類地下道系統破解，我們是否用神器上的穿透光砲？」『天麟』駕駛者『泚嘞』說：「若是使用穿透彈，等於在同一個地點使用兩次『毀滅兵器』。這對我們的精神體是一種玷污，不如就讓地面自動兵器竄入地下進攻，如同上次捕捉這個國家的領袖一樣。」

呪哩說：「但是『此舒彬彬』與六台超兵器都毀滅，我的許多同孵卵室兄弟姐妹都死亡，損傷程度是人類戰爭以來最大的一次，使用毀滅兵器也沒有消滅其抵抗。這點我們還是要多考量。審判庭也是這樣要求我們的。」

泚嘞說：「我們的思維等級超過審判庭五條龍，沒有必要全部依循牠們的指示。我們是直接對降冪精神體『我神』負責的個體，我堅持這場戰爭，仍然要維護精神體純潔！」呪哩遂頻繁地上翻眼瞼，快速開闔，表示同意。

『龜闔』駕駛者『唬啦』說：「人類最後的抵抗力量，出乎意外地強，還外加邦邦這個初級思維學者，偷竊神器與戰艦的大案。你們從人類的新兵器型態分析，得到什麼結果？」

唲哩大聲驚呼地說：「除了域固結合，他們還慧摹了我等龍族兵器，結合自身系統，成了另外一種演變途徑！擊毀超兵器的那個域固力就是如此！」

唬啦說：「姿嘎領袖認爲，人類已經陷入滅絕的啓易，但是我認爲這啓易力量是中性的，也可能把人類重新浴火重生，變成宇宙性質的生物。只看我們現在怎樣運轉變化路徑！所以現在是我們龍族對人類的『關鍵情境點』！如今這星球的衛星，與隔壁的紅色行星，都已經開始架設宇陣，首批移民艦隊也已經到達九九星球，地球的宇陣器不重要了。他們已經不可能影響我們的『空間路線』，我們現在必須判斷，是要就此收手，還是進攻到這個物種文明滅亡爲止。」

龍族十神器之一：天麟

龍族十神器之一：龜闔

唲哩說：「我們該向審判庭要求，出動所有地面自動兵器對這裡的人類進攻，並且一定要消滅人類這兩股域固力量才能離開地球！不然某些人類個體的思維方式，會因此逐漸改變整體人類！後續演變出來的文明力量，會讓我們難以想像。」唬啦與泚嘞表示同意。

第二幕　慧摹四象回返

六月七日下午。

地下總指揮醫療區，裡面躺著眾多的受傷官兵，但是一間特殊的房間躺著昏迷的楊恒萱，蔡早苗在旁邊守護著。

楊恒萱悠悠甦醒地問：「另外兩個男士呢？」蔡早苗含著淚，小聲地說：「都陣亡了。」楊恒萱有氣無力地說：「我們戰敗了……所有力量都耗光……」蔡早苗搖頭說：「我們重創了龍族部隊，打掉牠們的強大武器，甚至還有一艘宇宙戰艦、所以應該算是勝利。」楊恒萱閉眼而不想解釋。醫療人員迅速把楊恒萱甦醒的消息告知元首大人，元首大人急忙來探問傷勢。微笑著說：「不要起身楊中行士，這次戰鬥你打得非常英勇，擊毀眾多龍族兵器，真讓所有軍方都佩服之至。」

楊恒萱躺在病床上點點頭問：「敢問元首大人，龍族部隊的動向？」嘆口氣回答道：「開始用毀滅光束打其他大城市，做殘忍的屠殺。並且對這地下城，派出自動兵器進攻。軍方部隊正在拼死抵抗。」楊恒萱不好指責他用核武，畢竟已經是被逼急了。

又問：「能不能給地下城的防衛體系一些建議？」

楊恒萱答道：「我本身的力量都已經用盡，只剩下武器的計畫書在電腦中，不過以現在的狀況來不及製造了……不知道您有沒有袁毓真他們的消息？」元首大人收回笑容，冷冷地說：「已經讓趙仰德去連絡他們，不過找不到他們的通訊碼。」楊恒萱看出他的心思，緩緩地說：「我猜他們也自顧不暇，我的建議是，現在除了死守這裡，就是發射所有核武器到太空去決一勝負，反正已經覆水難收！」元首大人嘆氣道：「海軍五大艦隊昨天全軍覆沒……已經沒有飛機了！潛水艇的導彈發射系統，根本靠近不了他們，發射出去就被攔截掉！現在連想在新河洲上空，繼續使用核武，炸斷牠們自動兵器對地下的滲透，都做不到了……」周邊其他人，都隨著元首大人皺眉苦痛。

無論什麼時候，楊恒萱仍然保持沉靜的思維，緩緩地說：「最後的手段只剩下，袁毓真第一次在海底基地回報的心得，模仿四象回返法則的分布，對龍族做出最後的阻攔。」元首大人看過他的報告，但是當時沒有達到目標，沒有獲得星際航行技術，所以很快就把報告丟在新河洛的檔案室裡面，現在當然都全毀。所幸楊恒萱拿出電腦，交給他說：「我裡面有模擬新河洲地下地圖，是依照軍方給我的安置地圖所架構的，四象回返法則該如何部署，請您拿去參考。這已經是我最後的一點力量！」

元首大人接過了電腦，回到辦公室立刻開會，親自調整部署。

楊恒萱在電腦上有錄影，是在青島地下基地時事先錄好的，他先展示了地圖，然說：「以下是我利用袁毓真在海底基地的經驗，搭配軍方給的配置計畫圖，模擬的防守策略！就算實際兵力情況略有出入，但是當中敘述的原理是可以運用的！」

接著說：「我們這地下避難中心，可以與龍族的海底基地相比，只是現在攻守之勢轉變。但是當中有一個不同之處要先理解，那就是龍族在建造海底基地時，就已經按照四象回返法則來設計空間，武器的分布也是按照空間來搭配，所以牠們運用四象回返法則，環境與器型都是很吻合。但是我們這地下基地是臨時避難用，並沒有辦法硬將牠們的防衛型態，照搬運用。但是依照次易原理，變化為情境的基礎去思考，那麼任何法則都可以轉化運用在不同的情境上，只是不吻合的情境狀態，要激化這種法則運行，需要的條件比較多。」

然後畫面轉為地圖，接著說：「四象回返法則的最根本意義，就在於利用敵人在運動，而我們也在運動，兩者又相對於環境在運動的本義所延伸的！敵人不熟析我們環境，但若佔有素質與數量的優勢，那麼開頭的時候，雙方力量也等於是勢均力敵，等敵人逐漸犧牲前頭部隊，摸清楚我們的環境分佈時，我們最多只剩下一點地區先佔的優勢，敵人只要稍微努力堅持，我方就必敗無疑。倘若我們不斷地更改自身空間的分布，以及我方抵抗力量的分布，相互形成一種循環導向，那麼所處環境的相關關聯優勢，就會始終握在我方的手中。當初海底基地時期，龍族的部隊很少也很弱，就是利用這種方式來建立堅強的防衛體。所以我們最根本的就是學習，利用循環導向，在動態當中切割入侵的敵方感官，然後創造有生型態力量，去消滅入侵者。以下各位看一下我的規劃：」

於是螢幕出現虛線等畫面。

節點

龍族兵器闖入路徑模擬

機械獵犬不斷生產出現

固定守衛的人犬聯合兵力，一個三角一個基數

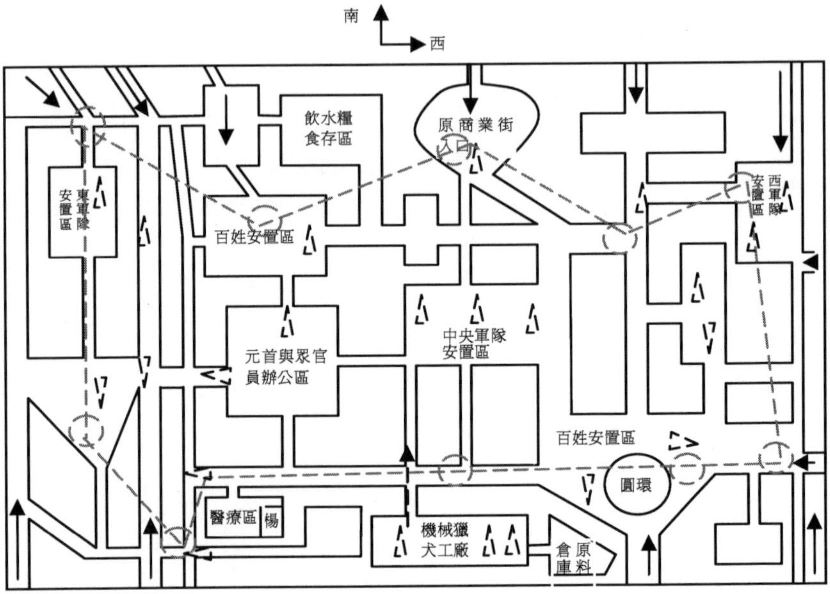

顯示出來之後接著說：「雖然我們的建築物，沒有辦法像龍族海底基地一樣，自動切換空間，但是可以建置節點與循環防衛來替代。先注意，機械獵犬工廠是全部防衛圈的造血心臟，必須要嚴格防備。虛線三角形的部份，是固定不動的兵力，而活動部隊則沿著虛線路線，循環突擊前進，每過一個虛線圓圈的節點，就重新部署裝甲障礙物，並分出一定程度的力量補充固定防衛的兵力，切斷敵人後續的行徑線，然後繼續前進，建立一個循環。倘若有循環的一兵一卒還回到心臟地帶，那就代表防衛力量還有餘裕，總指揮可以把部分的兵力用來展開逆襲。倘若分配不夠，或路線受到阻礙，那麼心臟地帶所組織的循環衛隊，就必須要調換方向進行。無論敵我雙方打得怎麼混亂，這條供應線循環線絕對不可以斷，干擾敵人對我方分布的辨識，也絕對不能停止。保持四處通路，分散敵人的入侵數量，而我們將之逐一擊破。」

說到此，已經把原則都談得很清楚，元首大人急忙命令防衛總指揮，陸軍大將軍周邦國去調整執行。把糧食與飲水都搬到元首大人辦公室的區域，所有抵抗物資也都囤放在這辦公室周圍，以供應周邊的難民與軍隊。

調整完畢，地圖外的防衛區間也都已經淪陷，龍族兵器從所有通道往中心挺進。

第三幕　危城死鬪

六月九日凌晨三點，龍族對地下城發動總攻。

龍族自動兵器似乎無限量地向地下湧入，邊走邊打，且同時分辨地下環境與兵力分布，開始與各部隊交火。元首大人已經沒有退路，親自前往機械獵犬工廠，監督一切的製造，所有工程人員也都聚精會神，把庫存的原料全部投入製造。只要製造出十台機械獵犬，就馬上編組分隊號碼，派出去迎戰，沿著虛線循環快速前進。而周邦國在元首大人辦公室指揮一切。

原本楊恒萱還希望建立原料與電能的循環，可惜準備時間太晚，這兩道循環無法建置，但是光憑這一手，就將頭一批闖入的圓盾怪與蛇怪自動兵器，快速地消滅在循環圈之內。

一艘怪頭飛艦上，正是指揮地下總攻的指揮部，上頭的龍族總指揮。只發現人類地下內部的防衛力量如同血液一般，迅速送到各處，而且部署不斷地在改變，使得龍族就算突破一個缺口，也無法沿著這缺口向縱深擴大戰果。很快就被截斷，然後被固有的防衛力量分割殲滅。已經損失了一千多架龍族兵器。

這消息快速傳回新任審判五條龍，五條龍整併訊息回覆：「這是四象回返法則的變卦型態！停止使用一點突破，擴大戰果的戰術，全軍暫時撤退，總指揮重新部署進攻方法！」龍族總指揮快速通訊所有自動兵器撤退，重新調整進攻方案。

地下的軍民暫時喘口氣，元首大人不敢怠慢，趕緊通過區內電話把龍族兵器退走的消息告知病床上的楊恒萱。楊恒萱緩緩地道：「快點命令所有人，把敵我兵器的損毀零件，通通帶回工廠分解，能用的就加緊利用，工廠的生產超過五個防衛基數之後就停止！處於待命狀態！」元首大人立刻將他的意思，傳達下去，地下的軍民分工合作，快速地處理一切通道零件，並在焚燒垃圾焚化屍體，灰煙沿著眾多小透氣管，吹到遠處的地面上去。很快地地下防線又重新調整，空間充分利用，架設各種不同的阻礙物。

龍族總指揮再一次下達總攻擊，除了圓盾怪與蛇怪之外，還派了重火力的地面自動兵器，四角橢圓怪，發射擴散菱彈砲。不但數量增多、素質更強、戰術也跟著改變了。

擴散菱彈砲，可以在地下不斷往返彈射，打到金屬物質或活體才會爆炸。蛇怪與圓盾怪倚之當作重火力，在身旁隨之開火前進。這回龍族打下一個據點，就一定會留放兵力把守，以阻擋循環路線的配置。龍族已經很快地摸透這種防衛方式，採取了建立區間阻隔，逐步前進的方式。很快地就攻佔圓環區、西邊的軍隊安置區、原商業街路口三個地方。

周邦國連線給各地區防衛指揮的通訊忙個不停，總指揮室的電腦地圖也不斷地在更改敵我分布。他趕緊把三個地區

被攻陷的消息告知楊恒萱，楊恒萱喘著回答：「把被阻斷的供應線，分成兩條進攻路線，機械獵犬工廠的預備隊，一出廠口就分三路，一路往西突擊，一路繼續向東建立循環線，另一路會合中央軍隊安置區的部隊，北上突擊圓環區。同理，也以此方式收復原商業街路口。西軍隊安置區擺在最後，先連通圓環與商業街路口的循環線，再考慮收付西軍隊安置區……」蔡早苗全副武裝，在身旁隨身防衛，因爲醫療區門口也出現了戰鬥，倘若再攻陷一層，醫療區的人都得死光。

如此不斷變換循環線與突擊線，整個地下城的戰局千變萬化，軍民們知道沒有退路，皆手持武器全力反擊，四角橢圓怪的火力雖強，但是已經被軍民們破解。當這種怪物一出現，就猛拋金屬物來吸引火力，後面的人就持重武器開火將之擊碎。終於勉強收復圓環與商業街入口，當地的守備隊趕緊變更防衛方式與掩體佈局。

就在雙方繼續混戰時，工廠傳來消息，仿造老頭子機器人的離子砲已經製造出來，不過必須活人使用，無法加裝在機械獵犬上，數量也只有七支。元首大人命令所剩下的影易特務組成員，全部手持離子砲往外支援部隊。七人各自手持一把，帶領著機械獵犬衝出工廠。李蓮蓮與李聚義，防守在醫療區出口，建立防線。何生智、陳中居往西出發，準備收復西軍隊安置區，以恢復原來的循環線。曲縱橫、司馬婉瑜、張嘉義向東循環前進，支援東軍隊安置區的危機。

離子砲配合機械獵犬，猛烈向前穿插猛攻，曲縱橫等三人衝到西軍隊安置區時，這裡的機械獵犬與軍隊已經傷亡慘重，快要淪陷。三人不斷地主動左右閃躲，並有機械獵犬協助，手上的離子砲沒有停歇，忽然一四角橢圓怪衝過來，擴散菱彈砲四射，不少機械獵犬被擊毀。司馬婉瑜右手持砲翻身腰射，將之擊毀。曲縱橫說：「我留守這裡幫助守軍，你們兩人繼續延著循環線突擊。」話才剛說完，牛殺手張嘉義倒地身亡，原來身重一砲，穿透心臟，打中後面的機械獵犬爆炸。發現龍族兵器如此厲害，一個訓練有素的特務與一台機械獵犬就這麼被一個流彈瞬間打死，曲縱橫頗為驚駭，瞪大眼抖著說：「小雞……妳帶五台機械獵犬繼續往前衝，我與守軍繼續在這防衛……」司馬婉瑜也呆傻住，直到曲縱橫賞她一耳光，罵說：「妳聽見了沒有！」司馬婉瑜才醒神，點頭道：「遵命。」

於是操控電腦，指揮五台機械獵犬，繼續往前衝。到了原商業街入口，這裡守軍精疲力竭，收復此地之後，已經兵力所剩無幾，無力執行撿拾零件送回工廠的任務。同時何生智與陳中居從西軍隊安置區敗退過來，身邊的機械獵犬都被擊毀。司馬婉瑜問：「西軍隊安置區狀況如何？」陳中居臉上帶著血，喘著說：「軍隊進攻失利，我們的機械獵犬也都被擊毀。我們兩人死戰才得逃脫的……」司馬婉瑜道：「老二牛哥已經陣亡，龍族畜牲對人類是不留活口的，我們只有拼死戰鬥到底！我們三人繼續沿著循環線進攻！」兩人見她這麼勇敢，不禁有些愧色。遂跟著她再衝向西軍隊安置區。

衝到該處，龍族自動兵器已經減少很多，大部分轉進攻中央軍隊安置區。機械獵犬先衝上去開火，三人也抖擻精神，吶喊衝殺，砲無虛發。司馬婉瑜離子砲被流彈打毀，立刻扔掉，抽出腰間的短衝鋒槍，猛打自動兵器的砲口位置。大喊：「它們哪裡開火我們就往哪裡打！」一場混戰，留守的十台龍族兵器全部被消滅。

陳中居緩緩問：「老十，我們依照計畫應該留守這裡，等待足夠的機械獵犬來輪班，但是我們實在打不下去……不如撤退……」司馬婉瑜流出眼淚說：「要撤退你們退！我已經打算死在這裡！」陳中居又感覺一陣慚愧，何生智說：「這裡已經沒有軍隊，只有我們與機械獵犬。恐怕也守不住，不如把這裡炸毀，龍族就進不來了。」司馬婉瑜搖頭說：「把這裡炸毀，等於破壞計劃。自己的出路也就被封死，其他通路的龍族兵器就更多，更難以逐一擊破。這種事情我們不能決定的！要走你們走吧！」何生智遂閉嘴不敢再言。於是趁間重新堆放掩體，繼續與侵入的龍族激烈交戰。這裡一收復，侵入中央軍對安置區的龍族兵器，被多數的部隊圍攻，終於一一消滅掉。龍族兵器再一次撤退，眾人換來喘息的時間。

新河溯上空，龍族怪頭飛艦。

總指揮康康，對於人類拼死惡戰，又把龍族新式兩千台自動兵器各個擊破，頗為震驚。與審判庭通訊：「人類再一次在地下打垮了進攻兵器，從他們兵力區間，與打勝的時間分析其『型態動能』，我敢判斷，至少有一股域固力量在這裡面，運轉四象回返法則，我們是否撤兵而改用包圍窒息的戰術？」

新任審判庭整併意見：「人類蠶變力量已經可以走位。我們必須要消滅人類域固力，否則他們將會利用這股災難，演變成更強的文明力。域固力消滅之後，他們的根本氣數就會耗盡，剩下的讓他們權力慣性者去腐蝕即可，人類自然就會逐漸滅亡。對人類進攻的最後階段，就放在殲滅其型態域固力。所以不能撤退，全力進攻！」

康康遂重新組織自動兵器，準備最後的一擊。

第四幕　救星與死星

六月十日凌晨一點。

地下城暫時安靜下來，眾人重新部署防衛區間與障礙物，整個地下防務都重新再改變過。雖然以形態啟動變易力，再一次把龍族擊退，不過活著的眾人都累壞了，清理完屍體，部署好機械獵犬的警戒線後，全部都倒回床上昏睡過去。

元首大人收聽全國各地戰報，龍族在摧毀十七個重要城市後，就停止毀滅巨砲的火力，繼續改採自動兵器進攻。他愁眉不展，轉而命令身邊的曾有能說：「現在全國傷亡慘重，我必須要對全國人民演講，並且舉辦社會各名流的戰爭哀悼晚會，表現社會各界的向心力，讓大家團結在政府之下！不然的話，眾人必定離心離德，以後我的號令就不出這地下城市了！演講稿與晚會的拍攝，由你去擬定！」這正是曾有能的專長，他開心地點頭稱是，只是婉轉表達現在舉辦哀悼晚會，條件不太夠。元首大人怒道：「那些人不都躲在辦公區嗎？你不會去佈置一下會場，利用拍攝手法，讓大家感覺這是大場面嗎？若是不懂，你可以去問趙仰德！」

曾有能點頭稱是。

醫療區楊恒萱醫務房，曾有能前來請求他上台，只見醫務人員都已經去休息，蔡早苗還守衛在他旁邊，勸楊恒萱睡覺。曾有能一進門，才要開口，只見楊恒萱瞪大眼睛充滿血絲，兇狠狠地對著他說：「小人成了權力的救星，權力成了這地下城的救星，但地下城成了全人類的死星。我在時間前一間隔，是地下城的救星，現在成了地下城的死星！」說罷轉頭哭了出來。

曾有能目瞪口呆，問蔡早苗說：「他怎麼回事？」蔡早苗含著眼淚，著急地說：「幾個小時前就這樣了，醫生說他太勞累，精神緊繃，必須要好好休息。給他打了幾針安眠劑，睡了半小時，醒來還是這樣……」曾有能說：「再去請醫生來啊……」答道：「幾分鐘前才打了一針，醫生說不能打太多……否則……」話還沒說完，楊恒萱大吼了一聲，然後昏睡過去。曾有能已經感覺到他瘋掉了，趕緊轉身離開。

晚會仍然隆重，趙仰德拿出看家本領，隨身電腦投映夢彤夢蘿，在地下城『抗龍救災，全民同心』的晚會上現身。先是社會各名流在台上哀悼，沒有在新河溯地下城的名流，就通過視訊連線。眾社會名流，一個個輪流上台，哭泣著高喊：「全人類只剩我們還在堅持抵抗，不斷挫敗龍族，我們有著英明的元首，我們有著強大的……祖國！」而後曾有能跳出來舉手高喊：「四方來援新河溯，全民共同鞏固領導中心！」

晚會最後，投映出來的夢彤夢蘿，在台上含著淚演同聲唱「偉大的領袖、偉大的祖國、偉大的新河溯！」一條歌。歌聲透過無線訊息，穿過了廢墟，穿過了屍體，穿過了灰煙，傳遍全國各地戰場，使得各地軍民共同悲情。而龍族雖然有能力，卻並不打算干擾這些訊息。

凌晨三點，南極海域附近，海底移動太空船指揮室。

袁毓真與蔣婕妤及三台機器人在指揮室，其他女孩都在房間睡覺。指揮室電腦也接收到這無線視訊，袁毓真看了冷冷地笑說：「這時候還有假夢彤假夢蘿的把戲……我看我們可以演一齣『抗龍救災』的連續劇了。」蔣婕妤不滿意他對國家的冷漠，頂他說：「現在我們是不是該去參加戰鬥了呢？」

袁毓真搖頭說：「我不可能去。我們有這力量嗎？搞不好又像上次入援首都，馬上被軍法審判！元首那隻畜牲，上次我救他一命，他說要解除我的通緝令，結果呢？昨天大赦罪犯的名單裡面，竟然沒有我！」蔣婕妤半瞇眼說：「我的意思是去救國家與人民，不是元首大人。」袁毓真瞪大眼說：「意思是一樣的！雖然祖國偉大、新河溯偉大，但是領袖是個畜牲！還是隻賤畜……況且過去我仁至義盡……」於是喋喋不休。蔣婕妤一句話不回，返身回房間。

袁毓真搖搖頭對克莉絲蒂娜說：「女人就是只會看外表……罷了……我喜歡妳這樣的機器人。」她微笑而沒回應。

夢蘿換上了緊身藍漢服，新的臉蛋與身軀，顯得更加彰顯女人味，開口說：「三分鐘之前，偵查小潛艇報告，追蹤我們的龍族兵器又出現了，正快速地往南極海域移動。這幾天的躲避，我們仍然沒有甩掉牠們。」袁毓真大驚失色問：「我們釋放的大批誘導小潛艇呢？」答道：「已經被識破，龍族兵器已經能分辨我們與自動小潛艇訊息的不同。」袁毓真全身發涼，逃到天涯海角，還是躲避不了追蹤，再問：「你們說，該怎麼辦？」夢彤說：「在海裡我們根本不是對手，我建議上陸地決鬥。」

袁毓真站起來，指著桌上的地圖顯示螢幕，嘆口氣說：「陸地決鬥？這裡最近的陸地就是南極，難不成妳要我們在南極冰天雪地上，去大戰龍族的先進武器？」克莉絲蒂娜說：「沒錯，我也這麼認爲，只有放棄這裏，用紅二號登上南極，不然沒有生路。」袁毓真哭喪著臉道：「唉啊！怎麼樹欲靜而風不止啊！」

第五幕　南極驚魂

這段時間，海底太空船內的工廠也把所有資材都造成機器人，所以眾人乘坐著紅二號，眾多機器人分乘兩艘潛水艇。凌晨六點，從南極較爲平坦的陸地登路。兩艘潛水艇與海底太空船都各自由機器人駕駛，往不同的方向遁逃。

這時候剛好是南半球的冬天，也是長夜日，風雪逐漸加大。袁毓真、談玉琰、李韻怡、廖香宜、蔣婕妤、蔣媛妤、姜麗媛、黃敏慧、歐陽玉珍、何佩芸等十一人，都穿著相同的大棉衣，連臉部都包裹著。克莉絲蒂娜、夢彤、夢蘿三機器人，仍然原有裝扮，並不受風雪而影響體內機能。後面跟著一大群機器人，排成一列往前進，而紅二號在高空中策應。

蔣婕妤苦著大喊，問袁毓真：「我們一定要離開紅二號，接受這種風雪啊？」答道：「這是不得已的，龍族自動兵器已經偵查到，我們一切大型交通工具的動能訊息，紅二號在不在牠們的偵察範圍，實在不能保證。」姜麗媛也隔著口罩，貼近袁毓真辛苦地問：「萬一還是被龍族抓到呢？」袁毓真一晚沒睡，風雪中穿得這麼厚往前進，沒啥力氣回答，克莉絲蒂娜替他回答，指著旁邊另一支隊伍說：「假設紅二號被發現，它會自動快速飛走，吸引龍族兵器的追擊，而我們可以加入這一支隊伍當中！龍族就不會察覺。」眾女子沿著她指著的方向看去，原來是一大群剛登陸的企鵝，搖搖擺擺地往風雪較小的地方走去。歐陽玉珍呵呵笑說：「我從來沒想過要跟這些企鵝當隊友。」

忽然紅二號通訊：「我已經被發現，龍族的十大神器之一，龜闔。率領眾多怪頭飛艦已經追來！我必須要加速遠離！」於是飛走。

袁毓真使勁大喊說：「大家跟著我，別掉隊啊！」於是由他牽著繩頭，十名女子身上環扣扣住繩索，排隊接上去，而後是三個女機器人也扣繩索魚貫跟著，最後是五百台鐵人排縱隊跟上。一條隊伍混入企鵝的縱隊中，往前行進。果然，正當紅二號飛走不久，一大群巨大的飛行兵器從上空，閃閃發光地低空飛過去。風雪中，上面的龍族似乎沒有分辨出，眾人與企鵝有什麼不同。只從生物儀表板發現大量非人類的生物機能，便忽視而離去。

見龍族兵器都飛走，夢彤大聲說：「你們體力在這種環境下，不能支撐太久！我大腦資料庫中有兩百多年前，南極研究站的遺跡。建築現在雖然被冰雪覆蓋，但是估計有百分之八十的機會還完好，我們先進去躲一躲，等待紅二號的消息。」眾人依其建議而行。

眾人在雪地中令機器人挖掘掉一層雪，找到了南極研究站的遺跡，眾人躲入其中。不過裡面仍然如同大冰箱，黑暗一片。克莉絲蒂娜拿出背包的照明燈，眾人遂能清楚看得見。裡面的東西排列整齊，沒有落塵也沒有蜘蛛網，似乎很新，不過可以看出是兩百年前的古老物品。到了大廳，看到牆壁上的旗幟，袁毓真說：「這裡是兩百多年前，歐盟與美國的南極聯合研究站，似乎是被遺忘掉了。」

蔣婕妤看了看四周，竟然還有罐頭、洋酒、古董電腦、桌上還有兩百多年前隊員的合影。裡面都是白種人，有男也有女。不禁疑惑道：「這有點不太合理也！這些東西，確實跟這研究站是同一個年代的產物。但是隊員撤離的話，沒有理由不把這些東西帶走啊！」袁毓真拿起了過期的罐頭，呵呵笑說：「那時候的歐美，與我們這年代的歐美不同，他們那時候掌握世界大部分的資源，國力與財富都在我們之上，所以使用東西都很浪費，走的時候丟掉這些東西也合理。」蔣婕妤搖頭說：「不對！沒有理由離開的時候，照片、國旗、電腦、以及紙張資料全部都沒帶走。而且這裡擺設，好像是匆匆離去的樣子。」袁毓真才感覺到不對勁，緩緩地說：「難道又有人回來？但是這些東西確實是兩百年前的古物啊……」

正當眾人疑惑間，夢蘿因而調出大腦中的歷史檔案，開口說：「這南極研究站，是兩百四十年前極機密的檔案。而在一百多年前，太上前元首對東瀛與歐美發動戰爭，網路間諜竊取美國大量機密資料時，同時將這資料竊來，分類過後與戰爭沒有關係，於是保留在國家機密檔案館裡面。毓真大哥的祖父，即大行皇帝生前，讓我們切入國家機密資料庫，把所有檔案都予以儲存。不然我們也不會知道，南極有這個研究站。」袁毓真急忙問：「資料上有沒有說，爲何要廢棄這研究站？」克莉絲蒂娜說：「只有說隊員大部份罹難，同行二十五人中，只有一男一女兩個人乘小船逃離，在冰冷的大洋中漂泊半個月，被中國南極捕蝦船搭救。送回美國之後，兩人與所帶回的資料，都列爲國家機密檔案。最後這對男女結爲夫妻，離開美國而到中國來定居，似乎是要躲避美國政府的某種追查。」

李韻怡說：「這不對勁，一定是遇到什麼威脅，才會讓這麼多人死亡，而後使兩人拼了命逃出南極。不然的話，當時通訊器材也很發達，怎麼會不固守待援，而拼死要坐船到海上去？」何佩芸脫下口罩，皺眉苦著臉，拉著袁毓真說：「這麼冷又這麼黑，還講什麼鬼故事！我們不管啦！現在又冷又累，又渴又餓，袁大哥你要給我們想辦法啦！」袁毓真急忙點頭說好。這些女孩不論哪一個，只要緊閉眼鬧情緒，袁毓真都會答應她們的要求。於是令待在外頭的鐵人，把攜帶的取暖物品，小型燃料發電機等等拿進房內。眾女子擠在大廳取暖，擺設桌椅，並用發電機開始煮飯泡茶，吃吃喝喝一陣忙。姜麗媛拿著全透明玻璃的小茶杯，上頭還有浮雕「茶」的文字，開心地問：「袁大哥，要不要來喝看看我泡的高級烏龍茶？」袁毓真高興地喝了一口，嘻嘻哈哈聊開來了。掃視眾女子，才疑問：「蔣婕妤還有克莉絲蒂娜她們去哪裡啦？」

蔣媛妤說：「我姐姐請機器人姐姐，帶她去辦公室搜索。因爲機器人姐姐才懂兩百多年前的英文。」袁毓真瞪了一眼，坐在一旁看眾人吃喝的夢彤與夢蘿，說：「怎麼不先報告我就去行動？妳們機器人也越來越不遵守規範了嗎？」夢彤點頭道歉說：「對不起，毓真大哥，蔣婕妤要我們繼續聊，別打擾你開心。」何佩芸說：「對機器人也別那麼大男人主義啦！她們一下就回來了！」袁毓真傻笑了一下，繼續吃喝閒聊。

眾人繼續吃喝，忽然蔣婕妤尖叫了一聲，打破了眾人的歡笑氣氛，紛紛站起來警戒。蔣婕妤奔回大廳說：「快來看！裡面有死人！」袁毓真苦臉道：「死人有什麼好看啊？都是兩百多年前的木乃伊了！」廖香宜說：「這不對勁，代表基地內真的有古怪！」於是眾人遂跟著她，前往基地辦公室查看。只見辦公室內有五具死屍，都已經乾枯，但乾枯之後就被冰封住，所以沒有全部腐化。

除了談玉琰、李韻怡、廖香宜與三台機器人沒事，其他人都差點吐出剛才吃的東西，跑到外頭不敢看。袁毓真大喊說：「好啦！大家都回去吃飯喝茶！再玩這種把戲，我可要生氣啦！」眾女子遂紛紛離開，蔣婕妤還想說話，袁毓真急忙捂住她嘴說：「妳少再調皮！我們休息過後還要連絡紅二號！不然我可把妳扔在這，不理你啦！」蔣婕妤甩開他的手，「哼」了一聲，也跟著眾女子回去。

克莉絲蒂娜最後走出門，拉著袁毓真的袖子說：「毓真大哥，我分析結果，這裡有問題。

資料都是有關生化技術的，而且那些死屍在生前，似乎對某種生物做出些抵抗！」袁毓真被剛才的乾屍驚嚇，仍然無法平復，捏著克莉絲蒂娜的鼻子說：「反正妳是機器人，不用吃東西，就派妳在基地搜索，搞清楚之後才跟我報告！別再跟蔣婕妤玩這種惡作劇！若還有下次，我就把妳拆解掉。」等他鬆手，克莉絲蒂娜才點頭說：「是的毓真大哥。」

楊恒萱精神已經瀕臨崩潰，新河溯還會有救嗎？袁毓真等人逃到南極古蹟，會遇到什麼怪事？龍族最後的攻擊展開，人類能支撐過去嗎？欲知後事如何，且待下象分解。

第二十六象　極地兇物惡鬥異類得眞祕　邦邦來援突破危境過難關

第一幕　疑竇之初

六月十一日早上九點，南極洲的天色仍黑黑一片，極地長夜無日的狀況，使得眾人雖有手銬也不區分晝夜。既然內有夢彤夢蘿，外有大批的鐵人在守衛，也就有了些安全感。在大廳打地鋪，十分寒冷而沒有棉被，遂擠在一起相互取暖而眠。袁毓真以前睡覺老是思春，苦想美女陪伴，而這段時間眾多美女陪他睡覺，卻怎麼也興奮不起來。上廁所過後，也擠在談玉琰與姜麗媛中間睡著。女孩們知道他行為規矩，所以他想擠哪裡也就不排斥。

才睡沒有兩小時，忽然夢彤夢蘿同聲大喊：「快點起來！有危險！」然後硬拉著眾人爬起。眾人睡眼惺忪，但是身處異域，自然馬上警惕。

蔣婕妤還昏昏沉沉地問：「到底怎麼回事啊？」夢蘿說：「克莉絲蒂娜剛才通訊給我，說發現異種生物的冰凍體，經檢驗還活著。」袁毓真皺眉說：「她的回報我沒興趣聽！還不就是剛才的木乃伊一類嗎？想讓我睡覺作惡夢啊？老頭子死後，妳們這些機器人真的是越來越糟糕！別逼我真的拆掉妳們喔！」夢彤較懂得人類心理，改變稱呼，並低頭謹慎地說：「主人，真的是對不起，我們的中央處理器檢定，那種生物就是殺掉那些人的兇手。既然還有生命現象，那麼這基地就有潛在危險。」

袁毓真才喘口氣，坐在椅子，喝口冷茶問：「關鍵不是那生物，關鍵是紅二號躲過龍族兵器追擊了沒有？這才是妳們該回報的。」夢蘿說：「紅二號、海底太空船、還有兩艘潛水艇都沒有消息。我們認為，它們應該是快速躲入海床，並且關閉通訊，以免被龍族發現。若是被擊毀，在爆炸前應該會傳訊過來。」又問：「都過了多久了？現在還在躲嗎？還要我們待在這『陰森的古墓』多久？」夢蘿說：「龍族知道我們的藏身策略，很可能守候在這邊等我們，所以請主人您一定要有耐心。」蔣婕妤拍了袁毓真肩膀說：「最近你怎麼脾氣這麼壞啊？你看夢彤夢蘿怕你生氣，都改變稱呼了！」袁毓真才緩下氣，抓了抓束起的長髮，點頭說：「好啦……我知道了……慢慢心平氣和地說。」

眾人感覺一陣涼風吹入，原來門被打開，克莉絲蒂娜滿身風雪地走進來，關上門後緩緩說：「打擾主人的睡眠，真的很抱歉。但是那危險生物確實還活著。」

袁毓真知道三台機器人可以連線，所以克莉絲蒂娜也知道自己生氣，緩緩說：「好啦……

妳們就恢復原來稱呼吧……告訴我怎麼一回事？」答道：「這裡我都搜遍了，到處狼藉，這些人生前有過戰鬥。經過我檢查他們的電腦資料，原來這裡是兩百四十年前，美國與歐盟科研中心，最後研究物失控，殺光了基地內的人，只有兩人冒險逃出南極……」袁毓真打斷她說：「這之前有說過，我猜也猜得出來。我想知道的是，那危險生物在哪裡？」答道：「就在半公里外的實驗室內，除了那隻生物，我還發現一個女人，經過我的電子眼掃描，竟然也處於休眠狀態而沒有死。」眾人聽了大驚失色，竟然這裡還有兩百多年前沒死的人。

談玉琰說：「把資料都投映在牆上給我們看。」

克莉絲蒂娜左手小指變制，對著牆壁投影，房內燈光微弱，所以大家看得很清楚。先投射出搜索後的基地概略圖，標示發現物的位置，視窗一角，還同時出現剛才拍攝的各種畫面。先是發現一個比蝙蝠的臉還醜的怪物，身軀呈現鰻魚型狀，有著四肢，但是背上有十幾條管狀物，管狀物外有堅硬的囊鞘，有分節，前頭是十分尖銳的尖狀物。全身被冰凍，呈現灰褐色狀，倒在實驗室地上。而實驗室的台桌上，倒著一個年輕的西洋女子，也被冰封住。

眾女子見了都頗爲吃驚，袁毓真卻嘆口氣說：「這一定是被怪物追殺，跑到急速冷凍室，把室內溫度急速下降，與怪物同歸於盡的。跟剛才的冰凍乾屍也沒啥區別，我們還是別去看啦！」蔣婕妤直接問克莉絲蒂娜：「妳確定怪物與這女子都還活著？」答道：「我的生物掃描儀是很準確的，確定都還活著。我當下也很納悶，與資料庫不符。照常理說，生物被急凍，體內生化酵素雖然都不會被破壞，但是體內熱循環會被破壞，生命現象都會失去，以致於細胞組織都會死亡，只保留冰冷的軀殼而已。然而我在實驗室內，感應到穩定的放射物，那裡正是兩百多年前的休眠實驗室，而彌補了熱循環。竟然能讓生命長時間休眠而不死。這種技術現在都沒有，實在難以想像兩百多年前具備這種技術。」

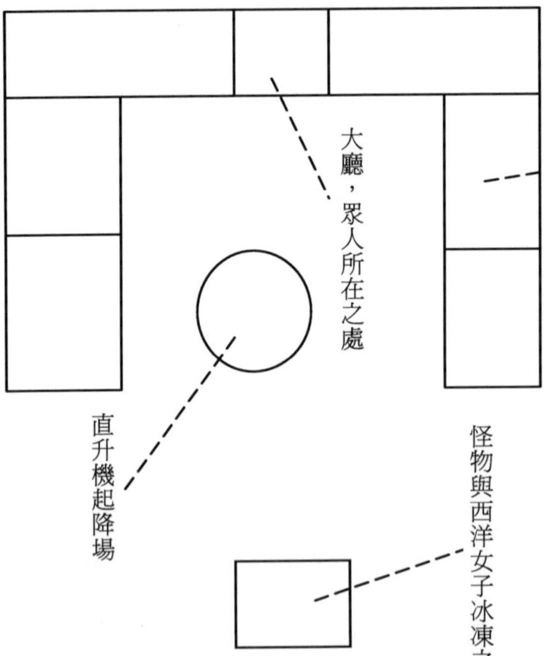

蔣婕妤說：「蒂娜，那我們得去救她出來！」克莉絲蒂娜搖頭說：「這得毓真大哥同意，我現在的程式，已經調整爲完全聽命模式。」蔣婕妤拍了袁毓真肩膀說：「你快下令去救她吧！」袁毓真傻笑了一下，扶起眼鏡說：「妳那麼關心那個洋女孩喔？我倒是不想打擾這位睡美人。」蔣婕妤怒目道：「你還真冷血也！見死不救嗎？」袁毓真呵呵一笑說：「我之前救妳幾次啊？還敢說我冷血？況且她是兩百多年前的人，正常狀況下也早該死了。即便我答應去救她，請問妳知道，這麼複雜的生化技術冷凍下，妳知道如何救醒嗎？況且我們現在自身難保啊！龍族怪物會不會殺了我們都還不知道，還想當小矮人去救睡美人喔？」

蔣婕妤緊閉眼睛喊道：「我不管！你最近變得很冷血！假設你再不聽我的，我以後永遠不理你啦！」黃敏慧也說：「是啊，我們也都不理你啦！」蔣媛妤、姜麗媛、歐陽玉珍、何佩芸，也都喊說：「是啊，我們也是。」袁毓真苦著臉，貼在桌上，喊說：「唉喔！真受不了妳們也！」然後站起來問李韻怡說：「妳們認爲該不該救？」李韻怡聳肩說：「我沒意見。你怕她們不理你，就去救吧。」談玉琰、廖香宜也都表示沒意見。袁毓真高舉雙手，苦著臉緩緩說：「好……我輸了……我去救……」蔣婕妤與眾女子，都顯出戰勝般喜悅的表情。

袁毓真問：「蒂娜，妳知道怎麼解凍嗎？」答道：「解凍程序，剛才我在實驗室有記在資料庫中，不過儀器有沒有損壞，我就不清楚了。」袁毓真拿起手槍，緩緩說：「蒂娜與夢彤跟我來，其他人都別去，免得怪物復活會危險。」談玉琰也揹起火箭筒，手持衝鋒槍說：「我也跟著去。以免你有危險。」袁毓真不想再起爭議，苦著臉說：「好好好……」結果李韻怡、廖香宜也同聲說：「我也要跟著去！」袁毓真頓了一下，呵呵笑說：「提意見的都不去，反倒我們這些不提意見的，都得去啦！」蔣婕好不滿地喊說：「誰說的！你以爲我們害怕嗎？我們也都要去！」其餘女子也都妳一言我一語道：「是啊、是啊、我們也要去！」本來袁毓真打算一個人帶機器人去，現在變成全部都跟著去了。苦著臉說：「好啦！全部都去！拿起武器保護自己啦！等等讓機器人動作，全部都要聽我的，不然我可翻臉喔！」姜麗媛笑著說：「遵命，袁大組長。」

眾人全身包裹著，手持武器，由三台機器人，手持探照燈帶頭而行，出了門後大批的鐵人跟在後面護衛。

第二幕　甦　醒

眾人到了該實驗室，五百台鐵人戰鬥機器人守護在外面，克莉絲蒂娜與夢彤操作了實驗室，夢蘿把怪物拖到一密閉室關起來。眾人就安心圍在台桌周圍，用著好奇的眼神，看著兩百多年前的冷凍女子，只見她全金色頭髮，高鼻深廓而顯得非常美豔。

通電之後台桌變色，逐漸加熱解凍後，夢彤解開她厚重的外衣，只見她穿著兩百多年前的西式套裝衣褲，眾人也感覺室內溫度加高，紛紛解開大外套。等了許久，忽然見她瞪大眼，藍色眼珠突然盯著袁毓真。袁毓真嚇了一跳，蔣媛妤與何佩芸都尖叫了。冷凍的西洋女子也跳了起來，大聲驚呼，夢彤夢蘿壓住她，以免她有不同的心理狀態。而女子見到周圍都是人類，也就稍微放輕鬆。袁毓真才從保溫壺地一杯溫水給她，她喝完之後，見到周圍都是中國人，望著克莉絲蒂娜，以爲她懂英語，說了一連串兩百年前的英語。

袁毓真問：「她說什麼？」克莉絲蒂娜經過翻譯系統，緩緩地說：「她問我們是誰？細胞怪物去哪裡了？她的隊友呢？」袁毓真轉面緩緩說：「妳也有西洋女人的外表，所以妳負責跟她溝通，我沒興趣跟一個西洋超級老太太說話……」蔣婕妤說：「妳別這麼沒禮貌吧？好歹問人家什麼名字。」袁毓真轉面對夢蘿點頭，夢蘿便用資料庫的英語與之說話。

夢蘿說：「她叫做史塔莉．威爾森。十九歲，美國麻審理工學院的高材生，參加外星透視計畫，遇到實驗意外……內容不方便透露給我們知道。」袁毓真呵呵一笑說：「告訴她，她已經兩百五十九歲，美國這個國家也被龍族消滅了，假設有什麼機密也都無所謂，我們也都不想聽啦。」夢蘿於是把話翻譯給史塔莉聽，她聽了頗爲驚訝。眾人遂各自穿上衣服，回大廳去。史塔莉穿上大衣急忙跟著出門去，不斷地跟克莉絲蒂娜對話，眾人當然聽不懂。

風雪稍小了些，史塔莉問：「她說我睡了兩百多年，這是真的嗎？美國真的滅亡了？」克莉絲蒂娜說：「沒錯，回去之後我再慢慢告訴妳。」史塔莉看了她只穿藍色套裝衣褲，疑問：「妳怎麼不會冷？」克莉絲蒂娜答道：「因爲我是機器人。跟妳身後的這些也是。」史塔莉看了一大堆鐵人，似乎懂了些，轉問：「他們是中國人嗎？衣著怎麼像我電視上看的中國古裝衣物？我那時代的中國人可不是穿這種衣服的。」克莉絲蒂娜說：「兩百多年的時間，世界變化很大，妳現在問這些我也無法答上來。」這句話似乎提醒了她什麼事情，大聲喊道：「跟我躺在一起的細胞怪物呢？到哪裡去了？」邊走邊答道：「剛才被關在密閉室，牠再怎麼厲害，對我們也不會有威脅。」她喊道：「不！你們不知道這生物有多厲害！」風雪減低了她的喊聲，所以眾人並不怎麼在乎。

下午一點，長夜日的南極仍然是黑夜，天空中有極光。

袁毓真等眾人太勞累，沒心情欣賞此景，回去又擠在一起睡眠。在大廳一側，克莉絲蒂娜詳細地將兩百多年歷史都告訴史塔莉，包括龍族戰爭滅亡全世界各國，只剩中國也岌岌可危，眾人才會躲避到南極。兩人談話聲音放輕，以免影響眾人睡覺。

史塔莉說：「細胞生物也一定醒來了，讓大家別粗心大意。我們能逃走就馬上逃走，不然有再多武器也擋不住。」夢彤也用兩百年前的英語問：「妳能先告訴我們，這怪物的來龍去脈嗎？」答道：「我是負責冷凍休眠工程的操作員，對於細胞怪物的事情我只知道個大概。」克莉絲蒂娜說：「沒關係，就說吧。」答道：「大約兩年前……喔，不，距離你們已經兩百多年。美國的南極科研人員，挖掘到非自然物，初步理解，至少有六千七百多萬年的歷史，屬於白堊紀後期的東西。美國政府當時就認定，這屬於外星生物的東西，必須要保持絕對機密。裡面有活體細胞標本，但是與地球的完全不同，當時就把科研人員都殺死，侵入了人體而後變異，成熟之後就用管狀物，吸食活體的身軀。特種部隊趕到後，傷亡慘重才把怪物消滅，但是研究計畫仍然進行，只是監控更加地嚴格。但是……」克莉絲蒂娜微笑說：「但是還是失控了對嗎？」她點頭說：「是啊，軍方派來支援的人也全死光，無一生還。我一急之下往外逃，細胞生物在雪地追著我跑，但是牠的速度明顯緩慢，我靈機一動就躲入冷凍實驗室。牠從氣窗變形闖入，我立刻打開急速冷凍，與牠同時冰封。我以為是死定了，沒想到竟然還能活到現在。」

夢彤說：「據我們的歷史資料分析，妳的同伴有一男一女逃出去，而後你們國家就把這列為絕對機密檔案。」史塔莉點點頭說：「難道是他們？果然是一對聰明的情侶……」忽然變臉說：「我們必須快點逃，怪物不會被困太久的。」克莉絲蒂娜苦笑著說：「我們已經不敢吵醒他們，不然的話會把我拆解掉。總之妳相信我的戰鬥力，這怪物不會是我們的對手。」她仍然搖搖頭說：「不……妳不知道……」話才說完，只聽得外頭的鐵人猛烈開火，風雪聲也掩蓋不了，袁毓真等人都被驚醒。袁毓真爬起來就問：「怎麼回事？龍族打來了嗎？」只聽得史塔莉哇哇大叫，夢彤翻譯說：「她說，是那隻怪物闖過來了。」眾人全部抖擻精神，持武器戒備。袁毓真說：「蒂娜，妳出去看看！」

克莉絲蒂娜出了門，只看到鐵人正在猛轟那隻怪物，怪物的一支尖銳物穿插過一台鐵人，但是沒有感覺到養分，尖銳的嘶叫聲響遍雪地，鐵人仍然繼續猛轟。怪物最後四分五裂，只剩一個怪頭，放棄龐大的身軀，伸出六支觸角，往旁邊的房間竄去。克莉絲蒂娜警覺到危險，回來告訴眾人，談玉琰直覺地認知這裡危險，趕緊說：「這裡有危險，我們必須出去！」

袁毓真苦著臉道：「紅二號還沒消息，外頭零下五十度啊！」李韻怡從衣襟內袋取出金屬指套，緩緩說：「總比被怪物吃掉好吧？讓機器人消滅它之後，再回來不遲。」眾人遂收拾東西，全身包裹好後衝出門去，讓鐵人進營區搜尋。

第三幕　冷凍怪物軍

眾人雖然有厚重的衣物，仍然凍得擠成一堆。二十多台機器人在周圍建立防線。另外二十多台在裡面逐間搜索，忽然整個基地巨響，眾女子同聲尖叫，除了機器人外，所有人都同時蹲下。

袁毓真大喊說：「什麼啊！鐵人亂開火啊！」姜麗媛說：「這不像是鐵人的火力……」話還沒說完，又連聲爆炸，裡面的鐵人也都被摧毀。眾人急忙退後數十公尺，建築物竄出團團火燄開始燃燒。眾人雖然受到驚嚇，但是整個營地都暖了起來。史塔莉看出袁毓真是帶隊的，拉住他說：「這基地底下都是怪物在休眠！剛才那一隻，故意引爆基地的瓦斯庫。」袁毓真聽不懂，克莉絲蒂娜急忙翻譯。袁毓真大驚說：「她說什麼？怪物會引爆瓦斯庫？那種怪樣子怎麼可能有這麼聰明？」翻譯過去，又回道：「怪物當初是吸食她同伴的軀體，包括大腦，有保留她同伴的部分記憶！她建議我們趕快遠離這裏！」

這讓大家都感到害怕，剛才竟然睡在，眾多這麼邪惡的怪物樓上而不自知。

眾人又開始列隊離開，並且拼命連絡紅二號，但是紅二號卻仍然沒有回應。才接近剛才的冷凍實驗室，忽然聽到背後嘶嘯聲起，一大群跟剛才一樣的怪物，竄出地面，身上還帶著火苗，成群結隊往眾人這裡衝來。剩下的二十多台鐵人，立刻開火射擊，眾人也紛紛持槍助射。史塔莉躲在眾人身後，顯得非常恐懼。只見怪物前仆後繼，第一排鐵人已經與怪物近身撕打。袁毓真見狀不好，大喊說：「大家快撤到建築物內，讓怪物凍死在外頭！」於是眾人逃回冷凍實驗室。史塔莉想到當年她自身的遭遇，竟然又加入一批人重演一遍。

實驗室內除了袁毓真等十四人，還外加十五台鐵人，一時間頗爲擁擠。其餘的鐵人則在外頭拼命開火，與怪物死戰。克莉絲蒂娜翻譯史塔莉的話說：「怪物在零下五十度的溫度下，還可以支撐一小時，我們這建築物擋不住它們多久！」袁毓真苦著說：「不然我們能上哪去？」蔣婕妤說：「現在只能冒險呼叫紅二號，不然那麼多怪物，機器人不知道能擋多久。」克莉絲蒂娜說：「就算現在呼叫紅二號，而她能冒險穿過龍族追蹤來到這，少說也要半小時以上。我們還是得應付這些怪物。就算安全登上紅二號，龍族的追擊一定會到。」袁毓真苦著臉說：「不管啦！現在只能呼救了！不然這裡也實在冷得讓人難受！」克莉絲蒂娜遂開啓通訊。

忽然間，實驗室氣窗竄入一隻怪物，四周牆壁也被其他怪物用尖管刺穿。夢蘿迅速拉起袖子，變制離子砲，把闖入的怪物轟爛。濺出不少青黃色液體，袁毓真、李韻怡的厚重外衣都被彈射到。史塔莉急忙大喊：「把外衣脫掉！」眾人聽不懂，克莉絲蒂娜急忙翻譯。只見液體在衣服上還會移動，似乎想從衣襟內竄入人體。兩人見了急忙脫衣服，李韻怡迅速確實，把衣服扔掉，袁毓真卻手忙腳亂，夢彤趕緊上前幫助，使得左手上沾染到液體。它似乎想要滲入夢彤的手掌內，但是夢彤的肌膚液化退去只剩下鐵手，右手食指轉成一隻鋼管，噴射出火燄把左手的液體細胞群殺死。克莉絲蒂娜與夢蘿也跟著照做，把怪物的殘骸燒毀。

但是實驗室四周的怪物繼續摧毀牆壁，袁毓真大喊：「克莉絲蒂娜、夢彤、夢蘿打先鋒，所有鐵人殿後，我們要衝出去！」眾人依令而行。

衝出門口，頂上的怪物跳下來與機器人搏鬥，眾女子衝出來也跟著開槍，史塔莉緊跟著袁毓真身後，由鐵人簇擁著衝出。一看過去怪物少說還有數百隻，袁毓真顧不得有多冷，大喊說：「妹妹們別打啦！快跟我逃啊！讓鐵人去打就成啦！」眾女子邊開火邊跟著他，冒著黑夜與風雪，往黑漆漆也白茫茫的冰原逃竄。越遠離燃燒的營地，失去光芒，就越看不清楚。袁毓真抖著大喊：「快報名！」女孩們遂把自己的名字報出來，連機器人都有，但是竟然少了談玉琰。

袁毓真大喊：「談玉琰，談玉琰呢？誰有看見她？」克莉絲蒂娜此時才來，喊說：「還有戰鬥的聲音，她是不是跟鐵人繼續與怪物交戰。」袁毓真急著臉道：「夢彤、夢蘿，妳們快回去找啊！」兩人點頭稱是。

此時寒風吹襲，李韻怡與袁毓真都失去大衣，都苦著臉緊縮在地，廖香宜趕緊解開腰帶，把李韻怡護入胸膛以取暖，姜麗媛也如此與袁毓真取暖。眾人擠在一起全部抖成一團。但是伸手不見五指，逐漸鐵人的砲聲漸歇，夢彤、夢蘿，率領著鐵人回來報告說：「纏擾的怪物都被殺光，只有少數逃回營地地下」袁毓真抖著問：「找到談玉琰……了嗎？」夢蘿說：「掃瞄了整個營地，都找不到……只看到地上有她手持的衝鋒槍。」袁毓真皺緊眉頭，咬牙切齒，擠出眼淚，眼淚流出來就馬上結凍，於是酸著鼻大喊道：「可惡的怪物！所有機器人，快回去把怪物殺光！殺光它們！」機器人遂又回頭迎戰。於是竟然嗚嗚哭了出來。

蔣婕好感覺有些內疚，若不是自己多事，也就不會害死談玉琰。伸手拍了一下他的肩膀說：「假設我死了，你會這麼傷心嗎？」袁毓真只點著頭，沒有回應。不過這一點頭已經讓她感覺一股溫暖。遠處的營地又是一陣火光爆破，躲入地洞的怪物被機器人噴火器燒殺，尖嘯聲傳遍冰原，而後三台機器人與所剩十台鐵人回來，告知怪物已經全數消滅。袁毓真內心欣喜與悲傷同時湧現，一時自己也說不出這種感覺。又問：「找到她了嗎？」克莉絲蒂娜搖頭說：「沒見到……」袁毓真又大哭了起來，並說道：「一定是被吃掉了……哇……」

忽然與營地相反的黑暗方向，跑來人影開口說：「誰被吃掉了呢？」這是談玉琰的聲音，見到她走來，大家歡心異常，袁毓真摟緊姜麗媛，內心欣喜臉上生氣地說：「妳跑到哪裡去啦？害我又損失好多台機器人！」談玉琰道歉說：「對不起毓真大哥，你的損失，我有其他東西補償。」於是拿出一具紡錘狀怪體。

紡錘狀怪體

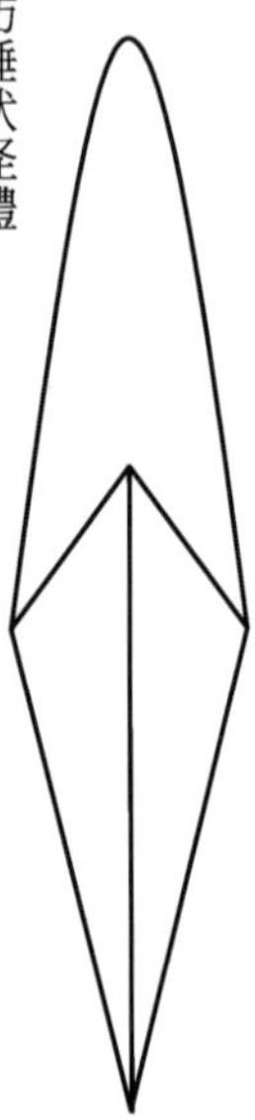

史塔莉見了頗爲吃驚，對此物似曾相識。袁毓真問：「這是什麼東西？」談玉琰指著史塔莉說：「這是當初她的同伴們研究的外星物體，那些怪物的基因就是從裡面萃取出來的。」蔣婕妤疑問：「妳從哪裡找來的？」談玉琰微笑說：「從營地的資料看的，我約略看得懂英文，也勉強聽得懂史塔莉說什麼，只是不會開口說。所以知道這附近有一艘外星小船，裡面還有好幾個類似這樣的紡錘體。」

袁毓真拿起紡錘體，就往地上扔，生氣地說：「這麼邪惡的東西，還拿來幹麻？生命比較要緊知道嗎？難道還想製造怪物出來啊？」談玉琰見他生氣，趕緊低頭說：「對不起。」袁毓真才緩緩說：「好啦沒事了。」

蔣婕妤說：「我認爲這東西有價值，還有那艘奇怪的外星小船。怪物雖然被我們消滅，但是龍族萬一找到我們，這說不定可以拿來當做交換條件。」眾女孩也感覺頗有道理。史塔莉不知道大家說什麼，但是現在也讓她冷得不敢發問，遂跟著大家而靜聲不語。

第四幕　眞正的外星生物

眾人又用繩索串在一起，往外星太空船走去，約莫一百公尺之遙，找到了該船。它約莫只有一個小樓房這麼大，呈現多節怪蟲的形狀，一半已經陷入雪地。

眾人實在冷得受不了，見到有入口就推開門板躲進去，讓剩下的鐵人堵住入口的風雪，談玉琰拿出手電筒照明。只見內部造型怪異，都是直條紋狀的壁面。而空間呈現多面體分佈，區隔上下兩層，之間有一個孔洞可以互通。孔洞正上方頂層，垂吊著一具卵形透明珠，裡面完全沒有物體，而孔洞下方排滿紡垂狀怪體，約莫有數百個。雖然堆了不少積雪，但是可以看得出這種整體分布。

克莉絲蒂娜抽出背包中的燈光棒，大家就更看清楚，女孩們擠在角落取暖。史塔莉透過克莉絲蒂娜翻譯說：「這太空船在兩百多年前被我們挖掘出

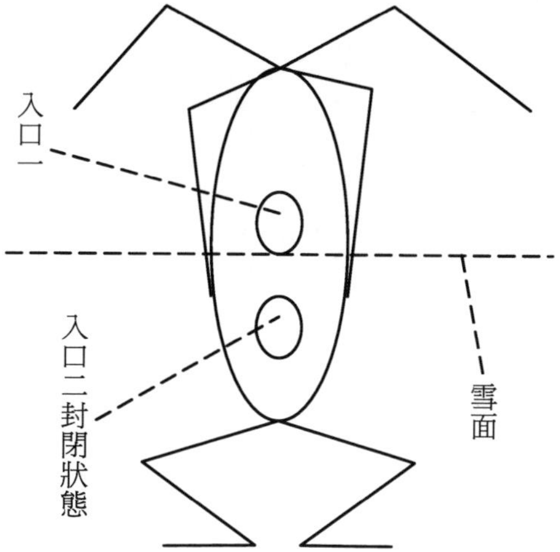

來，當時美國政府本想把這太空船拖回國內，但是歐盟科學家反對，要求在當地先行研究，分享利益之後，才能給美國。所以我們才會在南極建立基地。但我們發現紡錘體裡面的東西，是來自不同星球的各種生命因子，而且都非常邪惡，極具侵略性。我們推測這是某星球上的智能物種，蒐集銀河系各地有生命的星球，儲存的生物兵器庫。不知道什麼原因，遺棄在地球的白堊紀末期……在兩次失控而造成大量傷亡後，軍方內部出現反對聲音，遂不敢再派人來拿這些東西……而使我睡眠兩百多年的儀器，也是當初科學家，模仿紡錘體的生物休眠科技模式，所製造出來的。竟也隨著當時的災難，一同拋棄在南極而無人知曉。」說罷她似乎也有些昏沉，體力不支，夢蘿趕緊給她熱水與食物。

蔣媛妤苦臉對著姐姐說：「我想要上廁所，快幫我想辦法……」蔣婕妤轉面對袁毓真說：「大男人，你聽到了沒有？快幫我妹妹想辦法。」袁毓真傻笑著說：「這種環境你要我怎樣？我自己也想大小便還想洗熱水澡，但是紅二號沒有回訊，我也沒辦法啊！」黃敏慧也學何佩芸與蔣婕妤等人的方式，緊閉眼睛說：「不管！我也想要上廁所，你一定要給我們想辦法啦！不然我們怎能繼續聽你的命令？」袁毓真苦臉說：「好好好……我想辦法……」於是站起來看孔洞下方的空間，談玉琰笑了袁毓真的傻勁。

袁毓真拿起一支軟膠光燈往下層丟，然後轉面對夢彤說：「妳用火焰噴射器，溫暖了下方之後，就當作廁所吧。然後再用冰雪覆蓋就好了。」夢彤點頭稱是。於是眾女孩輪流下去方便，總算暫時都解決問題。然而夢彤的火焰似乎啓動了什麼東西，當她幫女孩們處理完畢，最後爬上上層時，忽然孔洞正上方頂層，垂吊的一具卵形透明珠開始變色。上層的牆壁出現孔洞，射出一個開口的紡錘體，剛好射中袁毓真額頭，從孔洞掉落到下層。眾女孩一陣尖叫，談玉琰與姜麗媛先後跳入下方，克莉絲蒂娜也隨後跟著下來。只見袁毓真瞪大眼而沒反應，額頭的紡錘體張開，緊附在上，似乎有一根細線直接插入其大腦內。

姜麗媛急著想把紡錘體拔掉，談玉琰拉住她的手說：「沒搞清楚狀況，別衝動！」此時史塔莉、李韻怡也跟著下來，蔣婕妤在上頭叫喊：「快把他抬上來啊！」眾人將之抬遞上去。眾女子不斷呼喚他，卻已經沒有反應。談玉琰問夢彤：「快說怎麼辦？」夢彤搖頭說：「這種狀況我們也沒資料，但是這東西似乎已經進入毓真大哥的大腦……」李韻怡急得一把想把它拔出來，但是竟然穩固地與其大腦聯通，頭都因而被拉抬而上。蔣婕妤把李韻怡推開，怒道：「小母狗！妳幹什麼！」李韻怡臉紅耳赤，見她對袁毓真也頗著急，遂也沒有生氣。

克莉絲蒂娜急忙按脈搏，夢蘿則聽心臟，夢彤用電子眼掃瞄。夢彤說：「還有生命現象，甚至還有腦波，這怪東西

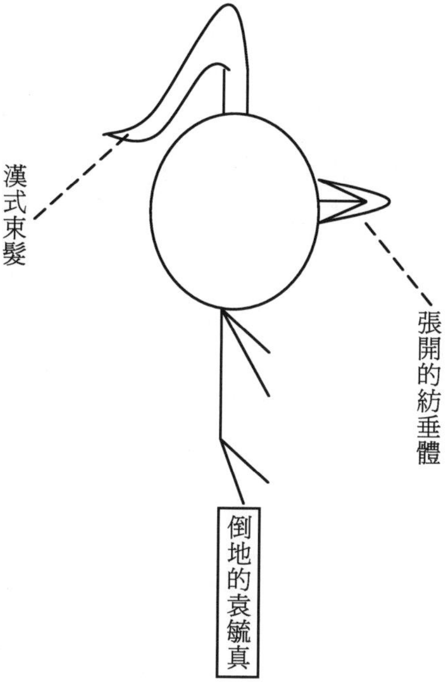

似乎在吸收他的某些訊息！但是這種狀況，我們也不知道該怎麼辦。」話才說完，紡垂狀物體迅速收縮，彈入卵形透明珠內，而袁毓真悠悠甦醒。

眾女子幾乎同聲問：「你怎麼樣了？」袁毓真搖搖頭坐起，緩緩說：「我也不知道，剛才只感覺刺痛然後頭很昏，感覺時間過了很久呢……我是不是昏了幾天啦？」廖香宜說：「才沒一分鐘而已啊……」克莉絲蒂娜掃瞄了他全身後說：「體內沒有異常，估計剛才的紡錘體是在蒐集毓真大哥的生命訊息，如同蒐集其他異星生命一般。」蔣婕妤說：「過了這麼長的時間……這艘船竟然還沒有壞……這裡太詭異了，不能久待。我們得快點離開這，紅二號訊息來了沒有？」克莉絲蒂娜搖頭。

眾人正在躊躇間，忽然大批龍族兵器降落在太空船周圍，可見眾人發射尋找紅二號的訊息，已經被龍族部隊給截獲。外頭的鐵人開始與之交戰，三台機器人也猛發離子砲往外衝，眾人卻不敢出去。砲火轟到這台太空船，造成猛烈震動，大家紛紛掉落下層，東倒西歪，還沾上了許多排泄物。但是大家都知道出去就必定被殺，忍著臭，誰都不敢往上逃。

第五幕　終極救兵

外頭忽然降落天帝，把眾多地面兵器擊毀，空中的怪頭飛艦現狀不好，趕緊撤退。鐵人已經只剩下兩台，克莉絲蒂娜、夢彤與夢蘿，都知道這又是邦邦來救援，趕緊進去把衆人帶出來。見到機體泛藍的天帝，袁毓真高聲歡呼，衆女子也都跟著開心起來，史塔莉不知道怎麼回事，只見衆人開心，知道這是救兵，遂也露出笑容。邦邦從機體降落，全身套著金色服裝，頭上也纏繞著金橘色的條帶，上頭還立金橘色尖帽，代表自封爲特級思維學者，還自命爲龍族的領袖。而服裝周圍圍繞雲霧狀氣體，似乎是龍族服裝抗寒冷的機能。

李韻怡與廖香宜，跪在雪地恭迎主人，邦邦用翻譯器開口就說：「妳們還真聰明，知道躲在外頭。不然的話，鐵定被龍族部隊逮到。只是最後還是嫌智商不足，要不是我也截獲妳們的訊息，恐怕就被龍族部隊殺光了。」史塔莉見到一個大腦袋，眼瞼倒閉，腿部關節向後彎曲的怪物，竟然會透過翻譯器說中國話，頗爲驚駭，只見衆人都出現歡喜之色，才跟著安心下來。

袁毓真說：「邦邦大人，請快點幫我們離開，我們剛才碰到真正的外星怪物啦！」邦邦轉而看了那艘異星太空船，思索了一下，丟了一個橢圓操控儀，開口對李韻怡與廖香宜道：「妳們兩個牲畜！快把『卡里嗚嗚』呼喚到這裡，然後連同這艘船一起收入船內。『龜闔』已

經快要飛來這裡，我必須要駕駛『天帝』迎戰！」兩女匍伏磕頭，同聲遵命。於是邦邦又回到天帝內，『咻』的一聲，龐然大物飛上黑暗的天際，地面捲起的風並不強烈。不久宇宙魚太空船到來，把眾人與殘存的機器人，包括異星小船都收入艦內。

邦邦的天帝迎著上空的黑暗處，顯現了一百多台飛行器。原來龜鬮的駕駛者唬啦，率領著強化版花型飛行器，趕到戰場上，與天帝正面相迎。

兩駕駛者打開立體通訊，先是一番叫陣。

唬啦先開口：「我是來消滅人類第一股域固力量的，沒想到會在這裡碰上你！可見你跟人類勾結，破壞空間路線的事實，已經不言而喻。你只是初級思維學者，天帝的機能你不可能全然發揮，最好快歸還天帝，不然本龍將要在戰場上執法了。」

邦邦呱呱回道：「說我是初級思維學者？你看清楚我頭上的條帶還有尖帽顏色了嗎？我現在不只是特級思維學者，還是整個龍族的領袖！地位比你還高！現在是我要執法！」

唬啦也被氣得呱呱大叫說：「荒謬！一個偷竊神器的卑劣個體，竟敢穿戴接近『我神』的裝飾！我看你眷養人類久了，思維可越來越像人類這種低等生物了……」

邦邦罵道：「我沒時間跟你多扯！你現在立刻退回去，不然天帝手下不留情！」唬啦也罵道：「你以為龜鬮打不過天帝嗎？神兵器相戰雖是禁忌，但是在你偷竊的情況下，我也必須要執行『我神』的意志了！」

兩條龍幾乎同時關閉通訊，唬啦率領著眾多兵器一擁而上，天帝立刻開火迎擊。唬啦要消滅人類捉叛徒，邦邦要眷顧牲畜戰追兵，這邊擺出天羅地網狙殺陣，那邊展開凌炫飛破突擊力，這方以量立威，那方以術增勢，龍族鬥龍族，神器戰神器，雙方在天空中出現一場激烈混戰。八重引砲、五彩光波、瀰天堅護、神穿霆矛，交相施展，一個有強大護盾，一個有快速機能，一時間殺得不分勝敗。

此時紅二號、兩台潛水艇與海底移動太空船，受到袁毓真通知，前往會合地。但是眾多龍族怪頭飛艦也並不停閒，立刻查出兵器的動向，而後出動大批花型兵器入海追殺。把海底太空船與潛水艇都給擊破。宇宙魚也釋放花型兵器救援，才把紅二號與另一艘潛水艇給救護上來。

袁毓真知道海底太空船被擊毀，老頭子眾多的心血付之一炬，不由得痛哭失聲，眾多女孩也跟著流眼淚。克莉絲蒂娜說：「毓真大哥別太傷心，大行皇帝的心血，我與夢彤、夢蘿的資料庫都有備份。」袁毓真仍然哭著說：「這不一樣……資料跟實體差很多啦！」李韻怡站在指揮塔上面，透過擴音器說：「毓真大哥真的別傷心，至少我們都還在啊！之後我會想辦法利用這艘船的資源，幫你重建機器人軍團的。」袁毓真擦乾眼淚，嘆氣說：「希望邦邦答應……」

忽然指揮塔傳來邦邦的通訊，牠還在戰鬥，來不及用翻譯器，直接就對李韻怡與廖香宜大喊說：「快潛入深海！」兩女直覺猜測是躲避的意思，經過戰艦上的龍族電腦翻譯後，於是宇宙魚遂潛入大海中逃走。

此時『天后』駕駛者『哯哩』，也率領大隊改良版花型兵器趕來增援，天帝迎戰龜闔與護駕兵器們，已經是十分地勉強，突然又來一個神器與一大隊兵力，邦邦知道必然抵擋不住。

於是使出乍影雷光，強光四散照亮極圈上空，讓眾多龍族兵器一時停頓，唬啦以爲他要進攻，趕緊張開強力防護盾。結果邦邦是虛晃一槍，趁此間衝入海底，快速遁逃。兩台神兵器也衝入海底要追，但是在海中的速度輸給天帝，只好作罷。

兩神兵器相互通訊，唲哩問：「邦邦的駕駛能力怎麼會這麼成熟？竟然還能把你的護駕兵器打損一半。」唬啦說：「我必須承認錯誤，之前太低估牠的駕駛能力。也太低估人類的躲避能力。目前人類第一域固力量的個體沒有死，不過整個基地都已經被摧毀，這股域固力量除非邦邦有意協助，不然是不可能再有作爲了。」唲哩說：「假設邦邦幫助這批人類，那就不能稱作域固力量，對人類滅亡的命運也不可能挽回。我們雖然沒有拿到邦邦，但是摧毀第一域固力已經算是成功。就暫時先撤退，把狀況告知審判庭。」

袁毓真等人雖已脫險，但是第一股域固力已經消失，人類滅絕命運真的無可挽回嗎？眾人發現的古怪外星小船，跟整體局面有何關聯？邦邦又會怎樣處理那件怪東西？欲知後事如何，且待下象分解。

第二十七象　危城脫困權力復使還元氣　域固湮沒外強中乾迴光返

第一幕　牲畜、玩偶與靈魂

邦邦返回宇宙魚，除了李韻怡與廖香宜跪下匍匐之外，其他人一擁而上，想要歡迎邦邦。結果邦邦呱呱大怒，把帶頭的袁毓真的頭踩在地上。眾女子全部持槍警戒。機器人也都變制武器進入戒備狀態，邦邦身後的龍族兵器也都警戒。

李韻怡急忙道：「邦邦主人不是要傷害妳們！妳們快跪下！」眾女子面面相覷。袁毓真額頭緊貼在地，喘氣說：「邦邦大人別那麼生氣，怎麼回事可以慢慢說啊……」邦邦透過翻譯器叫道：「我是龍族，不是人類，別把我當作是你的同胞！」袁毓真急忙說：「是是…邦邦大龍……請高抬貴腳……」克莉絲蒂娜離子砲座仍對準邦邦說：「快放開他，不然的話我們可要破壞這艘船艦了。」邦邦嘴巴張開露出圓滑平底的牙齒，兩手都有圓盤武器對準袁毓真，呱嘎叫說：「放下武器的該是妳們，不然這個笨人類立刻得死！」袁毓真苦著說：「妳們別衝動，我們是牠救出來的，都放下武器，跟李韻怡一樣跪下……」

眾女子只好放下武器，包括機器人在內也都紛紛下跪，史塔莉聽不懂說什麼，但是看到眾人下跪，也就跟著下跪拜伏。

邦邦說：「從現在開始，你們都是我養的牲畜，在我面前不要叫我主人，改叫我主龍。你們私下才叫我主人。看到我就立刻跪下磕頭，如同紅與白一樣。我的命令就是一切，包括我要你們去死，你們也得去！不然我會把你們折磨到死爲止！」牠突然生這麼大的氣，讓眾人頗爲驚駭，袁毓真的頭還被牠踩在腳底，苦著臉道：「遵命主龍閣下，之後我一定謹遵命令，請……請抬腳……我剛才頭被外星紡垂體插入，現在又被你踩，實在很痛……」

邦邦才抬腳，開始呱嘎得意，拉起袁毓真說：「剛才是訓練牲畜的一種手段，不是刻意要折磨你們。我現在已經自立爲龍族之主，之後我有一系列事情要你們幫我辦，只要努力去當牲畜。」自立爲主，這讓袁毓真想起老頭子，不禁一陣苦臉，而邦邦已經察覺他想什麼，把他往後一推，跌到姜麗媛與李韻怡中間。李韻怡趕緊把他扶起來，繼續下跪。

蔣婕妤心中十分不甘願，但又不敢反抗，仍然跪下匍伏問：「請問主龍閣下，我們是否要參加戰鬥？」邦邦說：「這我自有主張。現在開始，我的龍族兵器會監督你們的行爲，並且協助訓練你們的服從度。」蔣婕妤又問：「不是之前才說我們沒有用嗎？既然放我們走，又爲何要抓回來當牲畜？」邦邦抓起蔣婕好，蔣媛好以為牠要發怒，急忙拉住姐姐的衣袖，袁毓真則狗爬式到邦邦前面說：「主龍閣下息怒，我們一定服從！一切聽從命令，請您別傷害她。」

沒想到邦邦放下蔣婕好，低著大頭返身走去，開口說：「沒錯……放走你們又變卦，代表我真的無計可施了……我是無助的龍……偉大的時間路線辦不到了……」忽然『嗚嚕』嘆息一聲，大頭開始抖動，竟然哭了出來。龍族的哭泣，包括李韻怡與廖香宜都沒見過，大家都抬頭偷望。

蔣婕好站起來，趁機會上前說：「只要給我們一定程度的自由，我們會全力幫助主龍閣下的。」邦邦於是舔了蔣婕好的臉與脖子，弄得她尖叫了一聲，邦邦說：「這是龍族親愛的表現，如同你們人類抱著寵物一樣。只要你們肯努力，我會讓你們成為受照顧的牲畜。」眾人以為有什麼好轉，結果還是當牲畜。袁毓真苦笑著說：「受照顧的牲畜……也好啦……至少還有點進步……我對主龍閣下建議，把那個奇怪的外星太空船研究一下，說不定對我們有什麼轉機喔。」邦邦快速由下而上閉合眼瞼，表示同意。於是安排眾人居住一大間半圓房間，裡面有許多房間，可以每人睡一間。

六月十八日。

袁毓真、蔣媛好、李韻怡、廖香宜、史塔莉與克莉絲蒂娜，在邦邦的實驗室中。史塔莉說的話，邦邦透過翻譯器直接就明白，其他人也得接通翻譯器，去了解她說什麼。史塔莉對於龍族邦邦，也帶著好奇與恐懼之心。

邦邦說：「我判斷也是如此，這是某星球的外星生物，在我祖先還在地球生活的年代，去蒐集的各星球生物樣本。而且大多都是侵略性很強的生物……我猜製造這船的外星生物，就是抓走我們祖先，改造我們龍族的那些外星人。而這艘船，就是牠們拋棄的船艙。爲何會拋棄我也不敢斷定。」

袁毓真問：「這何以見得？」答道：「艙內的設計輪廓，跟我們龍族上古史，形容偉大的改造者的圖騰很相似。而且牠們蒐集生物標本，並不一定要抓活體直接改造，可以用這種紡錘怪東西，把整個生命體訊息都保存，包括標本的記憶與思想。而後可以把紡垂體當作個體，直接改造，模擬型態自擇演變途徑後，塑造出實體出來。這種曲轉自擇的技術，連我們龍族都還辦不到呢。」袁毓真吃驚道：「那麼我被它吸收過……是不是會……」邦邦說：「放心，這並不會對本體有傷害，而是把你複製到裡面去！包括思想記憶與情感等等一切。」

蔣媛妤摸著實驗台上，吸收袁毓真的紡垂體，緩緩說：「基因複製我是知道……但是人類不是有靈魂的嗎？怎麼……」

邦邦只簡單地說：「每一個生命體都是一連串的二元複合體，是物質的存在本義延伸的。除非突破這一連串二元區間，不然生命體都沒有所謂『靈魂』。都會在死亡之後，呈現物質的其他二元組合。一切精神狀態都會消失，包括我們龍族的思維方式，已經擴大關連程度到這種地步，一樣沒有所謂的靈魂。」蔣媛妤搖頭表示不懂，袁毓真解釋說：「主龍閣下的意思是……」邦邦打斷道：「以後你們還是叫我主人吧，這樣『敬意』比較足夠……」

袁毓真傻笑了一下，點頭說：「主人的意思，可以用次易原理屬著『天翦』與『統制』兩篇來說。生物在時間軸的型態演變，與在空間軸的型態顯現，兩者是可以合而爲一來看。我們的行爲都是混合時間與空間來運轉，都會累積自擇與慣性的二元相對映，從原始的基因訊息到意識觀念，都是聯通在一起的自擇與慣性的二元複合。所以我們只是物質的一種自擇選擇，二元而論，也可以說是慣性延伸，只看你從什麼角度去定義它。然後出現統制區間的選擇不同，理論上可以是無窮的延伸下去。所以死掉的東西，不可能重新去組合它，物質自擇不容許之故。倘若突破二元區間，進入到變易體的整體系統，不受外界物態表現與內界時間演變，這種精神體格局才叫做靈魂，才不會因爲物質的自擇改變而消失。這種層次，龍族與人類都辦不到……而基因複製，只是轉制一個層次的自擇區間，只能說複製人是另外一個人，與本體的物質自擇，隨時間差距而有分歧，同卵雙胞胎的意義也在此……既然沒有真正的靈魂，只要切入一個原始層次的自擇與慣性，那麼就可以無窮複製過去……而這個外星紡錘體，已經可以複製精神與思想，只剩下感覺與本體不能相通，因爲我的感覺只是二元對比的訊息，不是可以轉移時空本身二元的真實訊息……屬於時空二元統制區間下的，一種自擇慣性的二元訊息……所以生命在某種程度上來說，只是法則的玩偶，比奴隸還不如……除非真正掌握無窮力……而這製造這紡垂體的生物，已經可以操作生物的思想與型態的演變，只剩下感覺的演變，還不能夠操弄而已……也許這外星生物的精神狀態，已經可以穿越部分的時空限制，去建制生命意義。所以當初外星生物改造龍族，龍族的時間與地球的時間有如此大落差，因爲這落差程度對外星生物而言，不會造成同物種精神溝通的區隔。」

袁毓真還要說下去，邦邦忽然把他摟住，用舌頭舔臉與脖子，袁毓真只感覺到一陣搔癢與腥味。邦邦說：「太好了，之前還不知道你這麼能理解我的思維，從現在起你就是牲畜們的頭領，我的命令直接下達給你去執行，你可以指揮其他牲畜。」袁毓真傻笑著抓著束髮，蔣婕妤半眯眼不想回應。李韻怡問：「主人，龍族不是已經可以掌握無窮力了嗎？」

邦邦『嗚嚕』嘆氣說：「那是虛擬的……只是統制區間變換定義的假象……倘若龍族真的掌握無窮力，也不會需要移民九九星球，我現在也不會跟整個龍族鬧翻，堅持時間路線了……」袁毓真忽然醒神問：「您運行時間路線，是不是就是想要塑造真實的靈魂，以接近那些外星生物的等級？」邦邦又舔了他一下臉頰，害得袁毓真又抖了一下。快速倒閉眼瞼十幾下說：「完全正確……這就是我的理想啊！但是其他龍族個體，都認爲這只是理論存在的東西，不能把所有物種的生命都賭下去。但是我卻認爲，再進步的物種遲早都要滅亡，如同玩偶一般被法則拆解掉，我們唯有大膽運行時間路線，透析時空情境體二元的深邃本義，才能真正進入的變易體層次，也才可以趁這機會，讓龍族個體真正出現靈魂！」

蔣婕妤問：「那何不派您先去走一趟時間路線，成功之後回報，何必要鬧成您與其他龍族之間的戰爭呢？」邦邦說：「時間路線一啓動就不可能回頭，也無法知悉是否成功，因爲時間逆流技術龍族也沒有。畢竟我們還是情境體的物種啊……」

眾人沉靜了一會兒，史塔莉透過翻譯器，也明白眾人說些什麼，她知道龍族目前正在消滅人類，不過她生存的時代都已經過去，對此也沒有多大感觸，緩緩地問：「這些紡錘體裡面的生物都很危險，千萬別拿出來實驗！」邦邦呱呱笑道：「我對這些生物沒有興趣，只是學習這種型態操作的方式，有利於我的時間路線。」

第二幕　元首大人萬歲

六月十日下午三點，袁毓真往南極之時，新河溯地下城。

龍族發動最後一次進攻，但是這次目標已經不是消滅地下城所有人類，而是要消滅域固力量的起點。總指揮康康分析人類資料後，已經查出，是一個叫做楊恒萱的人主導抵抗型態的變化。並從之前的進攻中，截獲楊恒萱與總指揮室之間的訊息，比對之後知道楊恒萱醫療區防衛並不強，遂重點進攻這裡。

地下城再一次陷入混戰，李聚義正持離子砲猛轟龍族兵器，李蓮蓮在一掩蔽物角落求援：「醫療區遭到重兵猛攻，我們快頂不住啦！」指揮室的連絡官告知：「很快就有軍隊來援，把楊中行士接應出來！」李聚義與李蓮蓮遂衝出火線，把數台圓盾怪擊毀，衝入醫療室房內。

李蓮蓮喊：「這裡頂不住啦！快點跟我們走！」蔡早苗拉起了沉睡的楊恒萱，與李蓮蓮左右扶持著他離開，李聚義在後掩護。其他傷員也跟著邊爬邊擠，混亂成一團。總算逃到了機械獵犬工廠區，元首大人親自把楊恒萱安頓在房內，然後急著問對策。

楊恒萱語無倫次，呵呵笑著說：「平時不燒香，臨時抱佛腳！把我當作工具而已啊？你放心，這裡會得救，救兵就快來啦……哈哈……但是人類是肯定要滅亡啦……哈哈……人類域固力要消失啦！」元首大人頗爲驚訝，看了蔡早苗與身旁的醫生，醫生回答說：「從昨天夜晚開始，就已經語無倫次，請您見諒。」元首大人皺眉頭嘆口氣，就在護衛下前往指揮室。

總指揮怪頭飛艦。

康康竊得消息與審判庭通訊。新任審判庭五條龍判斷：「既然全人類都知道這個人，那麼這個人類的啓易者，就已經失去功能。權力不在他手上，而大家都知道這個人，必然不可能掌握更多的資源，即便他想要持續建立域固力，別人的妒忌、慣性的運行，終究不會進入無窮演變的型態，若是逼得太緊，反而會激變。人類滅絕命運已定，空間路線必須馬上執行，下令撤軍吧！」康康於是下令所有自動兵器全面撤退。正當龍族兵器逐漸撤退時，郊外的援軍開始衝入廢墟，攻擊撤退中的龍族兵器，新河溯的地下城徹底解圍。所有兵器回艦之後，空中的龍族部隊也都撤走了。

「祖國萬歲！新河溯萬歲！」地下城一片歡欣鼓舞，萬歲之聲響徹雲霄。元首大人趁著人民激情，發表演說，而後要求真理部在宣傳媒體上，在祖國萬歲與新河溯萬歲之後，再加上一個『元首大人萬歲』。於是三個萬歲傳遍全國。

六月十四日全國通訊報導：「在新河溯地下城防衛之役獲勝後，全國各地的龍族部隊，一夕之間大規模撤退。隨後，美洲、非洲、歐洲大洋洲等世界各地的龍族部隊也都陸續撤離。元首大人下達敕令，提出『莊敬自強、重建文明、援助各國、永續人類』的四點主張，並且指派行宰大人趙仰德，真理部長曾有能，組建文明復興委員會……」楊恒萱被送往大東北軍醫院，由精神科醫生看診，妻子小孩都在旁邊呼喚，但是他始終語無倫次。

十五日凌晨一點，楊恒萱突然爬起來看網路社群電視，看到一大堆萬歲的呼喊，還有元首大人的『莊敬自強、重建文明、援助各國、永續人類』的主張，不禁哈哈大笑而不止。蔡早苗在隔壁房間聽了，急忙跑來，看他笑得肚子都痛。楊恒萱拉著她，繼續笑說：「哈哈……趙仰德莊敬自強……曾有能重建文明……元首大人永續人類……哈哈哈……這物種還真荒謬……哈哈……」蔡早苗苦臉說：「中行士大人，您別再這樣了……這樣我很難過……畢竟新河溯因爲你而得救了啊！」

楊恒萱摸著肚子，緩緩收拾笑容，然後喘口氣，臉上還帶著嬉笑之態說：「我原本以爲自己有多聰明，在新河溯地下，才發現自己的愚蠢，只想要等地下城淪陷，龍族兵器把我殺了，其他人知道我滿腔熱血，會堅韌下去……至少要讓龍族滅亡人類的企圖徹底瓦解。但是地下城沒有完蛋，人類倒要完蛋啦……」蔡早苗問：「大人你沒有瘋啊？」楊恒萱臉上已經變成苦笑，答道：「不……我瘋了……當初我支援新河溯開始，就已經是瘋了……從現在開始，我不再是人類……我是龍族……」蔡早苗靜靜地沒有回應。

楊恒萱逐漸恢復正常表情，轉面對蔡早苗說：「我們算是很幸福的，終於知道人類是怎樣滅亡。我非常期待……」說罷繼續點點頭說：「沒錯，非常期待！」蔡早苗問：「我們現在該怎麼辦？」楊恒萱點頭說：「我會繼續建立域固力量，不過不會這麼積極，僅會帶上我的妻小，妳則可以自便。」蔡早苗說：「我要跟著你！請你允許！」楊恒萱微笑著摸著她的手。

第三幕 玩偶的鏡子

啓易三年六月二十一日，宇宙魚戰艦，袁毓真房間。

袁毓真拿著南極發現的紡錘體，這紡錘體就是插入自己腦袋，把自己的二元統制區間全部複製的那一枚，然後看著鏡子，發呆了一上午，鬱鬱寡歡。克莉絲蒂娜、夢蘿輪流幫他站衛兵，並且服務其生活起居，而夢彤負責照應其他人。

克莉絲蒂娜在門口。夢蘿在房間內看他發呆，小聲地說：「毓真大哥你在苦惱什麼？」袁毓真嘆口氣，放下紡錘體說：「你也聽過克莉絲蒂娜說吧？或是資料直接傳檔給妳……大前天我跟邦邦在實驗室討論的內容……」然後忽然又把紡錘體拿到夢蘿臉前說：「這個東西搭配某些儀器，可以創造另外一個袁毓真，不只是基因相同、甚至記憶、思考、甚至有什麼毛病都會一樣……人類真的沒有靈魂嗎？靈魂真的就如邦邦說的，在統制區間之外嗎？唉……倘若人類真的只是玩偶，奈何操控玩偶的變易法則，要這樣讓我們痛苦難過，演一齣喜劇不好嗎？還是變易法則，也只是操控我們的繩索而已……唉……我真的存在嗎？」

夢蘿說：「這很難想得通的，就像你要我學人類發生複雜情感，我卻只能用程式去虛擬結果。例如：哭、笑、生氣，都是我模仿人類遭遇難過的事情，自己製造出來的，卻不能真實體會你們的感情波動。我相信這紡錘體也只是模擬實態，如同複製人一樣，不是真的袁毓真。」

袁毓真搖頭嘆氣說：「不是啊！我們那些感情會成立，因為建立了很深層『我』的認定。妳們機器人，『我』的認定是老頭子塑造成型的。但是人類對『我』的認定，也可以被外界法則所塑造，甚至可以被複製！我們跟妳們，真的就沒有差別……」夢蘿笑著說：「哲學性的思辨，蠻佔我的中央處理器效能，我看我得多接幾個資料庫在大腦。」袁毓真微笑說：「那些女孩要是能像妳們這樣，善體人意，配合我的興趣，那就好囉……」

忽然蔣婕妤走進來，坐在床上，克莉絲蒂娜並沒有阻攔，蔣婕妤說：「誰不善體人意啊？那你可以娶機器人啊！」袁毓真傻笑了一下轉變話題問：「她們在做什麼？」答道：「都在大浴池裡游泳呢，我來是有其他事情的。」袁毓真馬上抖了起來，苦著臉說：「我知道妳有什麼事情……請妳千萬別找我。」蔣婕妤半瞇眼疑問說：「你會知道我有什麼事？」袁毓真微笑著點頭說：「呵呵！當然知道，不外乎兩件事。第一，龍族已經撤兵，妳們都想回去，想讓我轉告邦邦。第二，想讓我幫忙找賀嘉珍。」

蔣婕妤拉平嘴微笑說：「算你還有點悟性，不像以前那麼糊裡糊塗。」袁毓真瞪大眼睛說：「吃虧吃多次了，還能不長悟性嗎？這兩件事情，第一件事情我不贊成，第二件事情我不答應。」蔣媛妤皺眉冷語問：「理由呢？」袁毓真微笑著說：「我們打開天窗說亮話吧！因爲我根本不想回去，所以希望妳們陪我。至於賀嘉珍，只能聽天由命，畢竟龍族戰爭的受害者是全人類，不是只有她一人。」

蔣婕妤從床上站起，呵呵一笑說：「說得好，讓我看透你了！我自己會去求邦邦，不需要透過你！」於是走出房門。袁毓真也無所謂，繼續看著鏡子。

不久，姜麗媛與歐陽玉珍也進房門，皺眉閉眼，鬧著要回去。袁毓真呵呵笑說：「妳們這樣鬧，代表蔣婕妤要求邦邦被拒絕了。」姜麗媛抓了他束髮說：「是又怎樣？總之你一定要給我想辦法！」袁毓真也抓著頭髮，拼命喊疼，急道：「別那麼用力啦……」於是鬆了手。又問：「我去求邦邦主人，也不見得會答應啊！所以我建議，以後我們就住在這裡！」歐陽玉珍閉眼並使勁搖頭鬧著說：「我們不管啦！你一定要給我們想辦法，不然以後我們不理你啦！你去找小母狗她們理你！」袁毓真苦臉看了看鏡子，回頭說：「好好好……我盡力。」

第四幕　後發之制

袁毓真到指揮室沒見到邦邦，便請李韻怡用指揮室通訊器連絡，邦邦回答說：「你們爲什麼要回地球？人類已經進入滅絕的進程，在這裡不愁吃喝，不是很輕鬆嗎？」袁毓真道：「因為想家吧……現在龍族除了少數兵器留守地球宇陣系統，大多都已經撤離地球，主要還是用月球與火星建立的宇陣系統，跳躍到九九星球去了。所以人類會重建家園的。」邦邦說：「你以為人類真可以重建家園嗎？龍族戰爭只是摧毀人類應變能力，真正的敵人才開始，能源與可耕地都開始枯竭，氣候也開始遽變，不出幾年，人類就會所有資源都耗盡，相互掠奪也就開始。愚笨的人才會想回去。」袁毓真傻笑著點頭。姜麗媛說：「可是我們想家，請你讓我們回去！」

邦邦嗚嚕一聲，開口說：「我是主人，你們是我抓來養的牲畜，乖乖在這邊生活吧！不然我是會翻臉的喔！」除了姜麗媛，在場的歐陽玉珍與何佩芸都低頭不敢多說。袁毓真說：「那麼可不可以把賀嘉珍，也就是跟我第一次闖海底基地的那位女子，也抓來當牲畜？因為她很聰明的，有助於時間路線。」邦邦回應：「暫時不需要！時間路線的計畫我稍後會告訴你，考慮怎麼幫我執行就好！」說罷就關閉通訊，眾人同感失望。

次日上午，袁毓真招集所有人在指揮室。邦邦投影立體視訊，並在銀河星圖前面投映自己的計畫圖。袁毓真等十四人，全部被龍族兵器，強迫對邦邦的立體映象下跪磕頭，額頭貼地不能抬起。史塔莉頗不習慣這種威逼，但是龍族兵器將她強迫壓制下去。

邦邦開始說：「之前對紅與白的馴化，必須實施在你們身上，不然的話你們是不會乖乖幫我實施時間路線了。」袁毓真頭不敢抬起，希望虛以委蛇，緩緩地說：「主人請放心，我們一定會認真辦您交代的事情，這『馴化』的問題，是否可以免除？因爲聽紅與白說，這需要花費很多時間，其他的龍族，似乎都已經成功到了九九星球，我們似乎不該再等下去。」邦邦說：「我是走時間路線的，所以我有的是時間！牲畜不馴化就是野畜！況且時間路線比空間路線難得多，不實施馴化，到時候死的是你們！」經歷了這麼多的糾纏，發現牠是意志非常堅定的一條龍，眾人已經失去對牠的反抗意志。於是邦邦展開了馴化分組訓練，

袁毓真、蔣婕妤兩人爲思維辨構組。廖香宜、李韻怡、姜麗媛、黃敏慧、談玉琰五人爲快速反應組。歐陽玉珍、蔣媛妤、何佩芸、史塔莉四人爲器材應用組。三組在下午各有不同的訓練，而上午則是共同的馴化訓練。其他機器人則都必須關機，等待馴化之後才能開啓。

邦邦說：「紅，把翻譯過的課程表給他們看吧！」李韻怡道：「遵命。」於是站起來，升上指揮塔，在銀河星圖的螢幕上展現一個課程表。

七小時分組訓練	十小時共同訓練	七小時共同休息
思維辨構組 龍族知識	馴化訓練	飲食與睡眠
快速反應組 戰鬥與各項應變能力		
器材應用組 龍族支援性器械的各種運用		

邦邦說：「知識是人類的一項自擇，所以是可以被你們接受，不過你們也帶有過去的各種慣性，與之交錯存在，所以對我仍然有反抗意志。這是必須要徹底消除與改變的！這項訓練表將會嚴格

實施，沒有任何寬貸的空間。雖然人類有許多缺陷，但是經由嚴格的要求，是有可能可以辦到我的計畫。紅，把東西都發下去吧。」李韻怡點頭稱是，降下指揮塔，拿出十一個白色圓型吸盤，然後貼在眾人的左側脖子。眾人沒搞清楚怎麼回事，在龍族兵器威逼下，並沒有太多的反抗。而後李韻怡、廖香宜自動把圓吸盤貼在自己脖子上。並命令袁毓真對所屬機器人關機，讓龍族自動勤務機器，全部帶到武器倉庫擺放。

袁毓真偷偷拔了一下圓吸盤，竟然堅固地深入體內，恐慌地問：「請問主人，我們需要接受馴化多久？是否跟紅與白之前一樣，訓練半年？」答道：「以前她們的課程不成熟，這次我規劃了更嚴格也更久的課程，需要訓練地球時間一年。之後你們就會是執行時間路線的尖兵。」眾人頗為不滿，原來邦邦是要玩真的。除了李韻怡與廖香宜，其他人忽然全身感到痛楚全部倒地，除了大腦本身，其他關節部位全部激烈疼痛，根本無法站起。邦邦按下停損鈕，眾人才免除痛楚。李韻怡說：「這是經過改良的牲畜馴化吸盤器，專門針對人類的大腦訊息。只要動了念頭想要反抗邦邦主人，不是心悅誠服，那麼全身的痛覺神經都會激烈運作。所以以後必須打從『心中』絕對服從主人。」

袁毓真怒目心思：（邦邦這條變態龍又開始作怪！可惡！）「哇……」袁毓真慘叫一聲，倒在地上痛得爬不起。邦邦發出嘶嘶聲，代表這是大笑，手中的控制器雖然閃閃發光，告知有牲畜『意圖反抗』，但是邦邦卻不按下除痛鈕，緩緩說：「你心裡在罵我喔，我得讓你痛得久一點。」袁毓真趴在地上痛得大喊：「我不敢啦……快……」談玉琰、姜麗媛、蔣婕妤趕緊扶起他，蔣婕妤大罵：「臭龍族……變態……」話還沒說完就慘叫「啊」了一聲，倒地疼痛，結果姜麗媛也倒地。蔣媛妤大聲哭了起來，結果也痛得倒地，把哀傷的訊息給覆蓋過去。邦邦說：「真的還是野畜，這一年時間得用各種方式徹底訓練才行。直到你們把服從命令，當作大腦反射動作，甘之如飴，徹底馴服才可以。另外，這圓盤是拔不掉的，假設你們動它，馬上就會疼痛。還有，哀傷也是不需要的情感，必須要消除……而且這種痛楚不會逐漸痲痺而能漸漸忍受，因爲這是給大腦的虛擬訊息，不會觸動到身體的適應機能……」竟然嘰嘰聒聒說不停了。

袁毓真高舉雙手，苦著喊說：「我們服從……快停止……」邦邦說：「我不按鈕了，只要你徹底屈服，把我當主人，它就會減弱訊息。讓它自動慢慢停吧……」果然三人逐漸減輕痛苦。

邦邦又說：「時間路線，必須要你們三組人馬，相互充分合作才可以，馴化訓練還包括默契配合，可愛的牲畜們，今天開始就努力吧！」

第五幕　地獄魔鬼特訓與龍族文字

憤怒、怨恨、哀傷乃至於恐懼想逃，都會引來疼痛。所以無法反抗，無法自殺，無法倒地哀怨，無法逃跑，只有努力服從這一條路。開頭幾天，除了分組專業訓練，每個人都痛得倒地難支。眾人已經知道，任何不配合的念頭，必須在第一時間就消除掉，改以積極服從來替代。眾人被豢養在特製狹小的半圓體內，大家只有躺著的空間，邦邦稱之為『養畜籠』，訓練過後用餐洗澡，穿上銀灰色緊身服裝，就被趕入畜籠睡眠。裡面只有一間偏廁可以上廁所，牆壁上一條喝水的管線，其餘什麼都沒有。

大家累了一天，互相堆成一團睡覺，袁毓真痛苦又勞累，也根本沒有男女之間的心思。過去當秀士期間，白混虛度而沒有異性伴侶，把自己的棉被當成美女，而今遭遇這種慘況，雖有十名美女擠在一起，也只能當作棉被，取暖而已，甚至快要忘記性別了。

『馴化訓練』課程剛開始幾天，只是給邦邦鞭打勞動，而後竟然要求所有人在自己臉上塗抹各種髒物，喝龍族的排泄物，並且磕頭謝恩。袁毓真氣得揮拳要打邦邦，大罵說：「你這變態賤龍！欺人太甚啦！我痛死也要宰了你！」「哇……」痛得倒地，其他女孩見狀，只好強忍著，一點一點地塗抹。袁毓真強忍痛楚站起來，要飛踢過去，結果當場又垮趴在地上，邦邦命令李韻怡拿出毛巾塞在袁毓真嘴巴，以免苦痛造成咬舌。下半身不會筋攣，但是大腦卻昏過去了。邦邦馬上按鈕消除，並讓龍族勤務機注入藥物，很快他就甦醒。喘著道：「呼呼……這什麼世界啊……龍族欺人太甚……太甚……」「啊……」李韻怡哭著說：「你就快塗抹喝下去吧！我們也是這樣過來的！」結果李韻怡因為哀傷，也痛得倒地，廖香宜也跟進。

袁毓真實在忍不住了，趕緊塗抹喝下去。所有人也都立刻辦到，學習徹底屈服，但是都紛紛嘔吐。接下來就是對著邦邦的影片固定像，罰跪並磕頭伏地七小時。什麼怪招都來，弄得所有人一回牢籠就昏睡，期望第二天的訓練時間永遠別到來。

啓易三年七月三日上午，大西洋深海宇宙魚戰艦，分組訓練時間。

袁毓真與蔣婕妤，在對邦邦的投影影像磕頭過後，繼續學習龍族文字，由類似紅二號的低階智能教材，來教導二人學習。兩人對坐，面對一光板，但是兩邊都可以看見同樣的螢幕，而直接用右手點狀分布，去學習運用龍族文字與數制的觀念。

但是語言與身體結構有關，而龍族語言表達方式，需要共鳴的喉嚨結構，所以只要求文字學習。兩人發現龍族的文字，是先從二元相對結構的延伸開始，而後曲變與分支其意義。兩人都學習過次易原理，對於不同物種異星發展，而契合同樣思維的巧合頗爲驚訝。但是畢竟有智能落差，頗有猩猩學習人類數字之態。

翻譯器簡單翻譯「邦邦」兩字爲其名字，但是詳細體會龍族文字對於邦邦的書寫方式，發現這並不是簡單的專有名詞而已，除了有結構指示之外，還有複合的縱深意義。

龍族學習機，對二人說：「把主人的名字，翻譯成你們人類的文字，是直接用重疊字『邦邦』來敘述，因爲你們人類都只用代名詞來稱呼另外一人，頂多對代名詞帶有一些意涵而已。但是龍族名字本身就蘊涵很大的意義，包括數制法則的意義。你們兩人仔細看圖，先學習書寫一次，然後告訴我有什麼感觸。」兩人照著圖，用滑筆在螢幕，

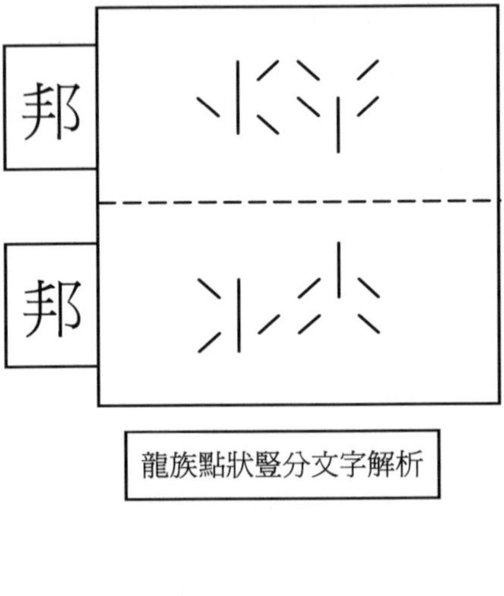

龍族點狀豎分文字解析

書寫了龍族點狀豎分文字。蔣婕妤說：「邦邦兩字，對我們來說一樣，但是龍族卻是，兩個左右顛倒與上下顛倒的字體來表達。」

龍族學習機說：「正確。我先簡單地說三點。第一，重複名字代表是初級或中級思維學者，但是邦邦這種左側體左右顛倒，右側體上下顛倒的疊字，是初級的思維學者，倘若進入到中級的思維學者，那麼左側體與右側體都會顛倒，代表一種『變相程度』的增長。如圖……」

接著說：「當上下一比對，字體左右顛倒，連帶左右側體都顛倒，代表進入中級變相，但是我翻譯給你們人類的文字敘述，仍然叫做『邦邦』，因爲人類文字無法用這麼簡單的方式去表達變相進程，你只要知道，這還是稱呼主人的名字就好。第二，上下倒映的文字流程，本身就是一種指示意義，代表雙錐法則，倘若交流其他訊息，必然是三個字體以上，來複合意義，所以雙錐結構就只是表達不同龍族個體的名字。而雙錐在人類的思想意義上，就是兩對映型態的事物，相互激化對方變化，這在龍族就用名字來替代與解構，這種法則的運用。所以龍族的名字，本身就可以是一種形容變化的數學公式。不同的名字記錄，替代不同的雙錐型態，這樣一來，龍族名字的歷史，本身就是

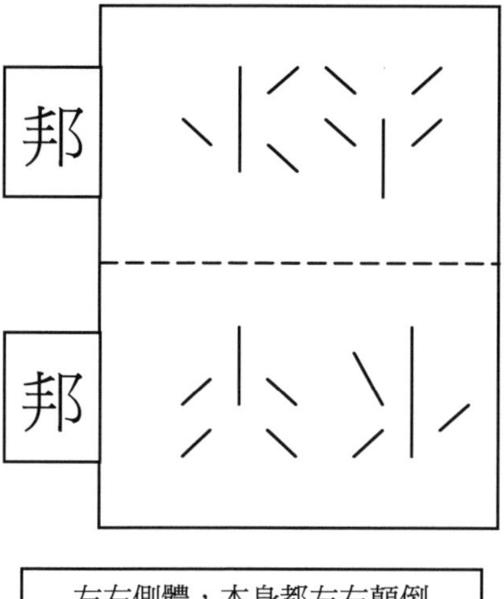

左右側體，本身都左右顛倒

數制變化公式的演進記錄。第三……」

袁毓真說：「等一等，你剛才說龍族名字的歷史，就是數制變化公式的演進記錄。這麼說來，龍族本身的歷史記錄，可以解構變化數制的演進！對我們人類來說，就是歷史學竟然與物理學、數學合體！」龍族學習機答道：「正確。實際上還遠不止於此，加入不同的事件敘述，那代表這方面的數制文化，必須要更加精粹，才能把事件完整表達。這樣一來，龍族的歷史演變，就會刺激對整體變化事態的更深入解析，更有效率地演進各方面的法則學理。」解釋到此，蔣婕妤已經辨析出，這種文明設計遠比人類的學理分支強大。

龍族學習機繼續說：「第三，這文種名字表示，還有上下分層，升冪法則時義，與降冪型態區間的內涵。如圖：」

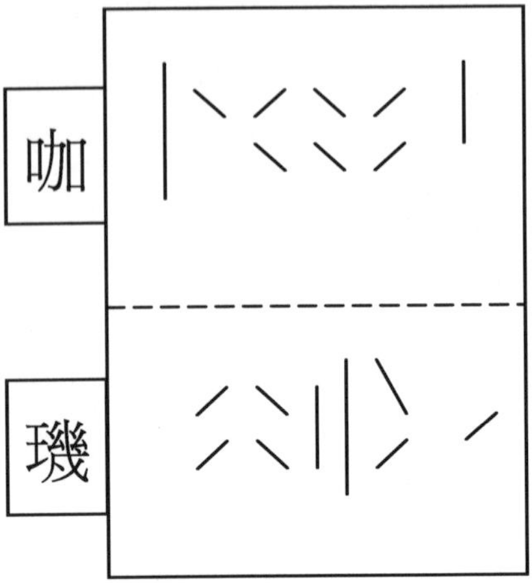

升冪時義與降冪型態

接著說：「邦邦主人假設進階到特級思維學者，那麼『點狀豎分文字』，豎分的部份分離，那就代表升冪法則時義。豎分結合，那就代表降冪型態區間。總體代表就是『變相程度』進入到『變化連冪』。龍族語言就會運用咽喉共鳴來敘述，所以翻譯為人類敘述，就不再稱之為『邦邦』，而改稱『咖璣』。實際上在龍族看來，就會知道『咖璣』以前就稱為『邦邦』，『邦邦』未來變成特級思維學者，就會是『咖機』。請照著書寫一次……」

兩人書寫後，袁毓真恍然大悟道：「喔……我明白了，從『變相程度』到『變化連冪』，是總的思維深度，而上側體與下側體文字之間，代表一種法則運行與型態因果的連貫！可以闡述在某一時空之下的因果律，在我們看來就是，物理法則之外的變數！」

龍族學習機答道：「正確。你們兩人的悟性都很高，難怪主人把你們編爲思維辨構組。人類的物理公式或是數學公式，都是在形容『相對不易之律』，即不同的時間與空間中，感官仍然感受到這法則存在，而且相互之間感覺是相同的。這種『相對不易之律』，其實只是變易的一個分支，以人類的能力，只能在這分支當中，取得某一種程度的進展。例如解釋力學定律，『力』等於『質量』乘上『加速度』，這就沒有辦法深入解釋，質量內部的結構可以改變力的慣性。龍族就不會這麼看，會用字體的升冪時義與降冪型態連貫，解構什麼質量結構，會產生克服外界作用力的能力。這之後我會在下階段的課程，來告訴你們。我們再回到主人的姓名……」

蔣婕妤問：「既然名字代表一種，法則運行與型態因果的連貫。那麼主人的名字在敘述什麼法則？」經過恐怖的折磨，包括驕悍且仇恨龍族的蔣婕妤都已經屈服，稱之爲主人了。想起以前罵李韻怡爲小母狗，而今自己也共同淪落如此。

龍族學習機說：「問得好！主人的名字型態，在龍族看來，等於在說變動相的透視原則！即對於既有的景象，與過去的經驗相接觸，在刻版的慣性運用中是助力，但是在延伸與變動當中就是阻力。而必須要用活性的概念，透視變動本身，去架構取象意識。任何一條龍從孵蛋箱出生時，名字都只有點狀名字，直到訓練成初級思維學者，才會加入豎分的形式。所以邦邦在剛破卵殼出生時，只有七個點狀文字爲其名字。但是也已經可以表達出，是這種法則的意涵。」

袁毓真皺眉思索了一下，而後說：「這法則跟次易原理的逡景卦很相似也！」龍族學習機說：「人類也有這種思維？那不錯。不過龍族這種敘述方式，簡單且深刻，不必用與生活不相關的字彙來贅述，而且可以變形成類似人類的數學運算，在精密技術的運用中，可以明確出運行規範。」袁毓真嘆口氣道：「原來龍族光憑邦邦兩個字，就有這麼大學問，甚至還可以用在物質科技運用上。人類敘述同樣的法則，不但耗費大量文字解釋，還很少人能懂，更別說是靈活運用了……難怪龍族要人類滾出地球，人類就得滾，就得逐漸走向滅亡。」

龍族學習機又說：「你們今天就從龍族名字的關連性開始學，龍族的語言，因爲你們的身體結構問題，而無法順利發音。所幸龍族文字是獨立思維系統，可以與語言分開體會，你們大腦中，必須要運用另外一種非聲音的說話方式，去運行這種文字系統。這也是你們逐漸彌平人類思維缺陷的唯一方法。」

兩人思索片刻，蔣婕妤問袁毓真：「沒有聲音的說話……袁大哥，你有想到什麼方法嗎？」袁毓真緩緩點頭說：「我是打算用結構意化方法，即動態的連結，如同之前理解次易原理時一般……」蔣婕妤也點點頭說：「明白了，我也用這辦法來理解。」

眾人成爲牲畜，馴化訓練會成功嗎？人類真的如龍族所料，逐漸走向滅亡嗎？龍族文字系統艱深，袁毓真與蔣婕妤，在後續的訓練中能學會嗎？欲知後事如何，且待下象分解。

第二十八象　宇陣大亨空間路線成定局數位倫滅人類輓歌曲先奏

第一幕　甡原旦機

啓易三年八月一日，太平洋海底，宇宙魚戰艦，下午馴化課程。

經過一個多月的強力馴化訓練，眾人的奴性都已經很讓邦邦滿意。十一人仍然身穿銀灰色緊身衣褲，匍伏磕頭，喝過邦邦的排泄物後，繼續磕頭謝恩。邦邦滿意地說：「都不會嘔吐，不錯，你們總算通過第一階段的訓練了，以後不用喝排泄物了。」言下之意代表還有第二階段以後的訓練，之前大家也在休息時間，問過李韻怡與廖香宜，還有什麼階段的訓練，不過兩人當初也只經驗過第一階段的特訓，而且沒有催逼得這麼急迫，竟然還要做更多，眾人都不禁渾身發麻。

袁毓真繼續匍伏磕頭問：「請問主人，我們都已經心悅誠服，願意永遠當牲畜，接受您的奴役，還會需要第二階段嗎？」邦邦說：「當然需要！現在的你們只是聽話的牲畜，如同你們馴養犬隻，只是聽話而已。還不是願意替主人犧牲生命的牲畜。不能自願替主人犧牲生命，那就還不能執行『時間路線』。」

袁毓真等人幾乎都同時憤怒，但是實在怕這種痛楚，第一時間就移除這種想法，同聲道：「遵命，主人。」蔣婕妤轉變心情後，繼續匍伏於地，再問：「啓稟主人，袁毓真有人工智能的技術，能應變很多複雜的狀況，也能絕對服從命令而不顧生命，比訓練我們也快得多。若用機器人來執行任務，不是比較妥當嗎？這點我們想得比您還透澈。」

邦邦說：「妳還真狡猾，用這種方式轉彎罵我。」蔣婕妤急忙磕頭說：「賤畜不敢。」邦邦轉面說：「妳肯定是罵我，因爲你們也知道這是不可能的。龍族製造的機器智能，功能比你們的機器人強大，要是你們造的機器人可以執行時間路線，我早就派龍族的高等機器智能去執行任務了！何必跟你們這些牲畜浪費精神？你們以爲我有虐畜狂嗎？」蔣婕妤磕頭說：「賤畜愚蠢，主人原諒。」袁毓真問：「能否告知我等賤畜，到底是什麼原因，我們可能完成任務而機器人不能？這樣對於我們思維辨構組，有很大的啓示。」

邦邦『坐在』袁毓真的背上，他趕緊挺起成狗爬式，讓邦邦坐著，然後邦邦才說：「生物是一連串時空自擇與慣性的複合體，而自擇本身就是不均勻的，並非完全按照訊息計畫去執行。原因很簡單，因爲計畫的本身也與目的有落差，目的本身也可能是違逆時義，而行不通的。但是在這種自擇複合體的應變運行下，才會激化出，超越因果矛盾的判讀。無論是龍族製造的智能機器，還是人類製造的機器人，它們運行都一定會顯現判讀規範化，是很均勻的慣性運行，一定是要有目的，才會出現自擇行為！在人類的說法，就是程式目的的訴求！倘若用亂數表示行為，那又會陷入失去判斷的能力，屬於完全不均勻的選擇。所以只有生物智能模式，才能執行『時間路線』的任務訴求。不然在因果律混亂的逆轉流程中，這些機械智能就會徹底當機，無法超越既有的因果律……我說到這裡，爾等明白否？」所有人同聲回答：「明白。」

話才剛說完，除了袁毓真、蔣婕妤之外，其他人全部都痛得倒地。邦邦站起來說：「不能對我說謊喔！不然牲畜馴化吸盤器，是可以察覺得到的。」好不容易緩和，眾人全部匍伏聽訓。袁毓真說：「這可用次易原理兟原卦解釋，能否突破舊有的因果律與因果矛盾，就代表物種的最根本潛力，可以稱之為『兟原旦機』。」邦邦說：「不錯，算你有進步。只是次易原理這本人類書，跟龍族學術比起來還遜色許多。但是也值得嘉獎，今天晚上多給你們一些美食。」眾人共同謝恩。袁毓真問：「賤畜還有最後一個疑問。」邦邦說：「問吧，我是一個很寬容的主。」

遂問：「若您要前往八百萬年後的地球，為何不利用『物體運行相對論』的方式，加快宇宙魚在宇宙中移動速度？只要趨近光速某種程度，哪怕只有三分之二的光速，也能前往未來的時空中。為何需要那麼複雜的時間流動器？」邦邦答道：「人類這個理論有錯誤，且不成熟。時間並不是單獨一維的物理量，更不是獨立的形上體，是意識解釋變化的一種方式，也是跟空間型態相對映的等價體。而不只過去，未來也存在很多虛逝狀態的因果路徑。光憑速度這種變化，就是一種單純的升冪想法，將會遺漏自身與環境的關連性。且別說沒那麼多動能驅動戰艦，就算有這麼大的動能，加速到未來去，那麼組成我們型態存在的空間體，將會鬆散掉，速度越快，組成時制越鬆散則空間關連也越鬆散，直到我們的型態瓦解成中性的時空浮離爲止，到了目標時間區，我們的型態空間只剩一堆能量體而已！這屬於龍族時空物理的論述，最後一階段的特訓，我會加入教材告知『思維辨構組』的。」袁毓真與蔣婕妤磕頭道：「遵命。」

表面上袁毓真與蔣婕妤，是想到什麼問什麼，實際內容都可以看出，一直想要找捷徑，來逃離邦邦的奴役。

邦邦說：「之後我會調整『馴化吸盤器』，讓你們連想反抗都不會想，而在生命的意義上心甘情願臣服，終身爲賤畜奴婢被我控制。不過也不用緊張，將會是痛楚意念不移除，而會加入快樂的訊息。快樂的訊息是一種鼓勵，緩解你們的憂鬱，但只會在一小段時間有這種功能，以免你們的思維意志遭到腐蝕。最後還是希望你們把被我奴役，當作是一種生活的快樂來看待，理解嗎？」

除了李韻怡與廖香宜，磕頭喊遵命，其他人都不敢說話，怕又因說謊而疼痛。邦邦按下按鈕，眾人又開始疼痛，所幸程度不是很大。邦邦說：「不敢說謊又不願意當做快樂，真是可悲啊……快喊服從語！」

眾人同喊：「遵命，主人！」喊完，疼痛過後，忽然感覺全身輕飄飄，通體舒暢且興奮。用適當的量，把潛意識中的反抗意志給腐蝕，但是又不侵犯到思維能力。

第二幕　破敗之局

七月二十八日，新河洛重建工程地。

元首大人府邸的規模，讓他想到之前自己差點自殺，爲了去除『晦氣』，重新再改建內部格局。會議中，趙仰德首先報告：「龍族部隊已經完全撤離地球，連宇陣器都已經轉移走，據迷你間諜衛星探查，極有可能撤到火星與月球背面去了。至於大規模的龍族艦隊，極有可能都轉移到智慧四人組說的『九九星球』。太陽系以後只是跳躍路徑，與補充基地而已了。」

元首大人心有餘悸，非常怕惹到龍族，趕緊說：「把之前的宣告再加一句，除了『濟弱扶傾，永不擴張，永不稱霸』之外，還要『永不發展太空技術』，把消息用天線傳到全宇宙去！人類將會永遠安份守己，不干擾外星路徑的往來！」

吳台生心思：（是啊，你當然永遠安份守己。你只要貪腐浮華、享受權力，當然就滿足了。全人類利用這次災難，重新調整文明型態與思維型態，替眾多死難者復仇的機會，重新演變新格局的機會，都這樣喪失掉！遇到這種蠢蛋元首，真是國家文明之不幸！）

曾有能卻頗爲後悔，之前推趙仰德當行宰大人，是認爲龍族戰爭短時間不會結束，要有一個擋在前面的盾牌，結果龍族那麼快就撤走，反而讓趙仰德撿便宜。於是心中也在盤算，怎樣才能把趙仰德請回去當『社會賢達』，那麼自己就順理成章當行宰大人，元首大人死掉之後就是自己當元首。於是婉轉地建議：「如今龍族被擊退，我國雖獨存於世界，卻也頗有損失，理應收拾人心，恢復先前的社會秩序。各自回到各自原來的崗位上，各盡其能各執所司。戰爭時期的規範應該去除，好讓老百姓都知道，我們一定能恢復之前的繁榮。」這句話冠冕堂皇，純粹看字面是無可反駁，元首大人遂點點頭。

趙仰德雖然腐靡，但是也聽得出這是想排擠自己，所擬出來的『漂亮建議』，於是開口道：「曾部長所言正確，戰後收拾人心爲最重要！確實應該『各盡其能各執所司』，龍族戰爭的勝利大多該歸功，元首大人用人得當，政府領導方針得宜，所以戰爭時期的職位選擇理應保留，戰爭時期拔擢的人才，理應留任！例如楊恒萱、賀嘉珍等。對於戰爭頗有貢獻，所以我們應該重視這些人，不然老百姓會認爲，政府有難才需要他們，沒事就一腳踢開。若將來還有事情，這些人就不願意盡心了。」一個打『還原秩序牌』，另一個打『任用能人牌』，前者想攥弄排擠，後者想保位反制。政治上新一輪的上上下下、排列組合、爭權奪利，蝸牛角上的楚氏與蠻氏之爭，又要展開了。

建築物已經初步清理妥當，元首大人宣佈「勝利還都」，不斷地做全民宣導，盡量把龍族撤退，當作是國家堅持抵抗的結果。全世界既然只剩下中國，那麼他怎麼說就怎麼是。然後竟然又宣佈『濟弱扶傾，永不擴張，永不稱霸』。藏在世界各地的其他少數流亡政府，開始重新建國，紛紛劃地自立，可惜資源耗盡，洋流氣候也開始改變，似乎新一輪的冰河時期已經開始，新一輪的資源爭奪又開始。自然法則似乎不太在乎，元首大人對世界其他國家有多少善意，知識雖然還保存，但是文明盛世似乎一去難返。

第三幕　戰鬥極限

八月七日晚上，太平洋中心海底，宇宙魚號。

眾人在訓練課程後，在一個大鍋盆，大家用手抓吃的，裡面都是餬狀餵動物吃的營養膏。吃過晚餐後，全部進入洗澡間，孔洞放出冷水沖洗眾人，十名女子也都累得半死，不把袁毓真當男人，要怎樣看甚至怎樣摸，都無所謂了。但是袁毓真一方面強忍，一方面被這樣折磨一天，也確實沒心思有什麼動作。洗淨後，穿上銀灰色緊身套裝，龍族勤務機又趨趕眾人進籠。牢籠只開下面一半，所有人都狗爬式鑽進去。

袁毓真等十一人擠在狹小的『養畜籠』內，十一人勉強能躺平伸腳，站起來時，身材較高的女孩都會碰到頭，最裡面往廁所的小門高度，只有約一公尺，還得用狗爬式鑽進去。眾人這段時間下來，似乎已經習慣這種煎熬了。

半夜，袁毓真睡在眾人中間，昏昏沉沉爬進去上廁所，爬回來看到蔣媛妤與何佩芸睜大眼睛不敢哭，但是從臉神上看得出她們在忍著痛，抵抗哀傷的情緒。袁毓真爬過去摟住兩人說：「我對不起妳們……我要想辦法找機器人……」忽然也感覺一陣痛。談玉琰拉他躺下說：「這裡沒有人在責怪妳，還有三百一十七天，所有課程才結束。人類鬥不過龍族的，學紅與白，真心去當牲畜吧。一切等時間路線任務完成之後再說！」

袁毓真緩下心情，疼痛逐漸減輕，喘口氣說：「人類的龍族戰爭都結束了，我們的龍族戰爭才要開始。」說罷，躺在談玉琰身邊，緩

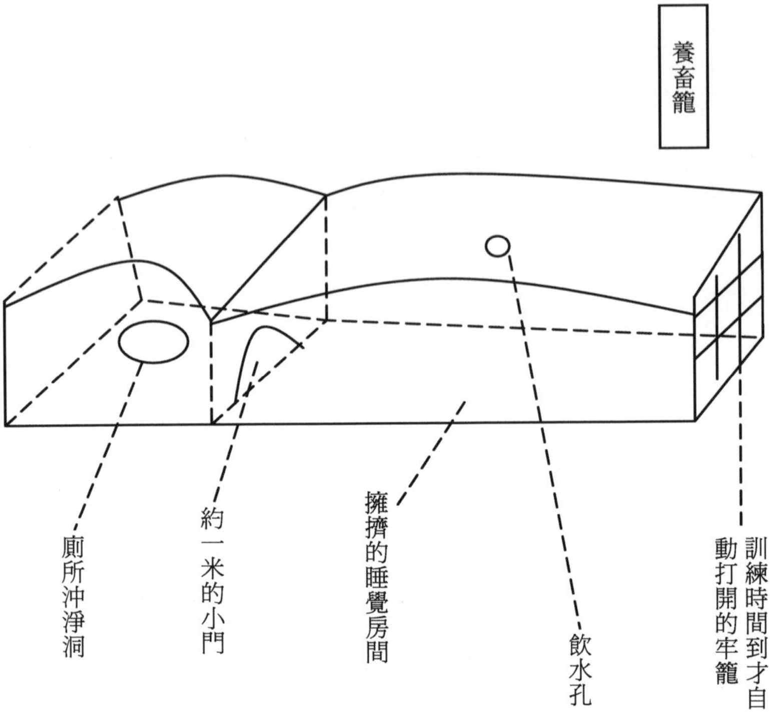

和地說：「這比緊箍咒還難過，竟然還能監測到我們的心情，以主導我們往被奴役的方向走，人生真是一團爛。」蔣婕妤也要爬起來上廁所，輕聲道：「你是這裡唯一男人，以後我們所有人的生命都交給你了，千萬別氣餒啊…」袁毓真也上前去抱住蔣婕妤說：「我一定會保護妳們的！」

九月一日上午，分組訓練。

快速反應組，由一台龍族三角立身勤務機當教官，帶領李韻怡、廖香宜、姜麗媛、黃敏慧、談玉琰五人，徒手應戰龍族虛擬機械兵。機械兵分三種，一種是人形二十台，全身硬材質而無法與之過拳腳。第二種是龍族型態十台，全身軟韌而難以一擊而倒。第三種爲蛇形兵器三台，只是光能砲武器改爲痲痺光束。在一開闊的空間同時壓陣過來，五名女子身穿緊身銀灰色衣服，赤手空拳沒有任何武器，必須在非常有限的時間內打倒這些兵器。

五女子身後的三角立身勤務機教官說：「人形虛擬機材質硬，設計的弱點都不一樣。所以必須『以柔克剛』，利用妳們柔軟的身體與靈活的運動，找到它設計的弱點快速一擊。而龍族型態機全身柔軟材質，沒有型態上的弱點，所以必須要『以剛克柔』，攻擊動作很快速，妳們則必須要以拳腳的剛強，甚至是笨拙，給予連續猛擊。第三種就是射擊兵器，妳們必須在它瞄準之際，就馬上閃躲，不然光束照準一發射，就絕對躲不掉。然後閃躲跳躍靠近，把蛇形怪打毀。」五女子點頭稱是。勤務機教官說：「先前教導的戰鬥武術都記得喔。那就開始了，第一第二批同時來啦，快上！」

五女子這段時間，每一次都被兵器打倒，而緊急醫療急救。所幸龍族醫療先進，眾女子都很快恢復健康。每次都只剩李韻怡與廖香宜迎戰蛇形怪，二女子先前也沒有受過徒手打射擊兵器的訓練，這次比以前還嚴格，所以也都敗陣下來。這次五女子頗有默契，時而相互搭配，時而各自奮戰。因為第一第二種兵器混合壓陣，所以五女子必須時而柔軟靈活，時而剛猛打擊，而且身軀必須穿插閃避於眾機械兵當中。姜麗媛、黃敏慧之前與李韻怡交手過兩次，都無法理解她為何身手這麼詭異？現在見了才知道，不只是武術哲理，還是從這裡逐漸練習的。

眾女子很快就打倒第一第二種混合機械兵陣，但是又被蛇形麻醉光束打倒。

甦醒之後，黃敏慧對勤務教官機抱怨說：「我們徒手才打倒那麼多兵器，已經非常疲憊，還要立刻面對光束武器，實在無法閃避啊……」教官機說：「每天訓練之前，都已經把拳腳與身軀動作的原理，全部跟妳們反覆說過。除了動態中再建立動態之外，妳們本身還要平常心。只有在打鬥中保持平常心，打鬥之後才會迅速冷靜，面對新的挑戰。打鬥最大的缺陷就是心浮氣躁，用躁心去控制速度與型態，這雖然可以有助力量的展現，但是在發揮過後就會顯現出衰弱與破綻。紅與白，妳們兩人先前有受過訓練，只是沒有徒手面對射擊武器，再去教導她們一下，我們休息一會兒繼續打。」李韻怡與廖香宜點頭稱是。

五女子喝水休息半小時，商量好對陣方式，再一次開打。

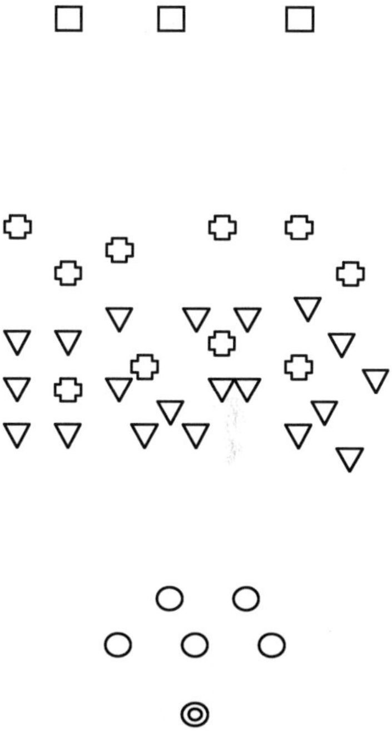

對陣分布

五女子心靜止水，只把打鬥當作理智分析事物，很快就再一次，一一打垮這些兵器，最後三台蛇形兵器再一次麻醉光束猛射。五女子或翻滾或跳躍，射擊全部失去準頭。姜麗媛、黃敏慧、談玉琰吸引火力，李韻怡、廖香宜快速跳到兵器周圍，迅猛一拳快速一腳，把蛇形兵器的火力發射口全部打掉。另外三女子抓起地上被打倒的人形兵器零件，衝上去把蛇形怪砸爛。勤務機教官道：「過關！」

五女子全部圍過來，姜麗媛抓起教官機的頂尖錐說：「辛苦了這麼多天！你該給我們知道，時間路線跟這些訓練有什麼關係吧？」教官機說：「這我也不知道，得問邦邦主人。」姜麗媛正要揮拳打掉教官機，全身就已經痛楚倒地。

邦邦打開門艙，走了進來，所有女子都趕緊伏地磕頭。邦邦說：「看在妳們這一組表現也很優越，時間也差不多了。等一下馴化訓練的時候，我會告訴妳們我的時間路線計畫，妳們就會知道這些訓練有什麼必要了。」

第四幕　時間路線計畫

所有人在分組訓練後，又集合一處，接受第二階段馴化訓練。在夢境虛擬影像中，學習替邦邦戰鬥而死，甚至是自殺，必須從潛意識完全服從。眾人合格之後，虛擬機停止，全部汗流浹背起座，被命令用狗爬式爬到指揮室，聽邦邦的訓誡。袁毓真、蔣婕妤與蔣媛妤體力都比較差，爬到指揮室磕頭，已經是趴在地上了。

每天都輪流一個人去當邦邦的座椅。今天坐在李韻怡背上，左腳壓著袁毓真，右腳壓著蔣婕妤，其他人都在牠面前伏地磕頭，開口道：「你們很好奇，這麼難過的牲畜訓練，跟時間路線到底有什麼關係？我現在就告訴你們，免得你們以爲我是一個有虐畜狂的龍。」

看了看面前的銀河星圖，龍眼瞳孔倒映出銀河系九九星球的位置，接著說：「時間路線比空間路線難得多。空間路線要宇陣器，而時間路線要宙陣器。雖然根本原理與宇陣器有點相似，但是宙陣器從來沒有試驗成功過，也從未有一個龍族可以穿越時空往返。但是我將要成爲那第一個，先前往未來，而後再尋找回到過去的方法。所以首先就是建立宙陣器，其核心系統，除了『天帝』之外，至少還要兩個龍族神器幫忙，一個是『天后』，另外一個就是『翩狼』。而今其他龍族個體的空間路線已經完成，絕大部分的龍族都已經從母星球轉移到九九星球，太陽系也只是中繼站，放幾個自動兵器監控而已。所以這兩台神器，必然也轉移到九九星球去。你們訓練完畢後，第一步就是要攻佔火星宇陣器，然後大部隊轉移到九九星球，用各種方式去奪取『天后』與『翩狼』，然後撤回地球上建立宙陣器。這當中自然會遇到許多場的戰鬥囉，所以你們需要接受許多訓練。宙陣器建立後展開第二步……」

袁毓真聽了非常恐懼，竟然要主動去龍族大本營，奪取天后與翩狼，這幾乎等於跟全龍族開戰。冒著疼痛的危險，開口打斷邦邦說：「賤畜敢問主人，奪取天后與翩狼，勢必會與其他龍族戰鬥，全人類都打不過，我等賤畜恐怕沒有這種戰力……」邦邦呱呱大怒，袁毓真也立刻全身疼痛不止。邦邦左腳用力踩著他的背說：「主人說話，你這賤畜不可以插嘴！」袁毓真急忙求饒。

緩和後，邦邦接著說：「所以我才要你們心甘情願當我的賤畜，戰鬥的計畫在訓練的後期我會告訴你們的！第二步，思維辨析組就要率先進入宙陣器，如同宇陣器的往返投射一樣，在遙遠的時間外，建立反向宙陣器，與現在時間的我們，建立溝通管道。宇陣器原理之前紅與白也告訴過你們，只是宙陣器比較麻煩的是，頭一批投射過去的個體，除了必須活體質量外，還會遭遇截然不同的因果關係，必須在變易體其他取象情境中，鑽出一條正確的時空之路，所以機器人辦不到。倘若活著到達目標時間後，建立的宙陣器必須絕對精密。不然則本隊時間穿梭後，會出現極不穩定的型態組合，如同先前我跟你說的，靠速度穿梭到遙遠的未來，最後會出現本身型態與未來情境型態，相對極不穩定的狀況，這等於就是自殺了。」

眾人聽了都認爲，這是不可能的任務，但是全部心悅誠服，不敢吭一句。

邦邦接著說：「所以可以分析出，當中有幾項難點。難度一，攻佔火星宇陣器。難度二，在九九星球附近站穩腳跟。難度三，找到天后與翩狼藏放地點。難度四，奪取天后與翩狼。難度五，駕駛這兩台機器返回『卡哩嗚嗚』戰艦，然後再找宇陣器撤回地球。難度六，在龍族追擊下，在地球建立宙陣器。難度七，思維辨析組時間轉移當中，遭遇的各種無法預料的情境，必須完全判斷得當。難度八，在毫無文明支援的狀況下，建立絕對精密的反向宙陣器。這八點難度都突破，『卡哩嗚嗚』就可以跟著到目標時間點，時間路線就完全達成了！」於是站起來，走到星圖前面，李韻怡、袁毓真、蔣婕妤三人，沒有命令都不敢亂動。

看著星圖邦邦繼續說：「所以我們可以知道，從難度一到難度六，需要大量的戰鬥。難度七，則需要最高層次的智慧能力。難度八，則需要最高層次的製造技能。我把你們分成三組，前面一到六，三組都必須上場，難度七則是思維辨析組的工作，難度八是器材應用組的任務。你們要辦到，許多龍族特級思維學者，都不敢去辦的事情。所以訓練一定是特別嚴格的。等到一切都完成之後，你們就可以輕鬆地在『卡哩嗚嗚』上面當自由的牲畜，我基本上都不會管你們的生活了。」

眾人知道已經沒有退路，要用少數人之智與少數人之力，挑戰龍族整體，挑戰時空變易，挑戰情境艱難，必須把身體內所有潛能，都發揮出來才行，不然就是死路一條。之後的訓練就更加認真，對邦邦也就真的完全服從。

第五幕　宙陣儀器與數位倫滅

九月五日夜晚，戰艦洗澡池。難得一次放熱水，溫度適中，眾人全身輕鬆了下來。史塔莉已經會說一點中國話，洗浴時，拉著袁毓真的束髮說：「你怎麼不太像兩百多年前的男人？跟這麼多女人洗澡還不會反應？」李韻怡輕輕撥開她的手說：「毓真大哥當然與眾不同囉，女孩不願意，他是絕對不會使強。」蔣婕妤對著出水孔，邊沖熱水邊說：「他是太累了，不然妳才看他會不會吃妳們的豆腐。」袁毓真傻笑不應，繼續擦著洗浴粉。李韻怡說：「妳不叫我小母狗了嗎？是不是經過自身體驗，也喜歡上小母狗的生活了？」蔣婕妤不敢生氣，不然全身都會疼痛，「哼」了一聲不回答。

姜麗媛盯著袁毓真身體，然後推他到一邊說：「洗熱水你就開始有反應了，快閃到一邊去別看！」袁毓真苦著臉說：「現在這種情境下，就算發生什麼男女關係又如何？何必大驚小怪？」談玉琰也邊沖水邊說：「確實不必大驚小怪，別造成這艘船人口增加就好，不然小牲畜會是主人時間路線的累贅。」眾女子聽了都呵呵大笑。廖香宜說：「主人不會讓我們懷孕的，假設懷孕一定讓我們流產。不然的話，孕婦怎麼接受訓練呢？主人怎麼沒想到這一點？」黃敏慧說：「因爲我們的袁大哥是君子，現在想著的是龍族的知識，不是我們，對吧？」袁毓真使勁地點頭。

浴室的水停止了，眾人用毛巾擦乾後，穿上勤務機給的銀灰色套裝，被趕回養畜籠睡覺。

九月六日上午，分組訓練，生態艙。

器材應用組，由一台智能勤務機與五台工作勤務機，帶著歐陽玉珍、何佩芸、蔣媛妤、史塔莉四人，到達生態艙。這裡是要讓宇宙戰艦，在遠程宇宙航行中，供應氧氣、過濾污水、製造糧食的地方。頂棚是會發光的艙頂，底層是大量綠色的植物，但是都與地球上的綠色植物型態不同，也有一些奇怪的動物。圓錐狀三角立身的智能勤務機說：「這裡是龍族母星的生態艙，是當初外星生物移植白堊紀時期的地球綠色植物，在龍族母星分支演化出去的。目前主人爲了豢養爾等賤畜，在另一個生態艙建立了地球的生態循環，所以妳們應當感恩。」四女子點頭稱是。

勤務機繼續說：「這段時間，主人已經親自教導妳們技術，只能在極有限的裝備攜帶下，在原始的環境下尋找礦物，並在極短時間內製造高科技的精密零件，去組合宙陣器。雖然核心器材我們還沒有得到，但是妳們現在可以模擬宙陣系統的建立。雖然妳們這一組的訓練比較制式化，沒有那麼多變數，但是速度、精密與流程，是非常重要的。那麼現在開始吧！」

五台工作勤務機在土內放置零散的各類元素，生態艙頗大，四人也不知道元素都藏在哪裡。蔣媛妤帶著元素偵測器搜尋，歐陽玉珍背著小型煉製爐，史塔莉帶著模具，何佩芸背著各式工具箱，裡頭大多是精密的龍族工具，人類的手型要使用它們，還頗需要練習。

蔣媛妤終於把元素搜尋到，歐陽玉珍操作複雜的煉製爐，煉出各種素材。何佩芸使用工具搭合，史塔莉模具如同魔術方塊，轉移組合器型，最後何佩芸操作電腦連線，裝上發功配線迴路，把小型的宙陣器就製造出來了。

勤務機檢測過後說：「不行，功能不符合標準，這種元素成分，就必須要改變原有的器型去增強發電功能。不然一旦失敗，配線零件裝上去就會燒毀，那就沒有第二次機會了。」

何佩芸說：「這種臨變操作太難了，工具不能多帶，會搜集到什麼同位素的原料都不知道。製造時還要因之重新改變器型，用手來做，這必然會有誤差啊。我想八百萬年後，應該會有很高明的文明會幫助我們吧？我們想辦法翻譯就可以了。」勤務機說：「八百萬年後不會有任何文明！人類不可能延續這麼久，而對於其他生物來說，要演化成智能生物，遞補數位倫滅的這項位階，時間還太短暫。妳們必然是在洪荒當中建立宙陣器。妳們這組工作算最簡單的，所以我們繼續努力吧！」

四女子只好照做，經過一翻配合與努力，終於把小型宙陣儀器製造出來了，而且符合功能運行。

時間路線非常困難，袁毓真等人真的能夠幫助邦邦達成目標嗎？這一段流程真的能如計畫執行而沒有變數嗎？欲知後事如何，且待下象分解。

第二十九象　文數同體哲思演繹冊變易及時趕到拯救同伴顯神威

第一幕　知識的縱深

十月一日上午，宇宙魚浮上太平洋海面，接受陽光照射以吸收能量。所有勤務機登上袁毓真所屬僅存的一艘潛水艇，在美洲西岸登陸，這裡的人類瀕臨絕種，只有元首大人派來幫助重建美國的支援隊。見到龍族勤務機，很類似龍族自動兵器，以為龍族又來地球了，嚇得把所有東西一丟就逃跑。勤務機遂把所有資材都搬回潛水艇，宇宙魚或稱『卡里嗚嗚』宇宙戰艦，逐漸累積了大量的物資。在戰艦的工廠中，因為製造龍族兵器的資源不足，故以生產鐵人機器人為主。

思維辨析組。袁毓真與蔣婕妤繼續學習龍族文字與龍族學術，一樣對坐在透明光板前。

龍族學習機說：「邦邦主人要求我今天解釋，龍族的時空物理觀念，導正人類相對論時空理論的部份錯誤。不過在解釋之前，先讓你們繼續認識龍族的文字。」於是在透明螢幕板顯示：

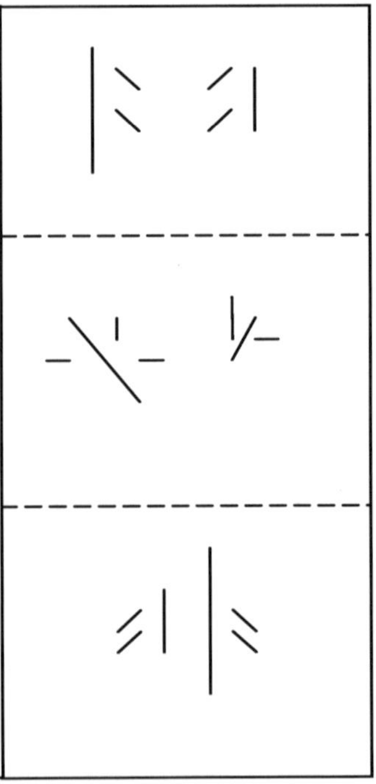

時間與空間，都是我們感官取象變化而來，本質等價。

龍族學習機接著說：「我已經把文字與翻譯文都顯示出來了。人類對文字的思維，是以常態生活的語言出發，當觀察了一種變化，或啓動了某些感想，就從過去的語言找詞彙。當過去的語言太過於龐雜難解時，就利用數學的符號去架構物理原理，實際上數學符號也是在形容物質中的不變性。這樣分支，反而跟原有語言脫節，必須跳躍思考，產生法則的遺漏象。那麼瑣碎變化的情境，與不變的物理原理，就脫節成兩種文字概念去分頭解析，如此思維則事倍功半。但是龍族的文字與數制是合而爲一的，一段敘述文，就可以連貫物質法則的瑣碎變化性與不變性。」

袁毓真道：「等等，次易原理巽卦中，任何對變易取象，都一定會遺漏，即法則的遺漏象。龍族文字不管怎樣，也是從情境體去取象變易體而來，難道龍族文字敘述就不會遺漏嗎？」學習機答道：「當然也會遺漏。但是龍族的『文數一體』與『數制歸元文體多象』的觀念，把知識表述法的自擇遺漏已經彌補，相對於人類的系統來說，這種遺漏象範圍就狹小很多，所以龍族在同樣的觀察、實驗與思維當中，獲得的東西就比人類還多。這樣你理解了嗎？」袁毓真點頭道：「喔……我理解了。」

學習機接著說：「你們兩個仔細看螢幕。第一個字體與第三個字體，都是典型的點狀豎分文字。其左右側字體，已經與上次我解釋的邦邦近階名字咖璣相同，屬於豎分結合與分離狀態，這就代表『變相程度』進入到『變化連冪』。而這種流程中間間隔一個字，就代表解釋一種，感官取象情境到變易的流程，表達一種相對敘述法則。例如時間與空間、上面與下面、前進與後退之類的，但還同時表達一種不變法則，例如：『力』與『加速度』各自取象相對中，中間可以放置『質量』的取象方式。而第一字體，點狀的分布，以這種斜角匯聚，就是表達時間。第三字以同樣的斜角分布，卻被豎分分散，代表就是表達空間。剛好也敘述了時間是情境的匯聚封閉體，空間是情境的分散開放體。」蔣媛妤急忙阻止道：「等等，讓我思考一下你剛才說的東西……」袁毓真苦著臉搖頭說：「龍族思考太怪異了，這讓我想起紅二號以前說過，龍族的思維結構是環狀相互支援的……天啊……」

兩人好不容易搞懂剛才說什麼，學習機才接著說：「中間的字體，豎分文字變成斜角，這代表敘述變易本身的結構文字，在翻譯給人類文字時稱之爲『變化』，實際上還蘊含了取象對比的意義。第二字的點狀文字，長有三短有二，斜角相等只是左邊多一點。斜角相等代表『感官是隨同的』，我只翻譯爲『感官』。多出來的一點，跟著長豎分，代表偏頗於顯現的景象，我翻譯爲取象。那麼整體的文意，就翻譯爲『時間與空間，都是我們感官取象變化而來，本質等價。』實際上這人類文句，省略了太多意義，甚至把龍族數制規範的省略掉。袁毓真，你思考一下省略了哪些東西。」

袁毓真傻了，拼命搖頭說：「這恐怕答不上來……」忽然全身陣痛，學習機說：「不能抗拒學習！不然我會連線你脖子上的儀器，讓你陣痛。」袁毓真急忙說：「好好……給我點時間想想啦……」陣痛才停止。

蔣媛妤說：「少了三點：第一，變相程度到變化連冪的思維表述。第二，時間與空間是等價相對應的意義。第三，一種數學簡單公式的表達。大致是如此……」學習機說：「不錯，賤畜蔣媛妤有進步，不過還有一些沒說上來，袁毓真來回答。」

袁毓真思索片刻，答道：「第一，文意的落差，龍族的認識是立體化結構的，經過自我辨證，人類的認識只是平面模式的意思溝通而已。所以才有你剛才說的，還蘊含著其他意義。第二，龍族簡單的字體就可以表示複雜的訊息，那麼面臨複雜的情境時，思維很快就可以辨析，深入法則淺出情境。可以是數學也可以是文字……我只想到這兩點。」學習機說：「還有一點，就是這種文字，在多個龍族之間溝通而訊息高度膨脹時，可以有簡單的文意在制約，那麼事件複雜的外表與簡單的運作，全部相互連通而一氣通貫。相互之間矛盾可以降至最低，大增相互之間的理解程度，而不需要人類社會複雜的倫理或行政關係，所以龍族行政結構出奇地簡單。」兩人同時點頭，趕緊把剛才這些，記錄在紙上。

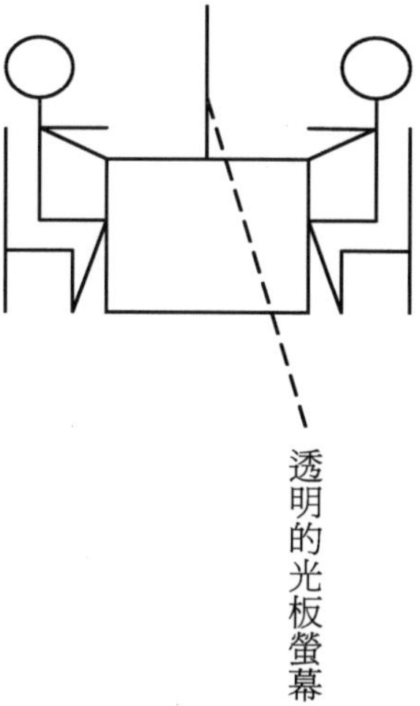

思維辨析組學習狀態

學習機說：「記錄知識，純粹還只是知識表面的搪塞堆砌，你們必須要由當中建立認知的關連體，最後改變根本的思考方法，才是知識的縱深。因爲這些點狀文字是龍族先有複雜的思維結構，才創造出來的規範，你們要類推回去才有用。」兩人點頭稱是。

第二幕　相對性的本元

袁毓真問：「那麼回到最初的問題，用速度來加快時間進程的相對論，到底問題出在什麼地方。怎麼主人會說，加速到未來我們的型態結構就會鬆散掉？」

學習機反問：「你先把人類速度改變時間體制的理論，簡單告訴我一下。」

袁毓真答道：「第一，運動是相對性的，不論其物體大小，都有運動的參考點，所以運動速度沒有誰優於誰的考量。第二，光速在真空中不變，且光速是速度的極限，也就是速度的無窮大。當速度不斷加速時，所需要的能量就趨近無窮。所以假設：我們不斷增加速度而遠離地球，去觀察光速，光速仍然是原來的數值。從而地球看到的光速，與我們看到的光速仍然一樣！那麼改變的只是我們與地球的時間尺度，才能夠解釋我們正在加速遠離地球的這項事實！那麼地球尺度過得快，我們的尺度過得慢，我們就可以到達八百萬年後……」

學習機反答道：「我不知道這是哪一個人類思考出來的，但這只知其一不知其二。宇宙的物質沒有一個基本單位，我們的存在，就是定義某一段時間區間，與定義某一段空間區間，相互關連混合，才會產生的形體，這包含你的一切思想。所以從你的基因複製出另一個人，那就只是跟你型態一樣的另一個人，不會是你的延伸，因爲沒有相同的時空關聯！而速度的定義，是人類先有時間與空間觀念後，觀察變化所架構出來的，實際上在宇宙法則看來，並沒有這種觀念先後與觀察流程，都是等價相互關連運行的。當速度這個取象情境，加到極限，那麼時間與空間的取象情境都會從不變到改變，關聯性就會逐漸鬆散，包括你身上的物質架構出來的時空關聯體……所以你剛才說的那觀念，其實就是你與地球，時空關連體改變，去取象而成的結果。所以當你逐漸加速，不但時間分布與地球整體脫節，空間分布也與地球整體脫節，你身上的結構也就逐漸瓦解。八百萬年的落差程度，足以讓你的生命已經不存在了。倘若再增加時間落差程度，你身上的粒子也就會分層瓦解掉。我猜，這個人類還因此想過能量與質量互換的可能性對嗎？」袁毓真吃驚地點點頭說：「對啊……『能量』等於『質量』乘上『光速平方』……」學習機說：「這代表他只看到質量運動、速度與能量的關連表象，並沒有深入到思想改變，所以他不知道，自己不但回不到過去的時空，也不可能前往遙遠的未來。」

蔣婕妤說：「啊！次易原理統制篇，強調沒有獨立的時間區間，也沒有獨立的空間區間，兩者都是等價關聯在一起的。所以說愛因斯坦與閩可夫斯基所說，空間三維外加時間一維的觀念並不正確，會遺漏很多法則於取象之外。必須用二元體制的關連方式，去理解時間與空間的取象關係，那麼就可以得到新的結論，也不可能靠速度的方式，去到遙遠的未來。」學習機答道：「這個寫次易原理的人類，比你說的愛因斯坦與閩可夫斯基看得深入，接近了龍族的思維，可惜沒有製作出類似龍族文字的記述體系，不然他很可能是人類智能的啓易者。」

袁毓真思索片刻後說：「那麼說來，物理運動相對性法則的成立，就是來源於感官取象與定義事態中，整體關連的等價？」學習機答道：「正確！所以你的智能取象範圍，遺漏的法則越多，物種的能力上限就越低，關連體連結越少之故！這在以後的課程中，我會把這項事實，用簡單的龍族文字來顯現，你們就先記得這件事吧！」

蔣婕妤掌握到辨機說：「可見我們若要挑戰時空的難關，就必須要不斷地彌補，自身的法則遺漏象。而後還要建立獨立的關連方式。最後由最細密的情境變化解讀，去運行變易體的本身。」學習機說：「正確！就是獨立的關連方式。邦邦主人甚至希望你們的智能，在某些方面超過牠，牠只要利用乾綱原始的方式，操作你們絕對服從命令就好。」袁毓真抓著頭髮傻笑著說：「絕對服從是一定的啦，只希望主人能對我們好一點而已。」

另外兩組，此時也都突破了另一階段課程。快速反應組，已經可以在複雜的迷宮中打敗同樣的敵人，器材運用組也已經可以用更少的資源，去建立小型宙陣器。

第三幕　期中試探

同一天下午，馴化課程。

眾人又爬著到指揮室，伏地磕頭給邦邦汙辱與訓誡。

邦邦先拆解掉所有人身上的牲畜馴化吸盤器，眾人頗為歡喜，但仍繼續下跪貼地，磕頭而不敢隨便站起。問：「你們真的是甘心情願當我的牲畜嗎？」眾人同聲回答：「是的！」

邦邦說：「我昨天發明了一項東西，可以讓人工智能改變固有的時空程式觀念，可以讓它們來執行時間路線了，所以我不需要你們當牲畜啦！所以馴化器都拆解掉。」眾人面面相覷，頗露欣喜之狀，蔣婕妤抬頭而身軀仍然伏地，微笑著問：「我們現在真的自由了嗎？」

邦邦說：「可以自己決定，要繼續當我的牲畜，還是離開這裡。你們現在可以坐下，自由討論一下吧……」眾人遂坐在相互討論意見，最後蔣婕妤代表大家說：「地球現在陷入氣候遽變，人類局面也岌岌可危，我們經過這段時間的訓練，已經願意當主人的牲畜。所以我們希望能留在這裡，跟主人一起前往未來。」

邦邦遂丟了一把人類的手槍在地上說：「我現在不需要醜陋的人類了，只想吃吃人肉看看如何。你們既然真心當牲畜，那就全部自殺吧，我今天晚上要吃人肉大餐，把自己的身體獻出來給我吃掉。」眾人一陣驚恐，李韻怡、廖香宜與談玉琰，幾乎同時伸手要拿起槍，想要帶頭自殺。袁毓真阻止三人，把槍搶在手上，然後說：「主人，您又不缺食物，幹麻要吃掉我們？我們可以替主人作更多的事情啊！」

邦邦旋轉眼球，表示拒絕，如同人類的搖頭一般。轉而說：「牲畜除了是勞力，同時也是食物。我不需要你們做事情，趕快自殺吧，免得我親自動手宰，這會弄髒了我的身軀。畢竟人類的血很噁心……」

袁毓真與眾女子相互擁抱而哭了起來，邦邦繼續催逼。袁毓真與蔣婕妤內心同時燃起，拿手槍跟邦邦拼了的念頭，姜麗媛也想奮起一戰，既然馴化器都拿掉了，那就沒有顧忌，但還有所猶豫。

邦邦遂讓勤務機拿出更多的槍，丟到地上，讓每人都拿一把，然後說：「趕快自殺吧！對腦袋扣板機就完成任務了！」李韻怡、廖香宜與談玉琰拿起槍就開，全部噴血倒地而亡。袁毓真大哭，抱著三女子的屍體大喊：「不！」史塔莉也感覺自己熟析的世界都沒了，才甦醒就受苦，生命無意義，也立刻扣了板機而亡。歐陽玉珍正要對腦袋扣板機，袁毓真用力拍掉她手上的槍，然後怒喊：「誰都不許再扣板機！否則我就宰了誰！」

邦邦怒道：「賤畜一號，你是不打算死囉？」袁毓真站起來把槍對準邦邦的大腦袋，怒目道：「沒錯！我不打算死！我們已經很盡心盡力，竟然你這隻賤龍還要我們死！你才是賤畜！」姜麗媛與蔣婕妤也站起來拿槍指著邦邦，姜麗媛說：「袁大哥，我們支持你！」蔣婕妤也說：「雖然地球沒什麼好留戀，但我也不打算死！」

袁毓真看了看地上自殺的四名女子，氣得忍不住了，立刻往邦邦身上開槍，結果邦邦消失了，袁毓真反而中槍而亡，這把槍的子彈，似乎是從後面發射出去的。星圖螢幕出現巨大邦邦的頭像，開口說：「果然賤畜還沒有馴服成功！我要用最歹毒的訓練方式啦！」眾人都嚇一跳，周邊環境扭曲，眾人從夢境關連器上面甦醒，而脖子上還掛著牲畜馴化吸盤器。

邦邦跳入這房間，嘰嘰呱呱十分憤怒，夢境關連器雖然沒做成功，但是試探眾人的服從度還是可以的。眾人全部跪下，伏地磕頭，袁毓真拼命喊著：「我們錯了，請主人原諒！」邦邦怒著按下按鈕，所有人都痛得倒地，等到都緩和後，說：「不願意替我而死，就是沒成功！拿你們人類的話語來說，要用地獄魔鬼訓練的方式，使用最歹毒的馴畜等級才行。」

袁毓真急忙爬到邦邦的腳下，喊說：「全部都是我的錯，韻怡、香宜、史塔莉還有玉琰，都有遵從主人意志。我帶頭造反，就處罰我一個就好。」邦邦說：「不行！賤畜是一體的，只要有一人犯錯誤，全部都要連坐！」於是眾人除了又得開始喝排泄物，鞭打，爬著指揮室轉，甚至還打入馴服藥劑。

十月五日晚上，噴水浴室。

眾人累了一天，正在洗澡，袁毓真發現自己這段時間，好不容易長出來的嘴上鬍鬚，全部都脫落。他的鬍鬚本來就少，而今竟然全部都脫落，咽喉也感覺有點怪怪。女孩們累了一天，各自洗自己的，相互都沒有說話。當袁毓真在微弱的船艦燈光下，洗到自己的胸部時，才大驚失色，大喊：「不！」

眾女子同時停止洗浴動作，全部看他。談玉琰、李韻怡同聲問：「怎麼啦？」其餘女孩也都圍過來詢問。袁毓真吞了口水，緩緩說：「我跟妳們一樣，長胸部了……」眾女孩紛紛摸過來，全部呵呵大笑，袁毓真苦惱著把頭撞在牆上，非常氣憤，同時也在忍受著馴化器的痛楚。廖香宜笑著說：「以後我要叫你毓真大姐了！」其餘女孩也都笑著說：「是啊是啊……」

蔣媛妤怒斥所有女孩：「全部安靜！還把不把袁毓真當自己人啊！」一發怒，她也感受到一陣痛楚。所有人全都安靜，一同把兩人扶起來。

蔣嫒妤喘口氣說：「一定是馴服藥劑，裡面參有女人的激素，難怪最近我的胸部也發育得很好。我看邦邦已經可以控制人類的內分泌系統。」袁毓真拉著李韻怡與姜麗嫒說：「我痛得無法自殺……請妳們殺了我……我受不了這種汙辱……我只想死……」眾女子一陣悲傷，也都略感到疼痛。蔣嫒妤摟住他說：「放心啦，男人在正常情況下也有女性激素，這些是可以復原的。不管你變成什麼樣子，我們所有女孩都喜歡你的。」其他女孩也都點頭稱是，袁毓真逐略有緩和，轉頭說：「不管再怎樣痛，我也不能再打女性激素，不然的話我的男性器官就真的會萎縮了！」談玉琰說：「放心吧，這是會復原的，還有兩百六十一天要忍耐。邦邦主人不過就是想要完成時間路線而已，從明天開始，我們就別把自己當人看，忍過這段時間，總會有我們出頭的時候！」

第四幕　原智蜷曲象

眾人發揮最大的忍耐，絕對認真，也絕對服從，果然邦邦停止了施打藥劑，也去除了喝龍族排泄物的要求。袁毓真才逐漸恢復男人的體質。

啓易四年六月二十日。眾人已經接受訓練一年，自然是對邦邦絕對服從，也心甘情願當賤畜。快速反應組已經可以用極平靜的心，赤手空拳打敗數台龍族戰鬥兵器，倘若拿起武器，戰力更加強大。器材應用組也已經可以用極少的資源，建立功能不錯的宙陣器。邦邦最擔心的還是思維辨析組，因爲思維與知識無遠弗屆，辨析變易的方法千百種不只，很難衡量最後會發生什麼事。但是邦邦無法再等待下去了。

最後一天的訓練，思維辨析組。

學習機說：「你們一年來的認真學習，已經能掌握很多龍族文字，甚至理解了變易體架構。不過在面臨時間穿梭的變化時，連龍族的特級思維學者，都沒有把握，你們千萬不能輕忽大意。」蔣媛妤微笑說：「還得等搶到龍族另外兩台神器才行。」學習機說：「所以你們一有時間就得複習與思考。智力的本身，也只是一種生存策略，是蜷曲在隨機與選擇當中的。」

袁毓真點頭說：「這就如次易原理的蜷生卦，除了將之展開之外，還能夠相互複合成一體運作。」學習機答道：「正確，複合成一體運作，則延伸的智能型態就更特殊。最後我把一條龍族文式告訴你們，當作是畢業的禮物。」

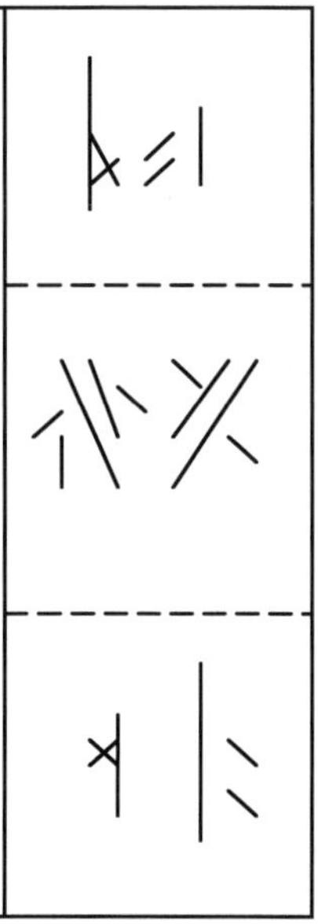

順流宇宙與逆流宇宙的靈魂者

兩人點頭稱謝，趕緊記錄。袁毓真說：「這三個字表達非常多意思，第一，解釋了時間與空間等價，同入於變化連冪與變相程度。第二，解釋了『時間流程』等於『空間變化區間』乘以『五項自定義取象的關連』，而關聯體必需升冪次方。第三，時空文字的左側體，點狀文字交錯，代表是違逆時間與違逆空間者，違逆時間為空間狀態倒轉，違逆空間為時間快速順轉，那麼就可以翻譯是，順流宇宙與逆流宇宙。第四，中間字體的豎分結構，是兩長兩短如此對應，那就是生物高階自擇取象，可以解釋為演變者與努力者。自擇時空的演變者就是，爭取自己靈魂者！」學習機說：「你們畢業了！」

當天下午，全部跪下伏地，在指揮室聽邦邦訓話。邦邦解除了所有人的馴化器，然後說：「現在是真的解除你們的馴化器了。從此你們得自發地認知自己是賤畜，沒有自主的人格，只有服從我的命令才有生存價值，理解嗎？」眾人匍匐磕頭，同聲答道：「遵命，主人。」

邦邦說：「今天好好休息一下。在空間路線成功後，我忍耐了一年多，現在終於要開始時間路線的進程了。明天準備充足一天，後天起飛奔向宇宙！」眾人繼續磕頭遵命。袁毓真繼續匍伏，額頭仍磕在地上說：「賤畜一號啓稟主人，我們有一個朋友叫做賀嘉珍，一年多以前在台灣島上失散，希望主人給我們時間去找她，她的智能相信可以當作候補者，有利於時間路線。」

邦邦馬上回憶到，最早在海底基地認識這些人的時候，有一個頗為聰明的人類女子。先前怕節外生枝，拒絕眾人去找她，而今眾人的確已經完全馴化，且絕對服從，甚至願意付出生命，於是說：「好吧！就讓你們去找她！」蔣婕妤也繼續伏地磕頭說：「賤畜二號啓稟主人，倘若找到她，是否讓她也跟我們一樣當您的賤畜？」邦邦說：「這是當然！必須明白，我祖先還在地球上昌盛生存的時候，人類的祖先是躲在地洞，吃我祖先糞便的哺乳類。人類本來就是低賤的生物，只適合當我龍族的牲畜。」袁毓真知道蔣婕妤的暗示，趕緊說：「賤畜一號希望，她能夠不用接受這麼嚴格的訓練，由我們勸導她服從主人即可。」邦邦說：「這是後話。不過現在地面上的人類秩序非常混亂，你們必須全副武裝過去。我就把先前沒收的三台機器人還給你們吧！」眾人磕頭謝恩。

於是卡哩嗚嗚宇宙戰艦發射紅二號，袁毓真、談玉琰、李韻怡、廖香宜、蔣婕妤、姜麗媛、黃敏慧、克莉絲蒂娜、夢彤、夢蘿，共同乘坐於其中，所有人也都換上原來的改版古漢服，還拿回化妝品化妝了一番，並全副武裝，往台灣島上出發。其餘女子則繼續待在宇宙戰艦中。

眾女子輪流擠紅二號的浴室，蔣婕妤換上女漢服滿足地出來，換李韻怡進去。袁毓真苦笑說：「跟『養畜籠』相比，紅二號感覺像天堂吧？」蔣婕妤微笑著說：「當然啦，希望邦邦主人以後就給我們住在這裡……還是老爺爺比較好，要是他沒死就好了……」說到此有些失落。袁毓真嘆氣道：「對不起，我太無能了，才會讓大家淪爲邦邦的牲畜。」談玉琰笑著說：「沒關係，一切都還好，最重要的是大家都還能生存下去。」克莉絲蒂娜說：「這一年我們被關機，沒有照顧好毓真大哥，以後我們會善盡職責保護你的！不如反戈一擊，殺了邦邦奪取宇宙魚！」眾人已經打從心理失去抵抗意志，袁毓真搖手說：「罷了罷了，只要牠給我們一些自由，當牠牲畜也沒什麼。畢竟牠跟我們不是同一個物種，無關乎尊嚴問題。想起一年多前在南極的那段經驗，就算我們擺脫了邦邦，不也還是自然法則的魁儡嗎？從現在開始，機器人就聽我號令，別有不軌的行為。」克莉絲蒂娜、夢彤、夢蘿都點頭稱是。

夢蘿開口說：「天威大行皇帝陛下，有一份遺產，我還藏在腹腔內，一直保留到現在。而今毓真大哥被迫要挑戰全龍族，這東西不拿出來不行了。」於是腹腔皮肉液化退去，抽出一個小盒子，交給了袁毓真。袁毓真打開盒子，裡面有十二枚小拇指末端大小的橢圓體，便問：「這是什麼？」夢蘿說：「人工智能的中央處理器，同時也是資料庫。」又問：「這跟妳們腦中的處理器有什麼不同？」夢蘿說：「我們只是『唐』級的處理器，智力模式頂多跟聰明人一樣，但沒有創造的天份。而這是『清』級的處理器，等次比我們三個高，是大行皇帝生前把『唐』級的處理器，結合龍族資料、參考紅二號改造配線，並加以創作出來的更聰明，更具備學習效率的人工智能，裡面的最基本認知結構，只讓您自行設定。相信這有助於您解決之後的挑戰。」袁毓真把盒子安置在紅二號置物箱，緩緩說：「這也得加裝新的軀殼才可以，回去問問主人是否幫忙吧……」

袁毓真紫色漢式衣裝，開右襟衣袖與腰帶都繡龍，漢式束髮，左手持通訊指揮器，右手持短衝鋒槍。蔣婕好盤捲髮型，粉底口紅，白底繡花套裝女漢服，右襟開到小腿處，捲成長裙，手持兩支手槍與彈匣。李韻怡、廖香宜仍然過去的紅白女漢服衣褲與腰帶，髮型雙髻垂髫，食指尖金屬光砲。談玉琰長髮結麻尾辮於後，身穿黃漢服衣褲，手持衝鋒槍與火箭筒。

姜麗媛、黃敏慧身穿全紅衣裝，與李韻怡相同的服裝，都剪短髮，前者手持重機關砲，後者手持步槍與手榴彈。克莉絲蒂娜西式緊身女皮裝衣褲，緊髮團辮於後，雙腿手槍套。夢彤與夢蘿之間，外表型號雖然已經不同，但穿著同樣的藍色女漢服衣褲，人造長髮飄逸，也各有雙手槍配備。先前賀嘉珍帶領的機器人放有追蹤器，眾人沿著訊號飛去。

第五幕　第十二牲畜

龍族戰爭過去一年，全世界都在計畫重建，但是都沒有任何資源，冰河時期已經開始，連糧食都已經大爲缺乏。台灣島上也都是匪幫與小軍閥林立，相互搶奪資源，政府只能控制幾個小區域，實際上也沒資源養大量的軍警，來消滅這些小力量了。

早在龍族戰爭才結束沒多久，元首大人就命令司馬婉瑜到台灣找賀嘉珍。知道她生了一個兒子，是自己的骨肉，等賀嘉珍生產之後，遂命令曲縱橫將之抱回。但是賀嘉珍不願意回新河洛，更不願意再見到元首大人。遂被任命爲台灣省行政主官，並派遣司馬婉瑜任其保鑣。

龍族戰爭時，元首大人把初級的機械獵犬技術，分派給各戰區，以強化整體抵抗力。但是效果不彰，正規軍逐一被殲滅，人民死傷慘重，遂分派給更多的民兵單位，讓每個小鄉鎮都有製造的能力。生成一大堆小股自主武裝，龍族戰爭後，行政單位難以復行權力，只能名義上控制而已。想要招安收編，但是中央自己的資源都左支右絀，無法滿足這些小領袖的要求，遂不受控制。

啓易四年六月二十一日，夜晚十點。一大堆機械獵犬，包圍了賀嘉珍與雞殺手司馬婉瑜等一行人，兩女子身邊還有另外三人，一名三十多歲的男子、一名十多歲的女學生，還有一個和尚。五個人在台灣省行政大樓被圍困，周邊只有數台，袁毓真當初給的機器人。

男子說：「軍隊都跑了，行政大樓守不住了，我們從地下道撤走吧！」賀嘉珍說：「不行！這裡有僅存賑濟內地饑民的糧食，我一定要把這些糧食運回新河洛，不然就是徹底失職！而且這裡是台灣省政府所在地，這裡失陷代表整個省都失陷！」和尚嘆口氣說：「楞嚴經上有說，末法之世，多有魔民，熾盛世間，廣行貪淫。而今正是末法之世，龍族沒有徹底消滅人類，人類卻要徹底消滅人類了。」司馬婉瑜手持衝鋒槍，哭著道：「我們已經沒有辦法守得住，與其死在這，不如先退走，來日再收復不遲啊！」賀嘉珍仍然搖頭拒絕。

外頭機械獵犬，與眾多持槍匪徒已經衝入大樓，男子已經等不及了，與司馬婉瑜左右架著她，往地下通道撤去，後面跟和尚與女學生，袁毓真給的三台機器人殿後。一行人從地道逃到郊外叢林中。但是追兵不止，忽然四方燈光打開，讓眾人睜不開眼，僅存的三台機器人瞬間就被機械獵犬炸毀。眾人蹲在一處，周邊圍過來十五名男子，面相粗野，渾身刺青。叫喝眾人放下武器，司馬婉瑜與跟著賀嘉珍的男子，本還想抵抗，但是見此大勢已去，怕傷及賀嘉珍，遂丟下手中的槍枝。五人站起來，雙手舉高。

一名手持步槍的匪徒，跟在匪首身邊，開口說：「有三個女人也！請頭領賞兩個給兄弟們，龍族戰爭之後我們就沒見過女人了！」匪首手持重機槍，笑著點說：「可以！」於是分別指了賀嘉珍與小女學生，然後說：「這兩個你們大家拿去玩，但是可別傷害性命，女人是可以跟其他兵團交換糧食的資產！剩下這一個美女當然是我使用！至於男人跟和尙就可以宰掉了！」眾匪徒都笑呵呵，五人都顯露驚慌之色。賀嘉珍喊道：「我是元首大人身邊的人，你們拿我可以換更多的資源，別傷害其他人！」

匪首走上前，摸了她的臉，賀嘉珍內心感到一陣噁心，氣憤難平，但是強忍下來，面色靜謐而穩重。司馬婉瑜與那個男子知道了對方的意圖，也準備他們動手時，作拚死一搏。匪首笑著說：「龍族戰爭前我就看過網路社群報導，妳是什麼四人組還三人組的成員。不過老子已經是被通緝的槍擊要犯！拿妳去跟政府交換條件？那不就是自投羅網嗎？元首大人現在管不著我們啦！」匪首拿了腰間手槍，就抵著和尙的腦門，和尙雙手合十，唸唸有詞，司馬婉瑜與男子知道必死，準備要奮起抵抗。

正在此間，森林黑夜道路的另外一邊，傳來神秘男子的聲音，看不到他的輪廓而更顯神秘，他邊走邊說道：「天慌嗎？地哭嗎？人悲嗎？白陽末世，群魔亂舞，看我神兵二人組，捍衛正義！鬥神一號，在此現形！」擴音器的聲音繚繞在樹林之間，聽不出來自哪一個方向，賀嘉珍此時已經聽出是袁毓真來救援，心中大喜，然而必有一場惡戰，於是拉著同伴蹲下。

十五名匪徒們左顧右盼，匪首大喊：「誰？出來！到底是誰？」神秘男子又道：「邪惡匪徒喪失人性，連出家人都不放過，今晚天陰而月光不照，我要代替月亮，來懲罰你們！」其餘匪徒們也都持槍往黑暗處亂開槍，喊著：「快出來，是誰？」忽然槍砲從黑夜發射過來，眾多匪徒一一倒地，五人全部趴在地上躲避槍砲彈道。克莉絲蒂娜、夢彤、夢蘿首先跳出來猛發離子砲，把匪徒的機械獵犬一一消滅。匪首與匪徒們猛開機關槍，夢蘿衣衫雖破露出鋼鐵骨架，但是仍舊戰力不減，開火還擊。匪首知道她是機器人，必然打不過，在她開火前就跳入草叢逃走。其餘匪徒還在開槍頑抗，談玉琰、李韻怡、廖香宜、姜麗嫒、黃敏慧，也都持槍跳出來射擊，發揮這一年來的戰鬥特訓，把十四名匪徒與所有機械獵犬全部消滅。

之後袁毓真與蔣婕妤才從黑夜中出現，克莉絲蒂娜說：「毓真大哥，有一個漏網之魚，很可能回去找援兵。」袁毓真擺著冷酷的臉孔說：「除惡務盡！我鬥神一號消滅惡魔，不留活口！妳們三台機器人立刻追殺過去，把攻佔台灣省政府的所有匪徒都消滅！」三女子點頭遵命，於是追殺過去。

此時賀嘉珍等五人才起身，賀嘉珍上前握著袁毓真的手，蔣婕妤則尖叫著抱著賀嘉珍，故人相逢頗為欣喜。袁毓真看了其他人，談玉琰上前也握著司馬婉瑜的手說：「小雞，妳怎麼會在這裡？」司馬婉瑜反而摟住她，微笑著說：「說來話長，他們人多勢眾，軍隊都逃了，我們現在得回軍方防區，你們可以送我們一程嗎？」袁毓真搖頭說：「我們是來帶賀嘉珍離開的，不去其他地方。倒是漂亮的小姐願意跟我們走，我們願意同行。」

司馬婉瑜聽了收回笑容，蔣婕妤用力拍了一下他的肩膀說：「住口！別看到其他美女就這樣失神！我們只帶嘉珍姐姐離開，其他誰都不帶！」袁毓真傻笑著抓頭髮，緩緩說：「好啦……我知道了。」司馬婉瑜對賀嘉珍說：「行政官大人，您真的要跟他們離開嗎？這裡怎麼辦？」賀嘉珍轉面問袁毓真：「你們想帶我去哪裡？我這些同伴可同行嗎？」袁毓真搖頭答道：「不可以，一個秘密基地只帶妳去，是遠離人群的安身地方。」

賀嘉珍笑著說：「這答案很像楊恒萱給我的答案，好，我跟你去看看。」然後又轉面對司馬婉瑜說：「妳帶著其他人到軍營去吧！說匪徒都被消滅，讓軍隊回來把糧食運回內地。別人若問起，說我去投奔朋友，有機會就會聯絡你們！」談玉琰把手上衝鋒槍交給司馬婉瑜，而司馬婉瑜遂帶著其他三人，跟賀嘉珍道別，從黑夜中離去。和尚臨走時，還對被打死的匪徒屍體，唸了一小段經文。

克莉絲蒂娜、夢彤、夢蘿，三機器人追殺匪首到台灣省行政大樓，一路手槍與離子砲掩殺，匪首的其餘黨羽全部被殲。匪首開著懸浮車要逃，克莉絲蒂娜經過大樓時，電腦掃描周邊道路地圖，立刻抄捷徑擋在車道上。匪首看到她在前方，又氣又嚇，大喊：「我撞死妳！」加速衝過去，『碰』的一聲，車頭撞在克莉絲蒂娜的腹部，往一大樹幹衝撞，當然撞不死機器人。結果克莉絲蒂娜歪頭看著匪首，匪首此時還瞪大眼，抽出手槍猛打她的頭。克莉絲蒂娜雙手用力把懸浮車翻起，車子在地上翻轉好幾圈撞到另外一棵樹。而後右手轉制離子砲，一發閃光，整個車子連同該名匪首，隨著爆炸聲四分五裂了。

克莉絲蒂娜確認目標已經死亡，微笑了一下遂離開。三台機器人回頭與眾人會合，回到紅二號上。

眾人在回程中，問了賀嘉珍這一年多發生什麼事，與目前人類局面的狀況，聽了之後都不甚唏噓。當賀嘉珍反問袁毓真等人時，眾人都收回笑容不敢答，只有袁毓真傻笑著說：「還好啦……都跟龍族邦邦，去學習一些東西……」她仍微笑著問：「學到些什麼呢？」袁毓真隨口回：「學習怎樣成爲真正的鬥神一號！」

當眾人乘坐紅二號，回到卡哩嗚嗚宇宙戰艦的停放艙，邦邦竟然在停放艙等著眾人。除了賀嘉珍之外，其他人都下跪伏地磕頭，袁毓真說：「賤畜一號完成任務，與眾賤畜叩見主人！」其餘女子也都喊著叩見主人。

賀嘉珍傻眼了，袁毓真怎麼從鬥神一號變成了賤畜一號？看見其他女孩，包括機器人在內，都這樣伏地磕頭，一時也說不上話來。邦邦用腳輕輕踢開眾人，眾人趕緊往兩邊蜷伏，讓出一條路。邦邦走到賀嘉珍面前，蔣媛妤拉著賀嘉珍要她也下跪，但是賀嘉珍仍挺著腰桿不跪。邦邦右邊同心圓的五指手，伸出底下兩指，表示指著眼睛注視的對方，說：「從今天開始，妳就是賤畜十二號，一切事情讓賤畜一號二號告訴妳。今天就算了，明天開始見到我，就得像他們一樣，要有牲畜遇見主人的樣子！不然就單獨訓練妳！」

別離一年多，賀嘉珍終於見到眾人，但面對淪爲牲畜會有反應？邦邦主人終於要展開時間路線，眾人將會因而有什麼遭遇？欲知後事如何，且待下象分解。

第三十象　雌伏一載雄飛宇宙爭時空突擊火星宇陣戰鬥奪機先

第一幕　宇宙作戰計畫

啓易四年，六月二十二日中午，卡哩嗚嗚宇宙戰艦指揮室。

經過一晚擠在養畜籠中詢問，賀嘉珍已經搞清楚眾人發生什麼事，只好跟著眾人跪在地上磕頭。而後邦邦宣佈要突出大氣圈，奔向宇宙，下一次回地球的時候，就要建立完整的宙陣系統了。

龐大的卡哩嗚嗚宇宙戰艦，頓時如鯨豚躍出太平洋海面，規模當然大得許多，海裡的魚類因而四散奔走。眾人允許挺起腰，跪著看外頭景觀，逐漸看到外頭天空從藍色，到暗藍，乃至到黑色。巨大的宇宙魚躍出海面，衝出大氣，艦砲清除地球軌道上諸多太空垃圾，然後加速往月球奔去。

邦邦解釋作戰任務，眾人轉身跪著仰望銀河星圖，星圖轉變爲作戰計畫圖。邦邦站在懸浮板說：「龍族在地球的宇陣器都已經撤走，我們的主要目標是攻佔火星的宇陣器，因爲我們若使用月亮上的宇陣器，卡哩嗚嗚出現在九九星球的地方，就會是大氣層的軌道，立刻就會被龍族部隊捕捉到！所以我們非用火星的宇陣器不可，只有該處的宇陣器可以投射到九九星球外圍空域，使我們有空間可以隱藏，然後緩圖進攻九九星球，以奪取神器！但是當我們進攻火星宇陣器時，月球上的龍族宇陣基地，收到訊息，就會自動運轉，把月球上部署的龍族自動通訊器，轉移到九九星球去求援軍，那麼九九星球軌道上的大批龍族艦隊，就會轉至這裡增援。同理，進攻月球時，火星也會有動作。所以現在進攻計畫雙管齊下，當主力靠近火星的時候，潛伏在月球的部隊就破壞月球宇陣器，然後快速飛往火星與主力部隊會合。就算九九星球上的龍族知道了，宇陣器都已經被我們控制，牠們要增援這裡就非常困難，星際路線等於被我們徹底控制。」

然後螢幕出現袁毓真的潛水艇，外形已經被邦邦改造，上頭還加裝了紅二號停放板，使兩機互通。並還有在歡樂部十三號別墅時，紅與白離去的小蝌蚪飛行器，拿來當作逃生艙。然後邦邦說：「賤畜一號袁毓真，帶領賤畜三號談玉琰，賤畜四號李韻怡，賤畜五號廖香宜，賤畜七號姜麗媛，賤畜十二號賀嘉珍，率領你手下的三台機器人，還有五百台我幫你製造的鐵人機器人，乘坐圖示的這台改造太空船，破壞月球宇陣器後，迅速奔回。既然是重要的星際路線，那麼兩星球都必有重兵把守宇陣系統。各位要非常小心。」

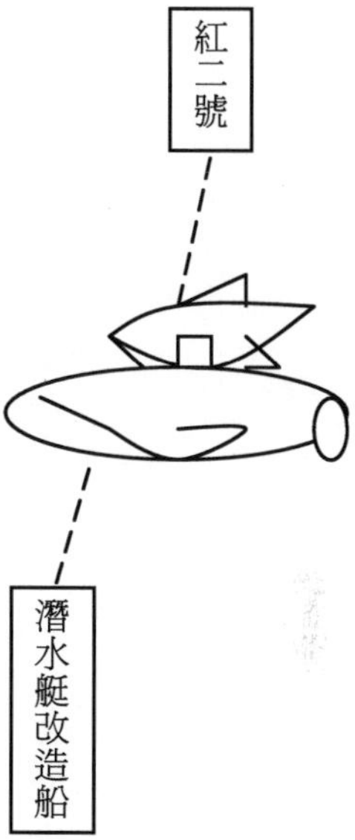

袁毓真問：「賤畜有兩個疑問。」邦邦舉手示意可以發問。遂問：「九九星球上的宇陣器要是也被對方緊急關閉，那麼我們就算佔領火星宇陣器，也豈不是無法跳躍到該處？如同牠們跳躍不過來一樣。而我們這台改造太空船，飛往火星又需要多久呢？船上的維生系統可否支撐？」

邦邦說：「本來這可以加裝次光速引擎飛過來，但是我說過，若因速度造成時間體制差別太大，你們的空間型體就會非常不穩定。所以我把引擎設定了上限，用最高速度飛過來，約莫十天，以保證你們的安全。至於宇陣器的問題，九九星球的宇陣器不敢關閉的，只會等著我們開機，然後跳躍過去，你看一下星圖就可以理解。」於是螢幕出現星圖。邦邦接著說：「當初我們龍族之所以堅持攻打人類，就是因爲太陽系是前往『九九星球』的關鍵要道，所以除了火星與月球，太陽系一定還有我們不知道的備用系統。藍線部分是已經架構好的星際要道，太陽系宇陣器一被關閉，九九星球就跟其他原有星系都斷絕往來了，除非九九星球的龍族完全放棄原有的星球，不然就等於被我們控制住咽喉。牠們唯一能做的，就是搭建與其他中繼站星球之間的要道，如黃色虛線，根本不可能重新投射透明器。但是其他中繼站我都清楚，位置偏差，要用矯正器發射，這樣往來九九星球有很高風險，很可能就把艦隊投射在空盪的銀河星辰之間，永遠回不來。所以牠們一定要收復關鍵要地！這也只有一條路，就是通過備用系統，從九九星球投射兵力過來，所以會保持太陽系與九九星球的暢通。備用系統可能在木星衛星，土星衛星等，都有可能，但那些地方距離火星比較遙遠，你從月球趕過來時，我們還有充裕的時間發射到九九星球去。」

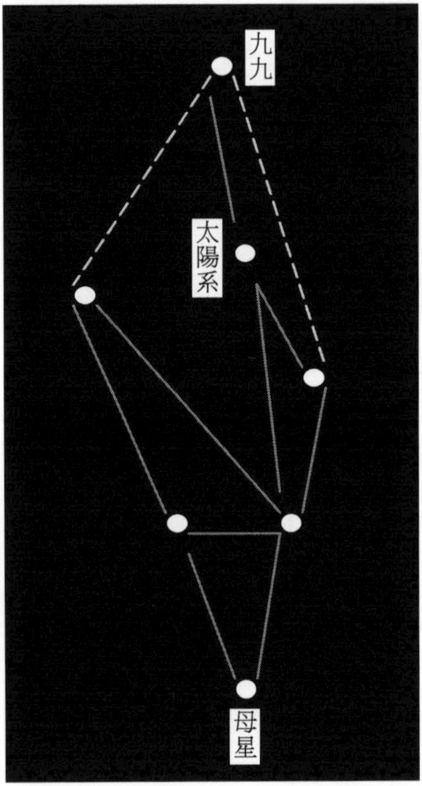

賀嘉珍看著圖問：「萬一牠們關閉九九星球宇陣系統，而用其他中繼站的兵力進攻過來呢？」她對於邦邦還沒有那麼尊重，但是邦邦刻意保留一個敢發問的思維體，所以不以爲意。答道：「問得好，但是牠們不敢冒這個險，因爲主要的神器都轉移到九九星球，以開星奠基！其他中繼站的兵力，能不能打過我的座機『天帝』，這連特級思維學者都不敢保證。所以我估計，牠們必然從九九星球派重兵，至少出動兩架神器來包抄我。我唯一擔心的是，天后與翩狼若都出動，我們去九九星球的計畫就要臨時改變。」

蔣婕好仔細思量後說：「那我們是千鈞一髮啊！敵方最可能的策略是，出動重兵打我們，而後九九星球也嚴陣以待……主人您認爲對方出動的神器會是哪兩台？」邦邦說：「以我對這個領導者『姿嘎』的了解，很可能用『龜闔』與『圜洸』，來抓我這台『天帝』。因爲這兩台若搭配，戰鬥力超過天帝最多！只怕出動更多的神器啊……所以我們這場戰鬥，也是有投機冒險性的！」

袁毓真說：「得賭著龍族領導者，會不會同時派天后與翩狼……」邦邦說：「神器的問題我來處理，爾等的責任在於突擊作戰，攻佔宇陣器。」包括賀嘉珍在內，全部磕頭稱是。

第二幕　月球突擊戰

似乎是爲了躲避龍族監測器，卡哩嗚嗚宇宙戰艦刻意放慢速度，過了三天，六月二十五日早上才到月球外圍，所有發光體全部黯淡下來。眾人爬出養畜籠去吃早餐，賀嘉珍對袁毓真說：「還真感謝你們，把我帶來當牲畜，與地球永別。」袁毓真傻笑著無法回答。蔣婕妤說：「地球現在這麼爛，暫時遠離還是對的。倘若妳堅持要回去，等回地球架設宙陣器的時候，我們再跟主人要求。況且我們都感覺，在嘉珍姐身邊很有安全感⋯」賀嘉珍微笑著說：「我反倒感覺袁毓真在身邊很安全，不然我也不會跟著你們來。」袁毓真繼續傻笑。

雖然是出發前夕，勤務機送來的仍然是一大盆餬狀的『人類食用飼料』，還有一大盆水，眾人只能跪在

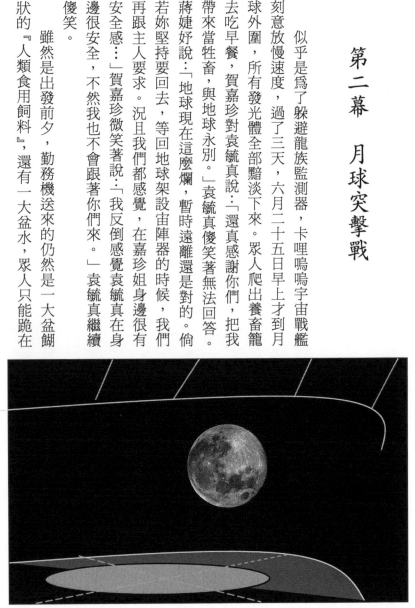

飼料與飲水盆周圍吃喝，之後再由勤務機帶往指揮室。指揮室的窗外，已經可以看見月球的景色了。

邦邦在指揮室再一次指示戰鬥序列與作戰計畫後，命令袁毓真這一隊出發。於是袁毓真、談玉琰、李韻怡、廖香宜、賀嘉珍、姜麗媛、克莉絲蒂娜、夢彤、夢蘿，乘坐在紅二號上操作，其他鐵人部隊擠在改造潛水艇內，艇內還藏有五台小蝌蚪飛船。結合的飛艇緩緩降落到月球表面，而宇宙戰艦快速地往火星飛去，得等邦邦到達火星時才同時發動攻擊。調整好重力場強度之後，眾人就輕鬆了下來。

姜麗媛呼喚眾人到改造的潛水艇艙去，原來她已經煮好美食，一盤青菜炒肉絲，一盤蒜泥拌黃瓜還有雞蛋湯。袁毓真順手打開冰箱，開心地道：「已經一年都在吃邦邦做的飼料，沒想到牠在這裡準備這些食材給我們。」除了賀嘉珍之外，其他人都胃口大開。姜麗媛笑著說：「我的手藝竟然沒有退步，還這麼棒。」李韻怡邊吃邊說說：「不是，是我們這一年來吃得太差，」姜麗媛看了賀嘉珍只喝湯沒有動筷子，轉問：「是不是煮得很難吃哎？」賀嘉珍微笑著說：「不……我是在想我的兒子。」袁毓真笑著說：「別擔心，他現在是皇子，過得比我們好多了，說不定未來的元首大人就是他。」賀嘉珍點點頭，不繼續說話。餐後，拿著袁毓真的筆記本，學習龍族文字。

九天後，紅二號收到發動攻勢的訊息，改造的太空船立刻飛起，飛到月球的背面去，並在月球表面上釋放大量的鐵人，對著宇陣器發動進攻。姜麗媛、談玉琰、李韻怡、廖香宜、夢彤、夢蘿，各自駕駛一台月面小戰車，配合著鐵人的進攻。袁毓真、賀嘉珍駕駛紅二號從空中掩護射擊。宇陣器周圍防備力量並不夠，只有三十台圓盾怪。五百台鐵人機器人，都改造龍族菱彈砲，以多勝少一下就全部把龍族自動兵器摧毀。忽然飛來十多台花形飛行器，談玉琰在月面小戰車上通訊道：「毓真大哥，這種兵器難對付，你快點駕駛紅二號離開，讓鐵人去追擊，我們六個攻擊宇陣器。」袁毓真站在指揮塔，立刻指示撤退。鐵人飛起死死攔截，但還有三台花型兵器穿越火網追來，紅二號尾側中彈，撞入月球表面，引發重大震盪。袁毓真與賀嘉珍在艙內碰撞好幾次，賀嘉珍爬上沙發苦臉說：「艙內氣體外洩，必須要趕快處理！」克莉絲蒂娜扶好袁毓真，到後艙拿起工具箱，趕緊修復艙內破損處。一台花型兵器俯衝追來，忽然一枚導彈發射，把俯衝的花形器擊毀。談玉琰駕駛小戰車，以陸戰空，自己左避右閃，發射所有導彈，把另兩架也給擊落。

袁毓真喘口氣，通過通訊器道：「感謝妳救了我們一命！會不會身體不適？」談玉琰感到有點重力失調，緩緩說：「還好，我們還能夠承受……不過宇陣系統本身還有火力防護，姜麗媛她們正指揮鐵人進攻！」袁毓真大喊道：「不好！沒有一舉打下來，龍族的預備部隊就會從九九星球立刻轉移過來！」於是轉通訊姜麗媛，不要顧忌鐵人的傷亡，全面圍攻之。另外五台月面小戰車，立刻組織圍攻，突破防護罩外的砲座，數台鐵人立刻自爆，短暫中和掉防護罩，五台小戰車立刻發射所有導彈，接二連三擊毀四座宇陣器。但是姜麗媛的座車在與砲座交火中翻車，負責進攻的那座宇陣器無法打下來。姜麗媛套有太空裝，可以走到月面，爬出戰車外，與李韻怡共擠一處。傳訊給袁毓真說：「這一座宇陣器我們真的打不下來，導彈都用盡了，現在該怎麼辦？」袁毓真說：「別管啦！妳們性命要緊，所有人全部撤回潛水艇上！我的紅二號很快就能重新啓動！」眾人依令而行，所有人全部撤回去，紅二號接軌潛水艇後，立刻飛離月球逃跑。

雖然宇陣器受損，能轉移的質量有限，但間歇發功下還能運作，果然這宇陣器轉移來三艘怪頭飛艦。紅二號報告這消息，眾人大驚失色。袁毓真說：「現在只剩下三條路可以走。第一，就是逃回地球。第二，加速衝往火星，並報告主人，狀況緊急。第三，駕駛逃生艙逃跑，潛水艇與紅二號分頭誘敵。」賀嘉珍搖頭說：「第三條肯定行不通，小蝌蚪逃生艙裝載不了維生系統，你在裡面支撐不了十天的。第一也不行，這樣等於禍水回引給人類，讓龍族以爲是人類破壞宇陣器的，又會發生第二次龍族戰爭。」袁毓真說：「誰理全人類啊！我自己保命要緊！」賀嘉珍頓感失望，怒目說：「你不管全人類，難道不管蔣婕妤她們嗎？」姜麗媛也說：「是啊，我們這樣逃走，主人一定會發怒，我們不能不理她們。」

袁毓真點頭說：「我知道了……那就衝往火星，但是這當中有可能被敵兵追上……我們得在潛水艇改造艙待命，隨時搭小蝌蚪逃走，其他交給紅二號處理！」於是月球特攻隊的九人帶齊工具，全部下潛艇艙，袁毓真臨走時把老頭子給的小盒子帶上。

在潛水艇指揮室中，談玉琰問：「爲何不派出剩下的鐵人機器人去攔截追兵？」袁毓真搖頭說：「鐵人得在一定程度的重力場內，才能靈活戰鬥，在失重狀態下，它們的偵測器無法鎖定敵兵。」紅二號傳訊來說：「三台龍族運輸戰艦追過來了，以目前的速度落差，預計一個小時後，會進入到牠們的戰鬥範圍內。」袁毓真說：「能否提高速度上限？」紅二號說：「邦邦主人給的引擎就是這種程度，無法改造上限。」袁毓真說：「那就快通知主人，請牠想辦法啊……不然我們就得用逃生艙了……」

十數分鐘後，紅二號轉告邦邦訊息：「主人只轉達，用盡一切方法保命回來，其餘都不重要。」李韻怡問：「任務沒成功，主人生氣嗎？」答道：「沒有說。」

眾人只好各自吃飽喝足，便尿全部處理，穿上太空衣，帶上重要物品，登上小蝌蚪飛船先逃。袁毓真與李韻怡一架，廖香宜與賀嘉珍一架，姜麗媛與談玉琰一架，夢彤與夢蘿一架，克莉絲蒂娜獨自一架。紅二號與改造潛水艇各自飛開，用以惑敵。

袁毓真嘆口氣道：「我們肯定衝不到火星，可能得死在這冷冰冰的宇宙中了。」李韻怡握住他的手說：「也有我陪你死，怕什麼？」

第三幕　重兵來襲

同一時間，火星空域。

宇宙魚放出大量龍族兵器與鐵人機器人，降落在火星上。而火星宇陣器有重兵把守，雙方在紅色的天空與大地，展開一場大混戰。蔣婕妤等留守戰艦指揮室，邦邦親自駕駛天帝迎擊。一下就攻破了所有宇陣器的防護罩。

歐陽玉珍與史塔莉，穿上太空衣，乘坐小蝌蚪機，在邦邦所屬的幾架花型兵器掩護下，潛入宇陣器核心系統。迅速改造宇陣器的核心結構，宇陣器快速地被邦邦所控制。正當以爲得勝時，火星另外一面出現三艘怪頭飛艦，原來追擊袁毓真的龍族部隊，知道月球只是虛晃一槍，於是快速撤回，然後在宇陣器被控制之前，就迅速又跳到火星迎擊。

邦邦在天帝中見了，氣憤地說：「龍族已經知道，我派人類進攻月球宇陣器只是幌子……新任審判庭五條龍，果然不是省油的燈！剛才若再慢一些攻佔火星宇陣器……那麼來的就不是只有這巡邏部隊而已了，而是戰艦或是次級戰鬥兵。真是好險……」

三條怪頭飛艦放出大量的花型兵器、圓頓怪與蛇怪，鋪天蓋地衝殺過來，天帝戰鬥力雖強，卻難敵群兵器的圍攻，率領少數龍族兵器勉強抵禦。蔣婕妤站在卡哩嗚嗚的指揮塔上，操作艦砲火力線佈置，支援邦邦的戰鬥，拼死保住攻佔的宇陣器。卡哩嗚嗚火力四射，敵方陸空兵器損傷慘重，三條運輸艦上的龍族見狀不好，

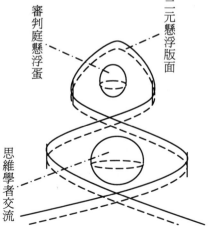

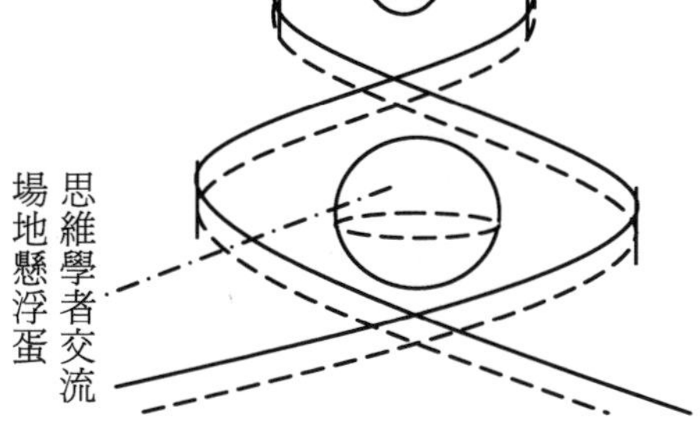

已經跳不回九九星球，遂急忙往木星方向退去。

九九星球，懸浮球建築物，審判庭。

紓紓、凸凸、喊喊、泚泚、誏誏，新任審判庭五條龍，收到臨時跳躍過來的訊息器，分別乘坐懸浮飛梯，進入審判庭的懸浮蛋建築物內。五條龍通過整併意見，向領導者『姿嘎』，告知邦邦與人類合作，偷襲月球與火星宇陣器的消息。

姿嘎說：「在我們還沒架設好其他宇宙道路之時，太陽系是非常重要中繼站，絕對不能淪陷！必須出動大批部隊與神器來保住該處。」五條龍整併意見：「邦邦執著於時間路線，必然是要偷竊時間路線的核心儀器或技術。有可能是偷天后與翩狼，或是讓其他具備這項技術的龍族個體來幫忙。現在月球宇陣器功能減弱，只能調動小部隊，火星宇陣器被攻佔，若用木星衛星的備用宇陣器，時間上已經趕不及。邦邦必然要突擊九九星球，不如在這裡列下重兵等待。把天后、翩狼與知道核心技術的思維學者全部管制起來。」姿嘎說：「太保守了，邦邦極有可能還會破壞木星衛星的宇陣器，以徹底攻破太陽系，讓我們暫時孤立在九九星球，然後偷襲其他中繼站去竊取技術！不調動大批的部隊打通這條路，我們就全盤被動，豈有一條叛龍集結小股人類，就把我們整個龍族困住的道理？」

雙方意見有了矛盾，五條龍暫時停止整併意見，讓紓紓帶頭說：「倘若我們關閉九九星球的宇陣器，邦邦沒有其他龍族思維學者幫助，也就無法跳躍到這裡，時間路線就會徹底破產。我們都反對與邦邦交戰，這對龍族思維輿論非常不利。」姿嘎說：「那麼讓邦邦控制母星與所有宇宙中繼站，這對輿論就有利嗎？況且母星還存在時間路線『核心轉移箱』技術的零件，邦邦若回母星去找資料，牠極有可能獲取這項技術！萬一成功了，在時空等價相映下，龍族的空間路線就一定失敗！我們絕不能冒這個險，希望審判庭以大局爲重，既然發現牠的蹤跡，就立刻去消滅邦邦！」五條龍思維過後，只好相互跑來跑去，表示接受這項指示。

於是兵分兩路，九九星球全面戒嚴，另派超級戰艦一艘，次級超兵器六架，與『天后』、『天麟』、『圜洸』、『龜闔』四架神器，分批跳躍到木星衛星的空域附近，並高速衝向火星。

袁毓真等人發現三艘運輸艦撤走，總算是虛驚一場，紅二號與改造潛水艇重新組合，收攏所有逃生艙後，迅速前往火星與卡哩嗚嗚宇宙戰艦會合，但這段時間，龍族的主力部隊也從木星迅速趕來。

指揮室中，眾人全部伏地磕頭，袁毓真主動請罪。邦邦說：「罷了，至少你已經癱瘓月球的宇陣系統，使之無法跳躍大質量的部隊。算你們作戰成功了！」眾人同聲道：「叩謝主人。」邦邦指著指揮室艙外的火星說：「宇陣系統能量正在裝填，我們也已經進入跳躍空間當中。現在只要等一『交曲』的龍族時間，約人類時間五小時，就可以跳到九九星球的外圍了！你們就先下去休息吧！」眾人磕頭，準備狗爬式離開指揮室。

忽然卡哩嗚嗚的警報電腦說：「發現敵方大隊兵力，一艘超級戰艦、六架次級超兵器、還有『天后』、『天麟』、『圜洸』、『龜闔』四台神器，往這裡高速飛來。」眾人也都抬頭看了指揮室外的火星景象，火星周圍確實出現大批的光點，投影器已經全部標示出來。

邦邦見了呱呱大叫：「混帳！竟然會派這麼多部隊，連天后都來啦！」眾人全部匍匐回去，伏地磕頭等候邦邦命令。邦邦一時流出眼淚，問道：「你們提出一些意見我聽聽！」眾人左右轉面，議論了起來，因爲邦邦從來都沒問過眾人的意見，可見現在真的是急躁了，但眾人也不知如何是好。

邦邦跳下懸浮梯，走上前踩著袁毓真的頭說：「我看得出你有意見，快說給我聽！」袁毓真額頭貼在地上，只感覺牠的龍爪刺得後腦有點痛，趕緊說：「主人且先冷靜……我認爲現在硬碰硬一定會被殲滅，逃跑的話全部都功虧一簣，也同時會被追著打。火星大氣雖薄，還可以容得下『宇宙魚』運轉，不如現在全部撤入火星，埋伏在沙塵暴的區域內，並在外太空釋放強力干擾波，以故佈疑陣，分散這批部隊的力量。然後出動所有自動兵器，邊打邊跑，等到時間到在衝回轉移區。」邦邦快速開闔眼睛，然後又問：「萬一牠們分兵控制宇陣器怎麼辦？」

袁毓真說：「宇陣器建立很費事，我賭那些龍族部隊，不會用重兵器摧毀宇陣器，我們只要一隊戰力較強的地面部隊，埋伏在宇陣器周圍，拼命阻擾牠們進入宇陣器內。只是……這批部隊很可能就不能跟著戰艦出發，必須死守到底。希望以自動兵器爲主……」

邦邦說：「自動兵器，只怕臨變性不足。要發揮最高纏鬥力，還是必須派人在現場，你們誰願意拼死一戰？」結果沒人回應。邦邦有些憤怒，袁毓真說：「我去吧！」談玉琰、李韻怡、姜麗媛三女子聽了，也說要一起去。

邦邦移開袁毓真頭上的腳，說：「賤畜一號比較重要，之後還需要你，所以讓妳們三人去。」袁毓真說：「萬萬不可！我一定得去！她們三人在火星上能有多少戰鬥力？給我『小蝌蚪』，時間到我就會往目標區域逃跑！」邦邦嗚嚕了一聲，答道：「好吧，賤畜一號三號，帶領所有龍族自動兵器，與人類機器人，一定要死死守住宇陣器，其他空中的纏鬥與疑陣部署，就交給我來處理！」

於是卡哩嗚嗚宇宙戰艦，快速地竄入火星沙塵暴區域，天帝也率領飛行兵器展開騷擾戰，袁毓真、談玉琰穿上太空裝，率領克莉絲蒂娜、夢彤、夢蘿、眾多鐵人、與邦邦所屬的圓頓怪、蛇怪兵器，由戰艦放下部隊後離去。在二十五根巨大的宇陣器之間佈防。

第四幕　紅色天地

龍族重兵在多處空域偵查到邦邦的部隊，由超級戰艦總指揮，特級思維學者『絲哩』調度一切。超級戰艦發射眾多怪頭飛艦，與六架超兵器，也衝入沙塵暴區域，追殺卡哩嗚嗚宇宙戰艦。『天后』、『天麟』、『圜洸』、『龜闔』四台神器，追殺邦邦駕駛的『天帝』。

『圜洸』的駕駛者『枯嘟』，率先追上『天帝』。邦邦率領著眾多飛行兵器，且戰且走，一下跳出太空中，一下又衝入氣層內。

圜洸機體深黃，雙足自動甩位，與頭部發射口配合，不斷發射強勁的光能武器，下手十分兇狠，邦邦的機體受到猛烈搖晃。邦邦爲了要拖延時間，達到戰術效果，不得不保護周邊僅存的幾隊花型兵器。手部發射『神穿霆矛』，虛晃一槍，圜洸快速閃避，邦邦的天帝衝撞過去，兩台巨獸共同撞到火星地表，撕扯在一起。邦邦大頭上的發射器，快速發射精神感應波，天帝高速往天空中遁

龍族十大神器之一：圜洸

逃。待圜洸調整機體之後，天帝已經率領所屬花型兵器逃跑無蹤。但是圜洸感應器非常敏銳，能偵測陌生的星域，天帝機體再迅速，又豈能逃得出其偵測。枯嘟立刻通知其他三個駕駛者，洮嘞、唬啦、哾哩，沿著偵測追殺過去。

洮嘞說：「邦邦的駕駛能力竟然會這麼強，至少有中級思維學者的感應力……」唬啦說：「老實說，我認為牠已經有特級思維學者的技能，不然枯嘟不會讓牠跑掉。我們千萬不能輕敵！」於是三台神器，分三個方向去包圍邦邦，終於在火星外的太空空域追到。

同一時間，李韻怡、廖香宜站上指揮塔，宇宙魚火力全開，掩護數隊花型兵器抵擋六架超兵器與眾多花型器的追殺，並且不斷釋放強力干擾波，伴隨著沙塵暴肆虐。故龍族兵器雖多，尚無法組織厲害的突擊戰術，只能遠距離零零星星攻擊宇宙魚的防護罩。雙方以亂對亂，化解了龍族大部隊的優勢。

另外一方面，宇陣器周圍的戰鬥已經開始，眾多怪頭飛艦釋放地面部隊進攻，果然如袁毓真所料，龍族重兵知道宇陣器防護罩已經破損，不想使用重兵器摧毀宇陣器，只不斷出動自動兵器猛烈穿插宇陣器的周圍，企圖奪回宇陣系統。如此雙方都不想要破壞宇陣器，袁毓真與談玉琰都手持通訊器，令克莉絲蒂娜、夢彤、夢蘿率領人龍聯合兵器大隊，在宇陣器之間用輕火力，與敵方展開激戰。克莉絲蒂娜等人的離子砲，在火星大氣中依然可以使用，正在混戰之間，此地也捲起了沙塵暴，一時打得難分難解。袁毓真與談玉琰，藏在大岩石後面，已經躲入三架蝌蚪船的其中一架，準備情況不對勁的時候立刻逃跑。克莉絲蒂娜、夢彤、夢蘿，並不需要太空衣遮掩，也可以停止呼吸，肌膚液化調整器重新設定而已，趁著沙塵暴猛烈反擊，與眾多兵器在宇陣器之間往返衝殺，全部將之擊退。

同一時間，龍族超級戰艦，『溯哈達達』指揮室。

總指揮絲哩，是一條母龍，知道三個方面都在混戰當中，但是對於邦邦與這一小撮人類，竟然有如此強勁的戰鬥力，也大感意外。負責偵查的龍族對牠報告，邦邦設定的宇陣跳躍座標，將要在一小時後啓動，穿越時間只有五分鐘。絲哩這回有所猶豫，知道這種穿越時間非常短，代表宇陣器的能量不足，超級戰艦必然無法在追擊混戰中跟著穿越，所以要消滅邦邦只有趁現在。然而三方面都沒有傳來捷報，一急之下，下令超級戰艦『溯哈達達』，穿入沙塵暴區域，追殺卡哩嗚嗚。

溯哈達達的體積，是卡哩嗚嗚的兩倍多。卡哩嗚嗚各夾層總面積，可比人類的一個小型城市，溯哈達達則可比一個中型的城市。龐然大物衝入稀薄的大氣層，釋放出眾多怪頭飛艦。

李韻怡與廖香宜，從橢圓光球看到卡哩嗚嗚防護罩被突破，多處受損，急忙回報並詢問對策。邦邦此時正駕駛天帝迎戰三台神器，即使龍族思維結構靈活，但在敵強我弱的交戰狀況下，只要稍微一恍神就會被擊敗，所以關閉所有通訊，也分不開心神。

蔣婕妤與賀嘉珍在指揮室，看戰鬥看得驚心動魄，但賀嘉珍並不懂龍族文字，看不懂頂層膠狀物，變色反光的戰況回報。蔣婕妤說：「來這麼大台的戰艦，代表要擠壓我們的空間，並覆蓋我們的干擾波。現在發射時間快啓動了，發射所有自動兵器與敵人同歸於盡，然後我們全力撤到跳躍區！」李韻怡問：「主人還有袁毓真那方面怎麼辦？」蔣婕妤說：「只有這台戰艦保得住，他們才有可能活！快點走吧！」李韻怡與廖香宜雖然跟她有些不和，但在這種情況下，也只有聽其指令。

溯哈達達在大氣中速度變慢，卡哩嗚嗚很快就擺脫它，但是艦上的自動兵器預備部隊，已經全軍覆沒了，眾多怪頭飛艦與次級兵器的追擊，使其多處傷痕累累，艦砲能源也快要消耗殆盡。只有緊急通訊另外兩邊戰圈。

邦邦邊走邊打的戰術，已經被敵方破解，不得不以一敵四，猛烈施展天帝的大絕招：五彩光波砲。甚至用機體衝撞，發狂似地打出一條衝往目標空域的路徑，四大神器恐自身機體有失，只打算耗掉天帝能源，見邦邦發狂似地反擊，反而不敢過分進逼。袁毓真也與談玉琰跳入蝌蚪小艇，通知克莉絲蒂娜等人撤退。三台蝌蚪機迅速脫離戰圈，龍族重兵已經快要收復所有宇陣器，忽然一發光波砲彈打來，一架蝌蚪機空中爆炸。

袁毓真大喊：「誰的機？」克莉絲蒂娜與夢彤說：「是夢蘿的座機，看這情況已經沒救了！」雖然她只是機器人，但對她也帶有複雜的情感，咬牙切齒說：「可惡！我要跟你們拼啦！」談玉琰拉著他說：「別衝動！還要顧慮其他人的生命啊！快點衝往目標區，不然沒時間啦！」袁毓真用力一拳打坐墊，然後拉動操作桿，與克莉絲蒂娜的蝌蚪船一起逃走。

正當宇宙魚被打得渾身是傷，一台次級兵器正要衝入艦內，天帝衝來連環發砲把它打毀。掩護另外兩方人衝入目標區後，發射所有光砲，進逼的龍族部隊見已經有所死傷，紛紛閃避後撤，邦邦遂在千鈞一髮之際衝入轉移空域。四架神器本來也可以衝入，但緊急被絲哩通訊阻止，絲哩說：「千萬別追過去。若牠是去九九星球，那邊還有更多龍族部隊等牠！這麼短暫的穿越功能，溯哈達達沒有辦法穿越過去，我們已經以最少傷亡代價，收復了中繼站通道，沒有必要跟這個亡命之徒拼生死。」四台神器才停止衝入。

第五幕　龍族的燈下黑

眾人回到『卡哩嗚嗚』，女孩們開心地圍著袁毓真與談玉琰，袁毓真卻大哭了起來，如同小孩失去玩具，其他人才知道蘿蘿已經毀在火星。邦邦隨後進入指揮室，眾人全部跪下磕頭，袁毓真強忍悲痛，隨著眾人下跪。

邦邦竟然嗚嚕了一聲，也呱呱痛哭出來說：「你們這次幹得不錯……只是沒想到天后竟然會出動……現在戰艦與天帝都重傷，所有機械部隊都陣亡……要奪取神器幾乎不可能了。看來我們只有浪跡宇宙一途。」

李韻怡問：「主人，戰艦不是還有生產能力嗎？只要蒐集足夠資材，我們就可以在九九星球附近站穩腳跟。」邦邦繼續嗚嚕嘆氣，緩緩說：「光憑這艘船的生產力，能夠跟全龍族比嗎？光是修復這艘船與天帝，就要耗掉所有資材，還得耗費大量時間。這空域就在九九星球附近，其他龍族肯定找得到我們。而且牠們必然用盡一切方法保護神器，要偷竊是非常困難了。」

袁毓真把身邊的人工智能盒子，放在邦邦腳邊，頭貼地面說：「九九星球的狀況，我等賤畜並不清楚。但是我相信還有其他的行星可以躲藏，只要派少數人工智能的機器人下去採礦，相信我們可以逐漸恢復戰力，徐圖後舉。這是賤畜一號最後的一些資產，貢獻給主人參考。」邦邦繼續嘆氣說：「人類這種東西，我也造得出來，你收回去吧……全部都退下，我要獨自思考。」眾人只好磕頭遵命。正當要爬出指揮室時，邦邦說：「你們的表現不錯，勤務機會帶你們去新蓋好的養畜籠，也可以隨時跟我通訊。希望你們繼續努力。」

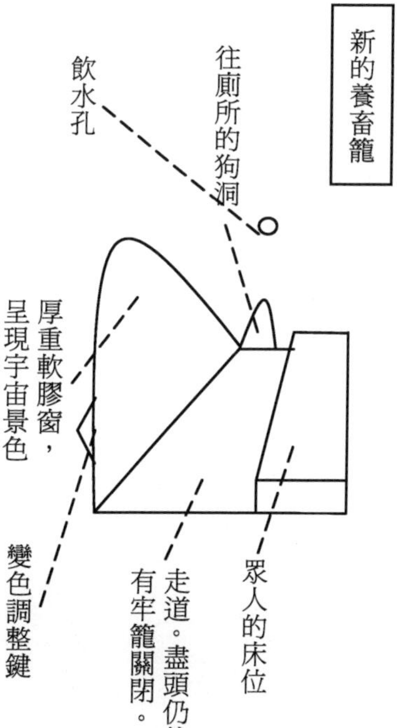

地球時間啓易四年七月十七日。一行人吃飽喝足，到了新的養畜籠，房間已經比較高大，也有窗外的宇宙景色，只是仍然要爬籠子進去，沒有邦邦同意這籠子也不能打開，進入廁所也要爬入狗洞，不過廁所空間雖小，也已經有洗浴的功能。這種改善，已經讓吃盡苦頭的一行人很滿意了。克莉絲蒂娜與夢彤，也同時住進這裡面，雖然有能力快速拆掉牢籠鋼條，但是眾人已完全服從邦邦，兩機器人也就跟著乖乖服從。

洗浴過後眾人倒下去睡著，睡了一會兒，袁毓真悠悠甦醒，看見賀嘉珍沒有睡，站在床前觀景窗邊，望外面銀河景緻。剛才睡覺前還沒有，而現在卻顯現了整體銀河上方的美麗景色。

克莉絲蒂娜與夢彤也處於休眠狀態，袁毓真急忙叫醒了她們，把這一景色全部錄影

下來。袁毓真雙手從背後摟住賀嘉珍說：「好偉大的景色，不來這裡我們還永遠看不到啊……」賀嘉珍先停頓了一會兒，推開他微笑說：「女孩們都很喜歡你，這樣做她們會吃醋喔。」袁毓真呵呵一笑說：「還好啦！她們都在睡覺。」忽然李韻怡爬起來說：「我就沒有睡。哼，一有機會就想偷吃，我看你真的是花心大蘿蔔。」袁毓真傻笑說：「哪有啊？只是對這景色感動而已。這一年來機會這麼多，我還謹守分寸，妳也就知道我的爲人啦。」於是上前拉她起床，也摟住她說：「沒想到我竟然跟妳來到九九星球，命運真是弄人。」李韻怡這一年來跟許多女孩吃醋，袁毓真好不容易單獨擁抱自己，雙手也摟緊他，主動親吻了袁毓真，然後側身看窗外說：「恩，九九星球位置獨特，位在銀河系光盤上方一個附屬小星團中。銀河系的整體美景都可以看得到。我希望跟你永遠生活在這喔……」袁毓真個子較矮，墊腳也親了她一口說：「沒想到妳這麼冷酷的女孩，還這麼浪漫。」賀嘉珍看了兩人在親親我我，微笑著搖搖頭看窗外。

夢彤說：「毓真大哥，你們的主人邦邦，把有關九九星球的資料，命令勤務機傳送給我了，我認爲您該看一看。」李韻怡主動親了他說：「讓她等一下再播放，我還想要多這樣一會兒。」姜麗媛忽然坐起來，開口道：「邦邦主人的命令比較重要，你們的親熱還是暫時忍耐吧！」原來她也沒睡著，神色頗爲不高興。

袁毓真怕兩女子有衝突，只好叫大家都起床，一起觀看。

觀景窗厚膠，有變色調整，用以遮蔽外景的功能。窗景塡充了一堆乳白色屏幕，以遮蔽外景，夢彤拉出乳膠狀的外眼球，露出機械電子眼，投射結構圖到窗景上。

夢彤說：「這一個恆星系統，比太陽系複雜。是一個雙星系統，一個發藍光一個發紅光，而行星系統距離比較遠。這雙星擁有十五個行星，分別是六三行星、三九行星、四四行星、九九行星、二二行星、八八行星、三六行星、三三行星、六六行星、九三行星、二四行星、一二行星、三九行星、一八行星、二一行星。這是龍族給的翻譯名稱，能爲三整除的就是固態行星，其他就是氣態行星。而有兩個公轉面，重疊字的代表遵循第一圍公轉面，非重疊的就是第二公轉面。九九星球剛好就在第四顆行星，爲第一公轉面上，大氣氧氣成分六分之一略多，其餘大多是氮氣，重力爲地球的零點九。這星球環境與地球很相似，也與龍族快要毀滅的母星相似。所以龍族會移民到這裡。而圖上三角形位置，正是我們目前所在位置，你們的主人邦邦要你們思考，這四四行星的衛星系

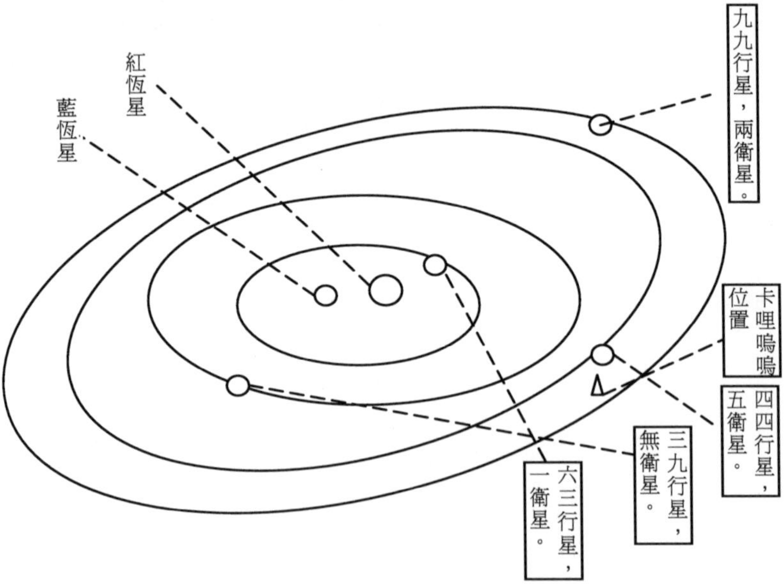

統，該怎麼利用。」

賀嘉珍走上前摸了一下這恆星系統圖，卡哩嗚嗚所在位置，輕聲地說：「這是燈下黑？主人是要利用這巨大氣體行星，四四行星，與九九行星同一個公轉面的特色，讓這龐然大物遮擋九九星球的觀察線……」她已經隨著眾人，稱呼邦邦爲主人，也甘爲牠的牲畜了。蔣婕妤也瞪大眼說：「是啊，這樣的話，就可以利用這氣態行星衛星的資源，同時讓九九星球的龍族找不到我們……呼，這樣我們安全了。」

袁毓真皺眉搖頭說：「沒這麼簡單。那些龍族，智商不會低於主人，牠們一定也知道自己觀察線的盲點。而今已經驚動的對方，對方一定會派偵察機，搜索自己的盲點，我們還得玩躲貓貓的遊戲才行。只是距離太陽系這麼遙遠，卻能如此準確地跳到這燈下黑的地方，可見主人先前必然有經過精密的計算。」賀嘉珍問：「先前主人根本沒辦法派偵測機來回，以報告行星相對運行位置，怎麼能如此精密計算？」袁毓真說：「只有兩種解釋，一個是主人與同類們鬧翻之前，就已經先記錄了九九星球的運行位置，然後經過時間推衍去計算。第二就是龍族內部有主人的內應，在攻佔火星宇陣器而等待我們月球突擊隊會合的這段時間，相互互通有無。」蔣婕妤搖頭說：「我認爲是第一種可能性比較大，主人是不會有其他龍族同伴的，不然也就不用把我們奴役成這樣……」

賀嘉珍嘆口氣說：「要是楊恒萱能在這裡就好了，以他的智能，一定可以幫我們突破困難。」袁毓真搖頭說：「罷了，他只會想待在地球而已。況且人類的聰明，在龍族看來其實很普通。」

賀嘉珍看著圖說：「雙星系統竟然也有這麼多行星，可見先前人類對於星球重力運動的觀念還並不成熟。那麼所屬的這些行星，上面所塑造的各種生態情境，一定也很不一樣……甚至超過常識範圍……」

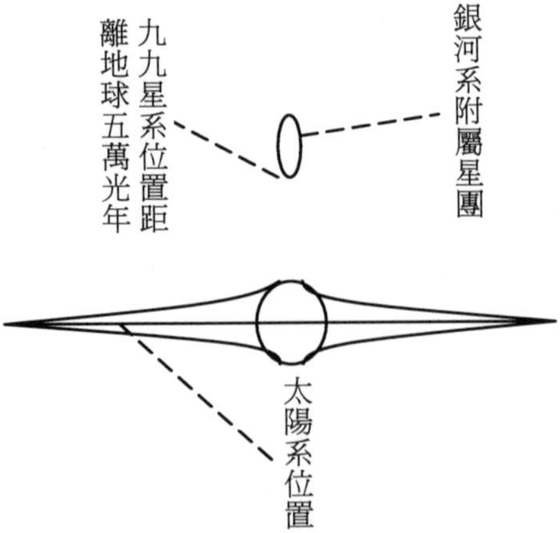

邦邦燈下黑的隱藏方式，真能躲避龍族追蹤嗎？一條龍與一行人相互主畜關係真的合作無間嗎？之後又將如何奪取兩大神器？欲知後事如何，且待下象分解。

第三十一幕　怪星取資重建戰力造新人潛入九九鼠入貓穴探寶物

第一幕　回到權力的起點

地球時間，啓易四年七月二十五日。

袁毓真與女孩們在養畜籠裡面閒聊，不免開始淫辭蜚語，毛手毛腳，女孩們也都不以爲意，甚至配合他。賀嘉珍感覺眾人真的越來越像牲畜，於是拉開了他，警告說：「你還是多花點精神思考邦邦任務的問題，這種環境不適合當情聖吧？」袁毓真苦臉說：「關在這裡那麼多天，戰艦裡完全沒有娛樂，大家開心就好啦！」黃敏慧說：「是啊，除了跟袁大哥開玩笑，我們實在也沒好玩的。」史塔莉中文越來越流利，也說：「這裡只有袁毓真一個男人，這一年來大家也都很壓抑，沒有做超過尺度的事情，難道妳要我們當同性戀？」

姜麗媛抓了廖香宜的手笑著說：「呵呵，同性戀，妳這段時間有沒有找到新對象啊？」廖香宜也開玩笑著說：「有啊，就是妳。」姜麗媛趕緊甩開手，抓著袁毓真說：「少噁心了，我寧願嫁給他也不玩同性戀。」李韻怡說：「誰說是妳嫁給袁毓真的，我可沒答應！」蔣婕妤聽了也開口說沒答應，眾女子於是吵吵鬧鬧。

賀嘉珍大喊道：「全部都停止！」眾女子一陣安靜，賀嘉珍知道這寧靜不會支撐多久，大家長久被關在養畜籠不能出去，遲早會性格乖異，轉面對袁毓真說：「你不好好思考解決方案，讓大家之間產生矛盾，我可以看見之後的任務一定失敗，也許我們就會命喪在外星了。既然你是唯一的男性，所有女孩的性命可都託付在你手上囉！」

袁毓真苦笑說：「老是給我壓力……這裡除了妳、婕妤姐妹、史塔莉四人之外，其他任何女生都有功夫，可以輕鬆把我打死，怎麼成了我保護妳們的生命啊？」賀嘉珍淡淡一笑說：「當然，大家都知道，這裡的所有問題，可不是靠武術功夫可以解決的，得靠智力與團隊合作。你不負起領導大家的責任，難道讓女孩們相互矛盾下去嗎？」

蔣婕妤半瞇眼嘟著嘴說：「讓他領導喔？一定會趁機一夫多妻，佔大家便宜。我寧願相信龍族怪物邦邦。」袁毓真瞪大眼說：「相信牠？拜託！邦邦只把我們當牲畜！從海底基地開始，不都是靠我保護大家嗎？」姜麗媛搖頭說：「胡扯，那時我可救了你一命，之後好幾位女孩都救過你喔！你可得報答我們！」於是又鼓譟了起來。賀嘉珍再次大喝令眾人安靜，然後緩緩說：「妳們都遇過危難，也知道合作的重要，你認爲我們這樣跟著一條邦邦怪籠，而對全龍族開戰，我們會有活命的機會嗎？這如同一個人，帶著一群訓練有素的狗，去搶國家銀行，對全國的人挑戰，勝算有多少？」眾人沉默未語。

蔣婕妤站起來說：「嘉珍姐說的沒錯，我們不會永遠僥倖活命下去，現在開始除了邦邦主人之外，大家也得聽嘉珍姐的命令，來安全地達成任務。這樣也有一個代表，可以跟邦邦主人周旋，免得牠讓我們去做必死的事情！」李韻怡冷冷地說：「我幹麻要聽她的？論我跟白的能力，可不見得輸給妳們。」蔣婕妤走到她面前說：「那我們來投票！」

李韻怡搖頭說：「不公平！妳那邊有嫒妤小妹，以及麗嫒、敏慧、玉珍、佩芸，這四個固有的部下，我們這只有兩個人，就算加上談玉琰、袁毓真與史塔莉站在我們這邊，也是七比五。這種投票一開始就不公平了！」袁毓真笑著說：「誰說妳只有五票？我帶上克莉絲蒂娜與夢彤，加入妳這邊，妳不就七票比七票了嗎？然後我再連線通訊，拉紅二號來加入我們，這樣妳就八比七勝過她們了！」李韻怡頗為欣喜，笑了出來，開口說：「好！那就投票表決！」蔣婕妤抓住袁毓真怒目說：「我們才是最早跟隨你，冒險犯難的妹妹們，你竟敢投靠她們這些後來者？」袁毓真苦笑著說：「沒有啊，我只是開玩笑的……」

賀嘉珍站出來說：「好了，都別吵了！袁毓真領導大家吧，他不也就是主人的賤畜一號嗎？而且他能力不錯，讓男人負起責任，替大家思考生路。」眾女孩都頗信任他，都點頭同意，但蔣婕妤深知他的性格，知道袁毓真的感情不堅定，若他當領導一定會部署一夫多妻的方案，所以堅持拒絕說：「袁毓真不可以！連我們這些跟隨他最久，出生入死的妹妹們，他都會出賣，誰能保證他不會在最後危難時甩掉我們？」袁毓真苦笑著說：「我哪有出賣妳們啊？一直以來我都用生命保護妳們也！」蔣婕妤皺眉苦臉猛搖頭：「我就是不准你當頭！」

袁毓真說：「這裡既然只有妳反對我，那這樣吧，我來選一個領導者，然後我當她的軍師可以嗎？」大家都轉眼看蔣婕妤，既然袁毓真退讓，那自己也不好拒絕了，點頭說：「好吧！但是不可以是你手下的機器人！」袁毓真點頭笑著說：「知道了……」

先走到厚膠窗前看銀河星辰，之後回頭看了眾女子，然後說：「論年齡史塔莉最大，她已經兩百多歲了。論智慧嘉珍姐最高，論知識婕妤妹妹這段時間，跟我一起學最多。但是我若選後兩者其中一人，就會有人不開心。不如就聽史塔莉的吧，洋小姐這段時間中文學得很棒，跟我們所有人的情感都不錯，而且她跟次易原理作者，也是同年代的人，大家聽她命令吧！」眾人聽了全部傻眼，相爭相擠之下，竟讓一個才能平庸的西洋美女來領導。

史塔莉搖頭說：「我懂得龍族文字很少，判斷事情也都不準確，能力也都不足，會讓大家都危險的。」李韻怡與廖香宜，都不希望被踩在一個更後來者的腳下，李韻怡說：「算了我不堅持了，還是嘉珍姐領導我們吧！就像她說的，現在需要的是智慧型的人物。而且她沒有受過邦邦的馴化奴役，比較保有人類原有的思維與感覺，不像我們都被改造成賤畜奴婢。」史塔莉頻頻點頭，表示認同。

蔣婕妤拉住賀嘉珍的手，對李韻怡微笑說：「妳早有自知之明了，我們都還是聽嘉珍姐的命令吧！」轉面又半瞇眼對袁毓真問：「你沒意見吧？」袁毓真傻笑說：「沒有，我與我的機器人都聽嘉珍姐的命令，她以後是我們第二號的主人。」

第二幕　怪衛星

次日，邦邦命令眾人到指揮室，全部匍伏下跪磕頭。養畜籠內有細微的監測器，邦邦實際上都有建立系統，全面監測眾人的行爲，所以也知道賀嘉珍當上了賤畜們的頭目。

邦邦開口說：「牲畜的頭目，這個角色必需要自願推舉。所以從馴化訓練之初，我就希望你們當中唯一的雄性，即賤畜一號來當領導。結果他不會利用自己雄性的優勢，去努力配種以征服其他雌性者，結果反而被沒馴化過的雌性賤畜給壓制。可見賤畜一號實在不配當一個男人，賤畜還真的是賤畜啊！」袁毓真很想解釋，自己是基於善心，不忍心在這種狀況下讓女孩們懷孕而受苦，所以才強忍自己的慾望。但是在邦邦面前不敢多說話，磕頭羞慚不已。

賀嘉珍卻說：「我倒認爲袁毓真才是真正的男人，懂得在這種狀況下保護女人，所以主人您說的是錯的。」邦邦一腳踩著她的頭貼地面說：「妳也只是牲畜！敢跟我這主人頂嘴？」賀嘉珍輕聲地說：「不敢，只是希望主人能理解賤畜的想法，這樣才有利於相互了解，一同達成『時間路線』這個偉大目標。」

邦邦先前也這樣踩過其他人，牠的翻譯器系統除了翻譯人類語言外，還可以從人類的音頻去辨識人的情緒。在馴化之初，每一個人都是內心憤怒，外表迫於威力而屈服，必然是面從而心不從。不過賀嘉珍的聲音，卻表達了內心深層的完全順從，只是要維持正確之論，有所語言衝撞。龍族的思維能力，能夠辨識出這當中的表裡優劣，故牠也非常欣賞賀嘉珍。

邦邦於是移開腳，迅速下往上翻開闔眼瞼說：「說的也是！妳很獨特，所以妳不必接受馴化訓練，也會給妳比較高的地位。之後妳就住在指揮室，接受學習機的訓練。從現在起，除了我之外，妳也可以命令這些賤畜，負責帶頭執行我交代的任務！」

於是令她站起來聽話。自從馴化訓練之後，所有人在指揮室都只能伏地下

跪，進出指揮室也只能四肢爬進爬出，而賀嘉珍是唯一可以站起來的。

說罷，螢幕顯現出四四氣體行星與其第三衛星。

邦邦說：「我們目前的資材不足，才勉強修復了天帝與卡哩嗚嗚，當然就更無法製造各類戰鬥兵器。在躲避九九星球偵查下，我們只有進入這四四行星的第三衛星，建立採礦基地，去汲取上面的礦產，而後重新武裝起來！你們有疑問嗎？」

袁毓真問：「這不是派勤務機下去就可以了嗎？會需要我等賤畜麼？」邦邦答道：「當然需要，因爲這裡面有詭異的生態系統，連龍族都不敢下去。依我獲得的資訊，第一批探索九九星球的龍族，派遣自動兵器下去，結果兵器受到大批的異類生物圍攻，激戰過後回收率只有三分之一。從此不再派遣部隊來這採礦，而今這衛星的運行軌道，剛好是九九星球遮蔽日，九九星球上的天文偵測器觀察不到這裏，正是我們在裡頭採礦的最好機會。」

賀嘉珍問：「龍族自動兵器都慘勝，我們豈不完全沒有勝算？」邦邦說：「誰讓你們去佔領那座星球的？是叫你們掩護勤務機去採礦而已。避開裡面當中最危險的兩種生物，用人類的意象名稱去稱呼，第一種稱爲『繁衍卵』，它會散撥很細微的生物孢子群，這種孢子只要侵入到新的生態系統，就會迅速演化成新的生態循環，千萬不能讓這種生物孢子進入卡哩嗚嗚，不然就會造成這裡的生物污染！第二種稱爲『詭蛇』，生物攻擊力超強，繁殖速度非常快，善於埋伏突擊，攻擊所有會移動的物體。總之這兩種生物絕對不能觸碰，不然會讓我們這艘戰艦就完了。」

袁毓真說：「那裡面這麼危險，換其他星球不就好了？」邦邦說：「只有這顆星球才有我要的礦產，而且不會被其他龍族發現！就讓你與賤畜三號、四號、五號，帶領你手下兩台機器人，去掩護勤務機吧！」袁毓真心中頗爲恐懼，但是不敢拒絕，只好遵命。

袁毓真、談玉琰、李韻怡、廖香宜，四人皆身穿太空裝，手持半圓體龍族光砲槍。此時原有的人類服裝已經很可貴，爲免損壞，克莉絲蒂娜與蓼彤都改穿銀灰色套裝，一起乘坐紅二號先行出發。袁毓真愁眉苦臉，哀嘆道：「先是被元首大人當走卒，後來被老頭子當大兵，現在被邦邦當賤畜，永遠有辦不完的事，遲早會死在異域的！」李韻怡說：「不論你死在哪裡，我一定陪你！」談玉琰微笑著說：「我也是！」廖香宜頗爲吃味，欲言又止。袁毓真才高興了起來，笑著說：「還好有妳們，不然這麼悲慘的命運，我一定會自殺而放棄生命了。」

紅二號穿過灰濛濛的大氣，重力調整系統仍然保持與地球重力一致。這顆衛星的氧氣只有地球的一半，空氣中懸浮粒子頗多。紅二號後面還有改造的潛水艇太空船，裡面裝載大量的龍族勤務機與採礦機器，再之後有一台怪頭飛艦，邦邦也僅有這一艘運輸船，於是親自駕駛，用來運載採集的礦物。

確定一山間中的小台地，有豐富的金屬礦與矽化物，紅二號與改造太空船下來後，眾人套上太空頭罩，下了紅二號飛船，保護勤務機開始採礦。重力只有地球二分之一，眾人頗感輕飄飄。架起了採礦燈，照亮了整個台地，一片灰紅色大地，似乎非常平靜，但這種安靜卻是生物掠食的背景訴求。邦邦開著怪頭飛艦，透過通訊跟眾人說：「小心！採礦的聲音，已經引起這星球的生物的注意力，台地周圍有大量的移動生物反應。必須保護勤務機的安全！」

眾人聽了全部警戒了起來，怪頭飛艦從天空掠過，用光能艦砲猛轟往台地衝上來的『詭蛇』。

克莉絲蒂娜透過通訊器，大喊道：「毓真大哥快蹲下！」袁毓真不遐思所就趴下，克莉絲蒂娜一發離子砲，就轟掉一隻率先偷襲的『詭蛇』。夢彤也喊道：「我來保護這四人，蒂娜妳去保護勤務機！」李韻怡發射雙手光砲，又轟掉一隻跳上台地的詭蛇，對著封閉頭罩的通訊器說：「妳們都去保護勤務機，我們保護毓真大哥就可以了！」李韻怡與廖香宜迅速調整位置，在袁毓真一前一後，談玉琰游擊於左側。

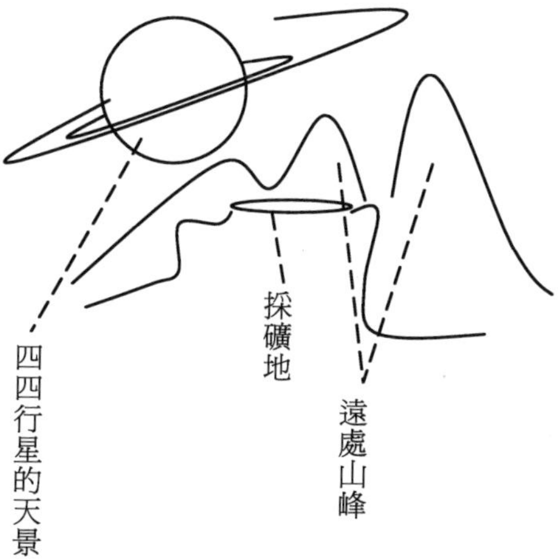

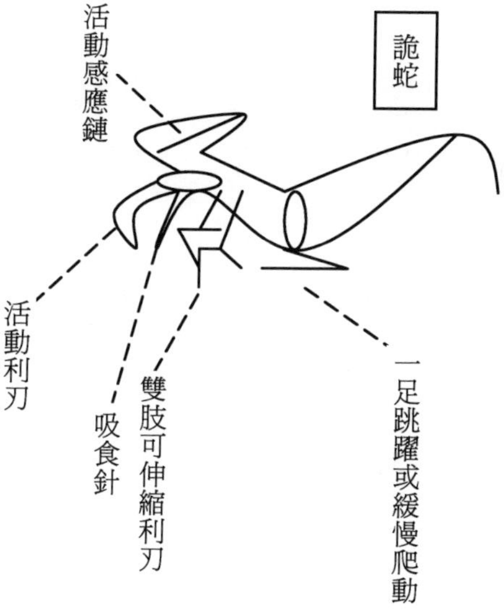

詭蛇身長約兩公尺，跳起來可以有八公尺高，速度頗快，一下子就紛紛跳到台地上，某些勤務機已經被利刃分解成好幾段，但是吸食不到任何養分，立刻就感應其他還在活動者。袁毓真見了，大為驚駭，與眾女子猛發光能武器，一時陷入混亂。袁毓真知道這樣下去必有傷亡，趕緊喊道：「這些怪物是用跳躍，我們快圍成圓圈！」六人迅速圍成一圈，往視角斜前方猛轟火力，眾多詭蛇被轟得四分五裂。

詭蛇感應非常敏銳，邦邦透過搖控，停止所有的勤務機活動，所以詭蛇只往這六人撲過來，保入住了勤務機。袁毓真大喊：「主人！我們快支撐不住啦！你這樣是要我們去死啊！」邦邦說：「你們的生命不重要！替主人犧牲生命是應該的！一定要全力保護我僅存的勤務機！」袁毓真大喊：「我們願意替主人而死！但是我們若死了一個人，其他人就會寒心，不會認真幫你辦時間路線的！」

邦邦操作著怪頭飛艦，圍繞在台地周圍，猛發艦上的光能艦砲，攀爬在台地周圍的上千隻詭蛇全部被轟光，暫時沉靜了下來。然後重新啓動勤務機，開始採礦。邦邦確實怕袁毓真所說成真，操作另一面的艦砲，往遠處山峰開砲，讓掉落下來的石頭，去引開附近的詭蛇。眾人持武器保護勤務機，爭分奪秒地把礦物收在一顆顆的橢圓箱內。然後邦邦的怪頭飛艦，把橢圓箱一個個吸入怪頭飛艦的艙腹。

正當眾人要回去，忽然地面鑽出一條詭蛇，把袁毓真的一條腿拖入地下，袁毓真慘叫了一聲，克莉絲蒂娜急忙一手鑽入地下，把身軀巨大的詭蛇拉出來，兩人一蛇纏繞在了一塊，眾女子全都皺眉焦慮卻不敢隨便開砲。克莉絲蒂娜一手刀插入詭蛇的活動感應鏈，拉出螢光色的臟器。夢彤抓緊時間就給一發離子砲，螢光綠的詭蛇體液四散。袁毓真太空衣裂了一大塊，鮮血直流，眾女子不管任務了，一同把他護衛入紅二號，外頭只剩下夢彤在保護勤務機。

袁毓真昏了過去，眾女子拿掉頭罩，只見大腿撕裂一大口子，談玉琰拿出醫療箱，噴上止血藥粉，李韻怡握緊他的手，哭著說：「你一定不能死……不然我也不活了……」廖香宜摟著她說：「請求主人讓我們撤退，宇宙魚上的醫療系統比較先進。」於是李韻怡透過通訊，哭著請求邦邦讓眾人撤退，只留機器人下來。

邦邦陷入爲難，牠還要往返好幾次收集礦物，倘若離開時就停止採礦，避免吸引詭蛇，那麼採礦時間就會有限，一但九九星球能夠在天空中觀察到這顆衛星，卡哩嗚嗚就極容易被偵測到，所以需要眾人保護採礦速度。假設同意撤退，兩台機器人的保護能力根本不足。但若不同意撤退，其他的牲畜就會離心離德，不好馴服，後續的任務就更容易出問題。兩害選其輕，遂說：「好吧！你們撤退！就讓兩台機器人守備採礦區！」

於是紅二號就載著四人，撤回卡哩嗚嗚，將袁毓真送往醫療艙去急救。趁著怪頭飛艦運礦物回母艦，詭蛇再一次從地面與地下兩路，對台地湧來，夢彤掃描到之後說：「這不對勁，我們認知的生物型態，除了人類與龍族這種具備體制的生物。僅純粹因爲食物的生物，不會這樣前仆後繼，不怕死地攻擊獵物。這種生態狀況，若在地球發生，一定會造成大量滅絕與生態循環逐漸破壞！但是這裡卻能循環，這狀況太詭異了！」

克莉絲蒂娜說：「宇宙之大，無奇不有！也說不定這裏的生態圈，也面臨滅絕前夕！」

夢彤說：「若按照已故的大行皇帝的理論，自擇型態的物種，演化到了極緻，曲量而造成情境扭曲，就會產生脫離原始生存訴求的狀況。相信這詭蛇就是如此！人類與龍族也都是如此！想要再找回生存的本義，本身的行為慣性，已經無法穩定地銜接，就會出現這麼詭異的狀況！」

大批的詭蛇跳上台地，克莉絲蒂娜說：「這些思想對比的心得，妳之後再去告訴毓真大哥吧！現在沒有時間當機器人思想家，快戰鬥吧！」

第三幕　生態艙雙錐結構

七月二十九日。袁毓真走出液態沉睡艙，大腿復原，毫無傷痕，眾女孩開心地扶他出來，穿上漢式衣物。袁毓真問：「克莉絲蒂娜與夢彤呢？」李韻怡說：「我們那麼關心你，結果你第一句話竟然是關心機器人？」袁毓真搖頭說：「不是啦，她們兩人是我祖父重要遺產，當然會關心啦。假設妳們也不在這裡，我第一句當然就是關心妳們。」姜麗媛說：「是喔？那麼我跟李韻怡，你會比較關心誰？」袁毓真傻笑而不應。

賀嘉珍說：「好了，別為難袁毓真了。她們兩台機器人在戰鬥中受了傷，四肢都被分解，緊急關機才躲過一劫。現在主人正幫你修復她們兩人，很快就會修理完成。」袁毓真喘口氣說：「能把她們救回，代表採礦任務算是成功囉？」賀嘉珍答道：「勉強算吧，但是勤務機也都損毀得差不多，必須等待重新製造，實質採礦率距離預估值，也只到達百分之七十……此外，另外一種稱爲『繁衍卵』的生物孢子，黏在你的傷口上，隨著你滴在戰艦內的鮮血繁殖開來，偷吃了我們的儲備食物，已經繁殖許多怪異生物……主人正在想辦法清除。」袁毓真說：「這應該比較容易解決哩……」

忽然醫療艙的立體投映螢幕，出現邦邦的影像，眾人急忙下跪磕頭。邦邦說：「賤畜一號，你帶來的麻煩真多！那些生物侵佔了一半的龍族母星生態艙，已經快速演化到，四肢爬行動物的程度啦！再過幾天可能會出現另類智能物種，或是詭異的掠食生物，對戰艦將是極大的危害！你的機器人已經修理好了，所有人帶上武器，實施清理戰艦的行動！並保護自動兵器工廠的生產！」

才兩天而已，就已經可以從單細胞生物，演化成四肢生物，並且大量繁殖，這的確是非常恐怖的生物演變模式，可以說是把型態自擇力量，發揮到極緻，可以隨時瓦解過去的慣性運行。難怪那顆衛星上的生態，需要詭蛇這種，不斷攻擊活動物的生物去翦除。地球上再恐怖的掠食者，也不可能把防彈裝甲的機器人大卸八塊，而這種掠食者卻可以，那麼背後的被掠食者，必然也有相對強大的自擇生存能力，才會支持出這種恐怖的掠食者。

於是包括賀嘉珍在內，眾人前往人類的單兵武器庫。賀嘉珍、史塔莉、黃敏慧三人，身穿藍色套裝裝甲衣，任藍裝甲小隊，都手持衝鋒槍，防護指揮室以保護邦邦。蔣婕妤、蔣嫚妤、姜麗媛，三人身穿紅色裝甲衣，任紅裝甲小隊，手持自動步槍，衝入艦內自動兵器製造工廠，保護龍族兵器的生產。袁毓真、談玉琰、克莉絲蒂娜都身穿黃色裝甲衣，前者手持通訊器與手槍，後兩者帶著火焰噴射器，爲黃裝甲小隊，負責收復龍族生態艙，消滅非龍族母星的怪異生物。李韻怡、廖香宜、歐陽玉珍、何佩芸、夢彤，身穿綠色裝甲衣，前兩者戴著金屬指光砲，手持雙手槍，第二人手持火焰噴射器，後二者手持消毒噴射粉，任綠裝甲小隊，負責巡邏所有大小艙門，清除所有微生物可以生存之處。四隊都必須要掩護龍族自動兵器，生產出來爲止。

黃裝甲小隊衝入了最上層龍族生態艙，這也就是被污染的生態地，出現一大堆怪異噁心的四肢爬蟲，吞食龍族生態艙的各種動植物。對袁毓真來說，兩類都不是地球的生物，而且衛星生物

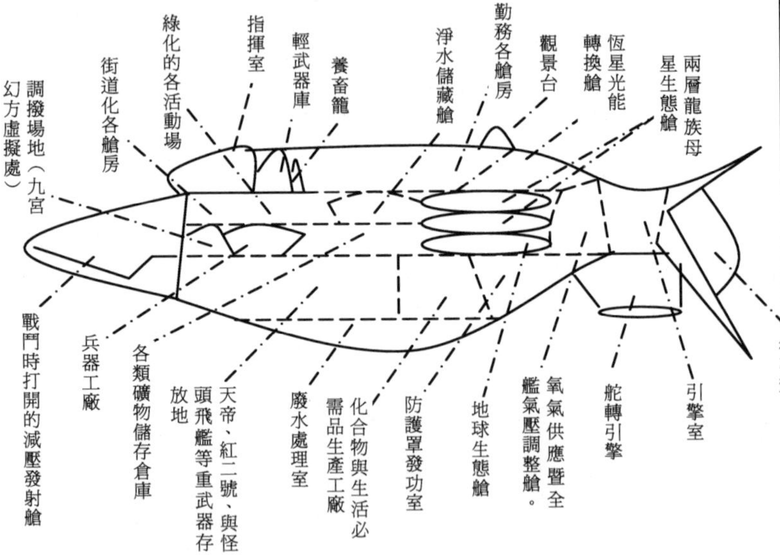

卡哩嗚嗚暨宇宙魚，內艙簡圖。

的變化太大，動植物都有，相互之間也會吞食，無法精確辨識，只有大量噴火消滅一切存在的生物狀態。所有生態艙都已經完全封閉，以免污染下去。綠小隊一間一間地搜尋，即使某些艙門沒有出現怪異動植物，也必須噴灑消毒粉，以免有微生物等級的物種。黃小隊完成任務，讓該生態艙變成一片灰燼後，去支援綠小隊的逐間搜尋。

卡哩嗚嗚戰艦頗大，各層總面積已經可比一座小型城市，一間一間地清除，累得兩隊人不得不坐在地上喝水休息。

紅小隊通訊回報：「有兩隻怪頭人，還有五隻四腳舌齒怪物，在兵工廠外頭！怪頭人會說我們的語言啊！」指揮室的邦邦聽了呱呱大驚，喊道：「一定是廢水處理室，演化出來的怪生物！沿著通道梯往上爬到兵工廠的，立刻殺掉它們！」三女子持自動步槍，猛烈射擊，把企圖闖入兵工廠的怪物都射殺。然後點火燒掉屍體，散發惡臭。

賀嘉珍說：「竟然那麼快就會學到人類的語言！這種演化速度，一小時後就會出現小型的文明狀態，最後把我們的戰艦都吞食掉，然後整體一起滅亡！請主人改變處理方式，不然清除了一間，另外一間又開始污染，卡哩嗚嗚就完蛋了！」

邦邦說：「自動兵器還在最後配置階段，還需要三小時才能大量製造出來！這種生物模式太詭異了！妳有什麼建議？」賀嘉珍說：「賤畜啓稟主人，不管再怎麼快速的生態方式，都需要建立循環圈，這循環圈觸及了氣態、液態與固態之間的變動。循環圈大到一定的程度，都會開始接受宇宙的天翦法則。我們現在怕的是，它們把循環圈擴張到整個戰艦，最後連同我們都會一起被天翦法則除掉。我建議，黃隊進入封閉的生態艙守護，綠隊與紅隊都進入紅二號躲避，您進入到天帝，我們藍隊進入怪頭飛艦躲避，並且把武器兵工廠與礦場都封閉。然後啓動全艦的減壓系統，把所有氣體都釋放出外太空！置之死地而後生！」

邦邦迅速思考過來，快速開闔眼瞼說：「我也是這麼想，還在猶豫會損壞戰艦內很多設備，但沒想到妳這人類比我早一步想到！所有人該躲在哪裡都想好了，好，妳立刻下令，我們同時動作！該損失就給它損失吧！」

於是眾人得到通訊，快速奔跑到指定的地點。然後戰艦的龍族電腦主控系統，開始全艦減壓排氣，一時廢水也大量地噴出宇宙外。如同龍捲風暴一般洗刷整個戰艦，所有的大型生物，乃至微生物，都全部遭遇到真空狀態而死亡。全戰艦同入真空狀態。接下來大家都穿著太空衣，一同躲入沒有被污染的地球生態艙。

進入生態艙才脫去太空衣，眾人在一棵大樹下對邦邦下跪磕頭，邦邦說：「全都站起來回話吧……」眾人依令而行。邦邦又道：「太詭異的生態了！竟然會把自擇狀態發揮到極緻，卻又能夠保持慣性存在體！用極小的固態液態氣態，三態空間循環，融合極短的時間，就能演化地球數十億年的生態模式！難怪我的同類都慘勝而歸，放棄佔領這一顆星球……」賀嘉珍說：「是啊主人，好險兩個生態艙緊急密封住，我們才得以活命。這種生態自擇方式，在荒涼的衛星中，仍然可以陷入無窮的蠻荒循環，一旦投入一定程度的文明情境，很快地，智能的自擇路徑，就會被生物選擇出來。如同飽和溶液，加入一點點的固體，馬上開始凝結……

無怪乎會有詭蛇這種終極的掠食者，壓制一切的動態生存體。」

邦邦說：「這些我都理解，現在麻煩的是，卡哩嗚嗚除了一間龍族母星生態艙，一間地球生態艙，其他都功能全部停擺。不但生產兵器受阻，氧氣與淨水污水都全部外洩掉。依照這樣計算，三天後開始缺食物，五天後開始缺淨水，十天後開始缺氧氣！連到九九星球都不夠用，除了機器人之外，全部都得死在這裡了！」眾人與一龍，全部都坐在生態艙內的椅子上，苦無對策。

所幸龍族的發光系統，採取艙壁內循環系統發光，所以全艦都還有光芒可見。李韻怡拿出小容器，從生態艙模擬循環的小河流中，撈出一杯水，跪獻給邦邦喝。牠喝完，所有人才狗爬式地在不足一公尺寬的小河流中喝水。邦邦說：「你們真是忠誠的牲畜，已經都跟我一起盡力了……倘若放棄卡哩嗚嗚，乘坐天帝到九九星球投降，我會帶上你們的。」眾人磕頭道：「多謝主人。」然後才各自坐在地上，圍繞著邦邦。

袁毓真問：「若回九九星球，將會遭遇什麼狀況？」邦邦答道：「還沒靠近九九星球就會被發現，然後被重兵包圍，幸運的話闖入九九星球蠻荒區，放棄天帝躲起來生存。但絕大多數的機會，會被我的同類俘虜。然後我是一定會被處死，跟隨著牲畜，也會一同處死。液化水解掉後，埋入九九星球的土堆裡。時間路線徹底破產！也許跟著你們這些牲畜們一起死，是我最後歸宿。」蔣婕妤說：「與其這樣，倒不如大家一起死在這裡……」眾人同聲嘆氣，邦邦晃動著大腦袋，流出眼淚，嗚嚕地哭了出來。

袁毓真看著，懸浮天梯，通往頂上仍然保存的龍族生態艙，雖然艙門關閉，卻也激發了袁毓真一些想法，緩緩說：「倘若上面的龍族母星植物，與這裡的地球植物，光合作用的速度，能如那衛星生物演變速度的幾分之一，我們就有足夠的氧氣了，然後再去其他冰封的衛星去收集冰水，那麼生存條件就夠了。就可以重整整個卡哩嗚嗚戰艦……」賀嘉珍說：「可惜建立不了這麼快的模式……」

邦邦跳起來，發出共鳴的嘶聲，頗為興奮說：「有了！淪陷的生態艙雖然被燒成灰燼，但沒有抽成真空，必然還存在繁衍卵，只要把淪陷的那個生態艙，完全密封住，投入誘導的植物體，供應一部份水與氧氣，那種生態自擇模式就會復活。然後我們用機器管線，供應廢料，同時萃取當中的水循環，氧循環，二氧化碳循環，與有機物的循環物，供應這兩個生態艙的循環體系。那麼該封閉的生態艙循環速度，就會被我們控制住，然後加快這兩艙的速度！甚至可以讓龍族母星生態艙，與地球生態艙的植物共同生存，啓動雙錐的發展模式。那麼連這兩艙的動物，都會因而活絡起來！我們就有時間去另外一顆冰封的衛星，補充水份與養份！這樣整個卡哩嗚嗚就有救啦！」

眾人雖然都不知道具體該怎麼做，卻也全部都歡喜地磕頭。

於是克莉絲蒂娜與夢彤，共同執行邦邦的指示。在封閉的而燒成灰煙的生態艙內，精細地牽動機械管線，置入另兩生態艙的一些生物，並放入大量的有機雜物與水。同時也開始生產龍族勤務機，重新整理整艘戰艦。並趁此間，前往第四顆衛星，花費了十天的時間，派機器人汲取大量的冰，補充艦內的水分，讓三態的生態循環供應，更加快速，整艘戰艦的機能也都全部恢復。

第四幕　性別辨識的迷思

地球時間八月三十日，卡哩嗚嗚也大量生產了龍族兵器。眾人在養畜籠外的小廚房，煮了美好的菜色，全部到觀景台欣賞美景並閒聊，邦邦仍然在指揮室內設定下一步的計畫。此時外界景色，已經變成四四行星的美景。

姜麗媛與何佩芸又乘坐電梯，推來第二車的美酒與美食，所有人又歡呼了起來。袁毓真摟著姜麗媛與何佩芸，笑著說：「我來這是第三次，實在太懷念這裡啦！還是妳們煮的菜好吃！別忙啦，一起吃吧！」於是負責煮廚的兩名女子，也都跟著一起餐飲。入圓桌坐下後，袁毓真的雙手仍然摟著兩女孩的肩。

李韻怡說：「喂！毓真大哥，你的兩隻色手不拿開，她們怎麼動筷子啊？」袁毓真才傻笑著拿開雙手。除了克莉絲蒂娜與夢彤，只能坐著看大家吃，陪著聊天，其餘人都大快朵頤，吃得很飽也喝醉了。

蔣婕妤搖晃著頭，甚至開始脫衣服說：「沒想到冰封的那顆星球的冰……在生化室釀的酒會這麼好喝……」妹妹蔣媛妤，笑著拉著她說：「別脫衣服啦！這裡有男人。」蔣婕妤笑著說：「就袁毓真一個而已，況且這一年多來，我們不每天都給他看過了？」其他女孩也都鼓譟，紛紛脫了衣服，只剩下內衣褲，躺在觀景台表面，欣賞這星系的美景。兩顆恆星的光線被巨大的四四星球遮蔽，觀景台內只有微弱燈光，所以太空顯得暗而浪漫。

蔣婕妤拉著袁毓真說：「你可以說，這裡的美女們你最想娶誰嗎？」袁毓真笑得有點曖昧說：「我想娶全部……」蔣婕妤輕輕打他一耳光，怒目回答說：「不行！只能選一個，其他人等回地球之後，求邦邦主人放我們走。」袁毓真說：「不行啊，還有時間路線的工作啊！」蔣婕妤緊閉眼睛說：「也一樣啦！你只能選一個！」史塔莉也微笑著說：「是啊，我也不喜歡跟別人共用一個男人。」

袁毓真坐回座位，喝了酒說：「我只有一人，選誰則另外一些人不開心，那我真的不知道該怎麼辦啦。」賀嘉珍也有點醉，笑著說：「還有一個辦法！」眾女子看著她。賀嘉

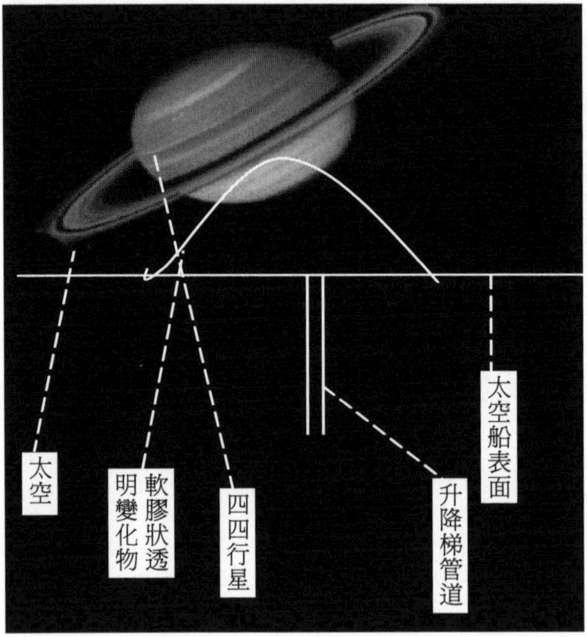

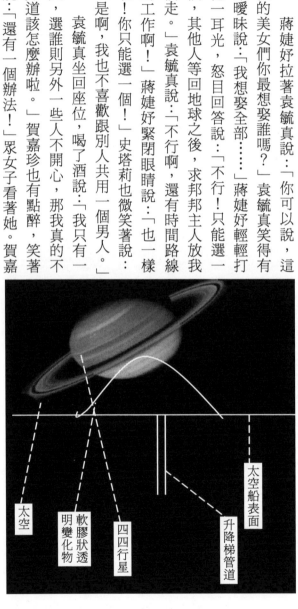

珍緩緩說：「這裡有十一個女子，兩台女機器人，總共十三人。袁毓真不是有十二個隱藏的人工智能嗎？把全部都改造成男機器人，這樣就十三比十三，完全平衡啦！」所有女孩呵呵大笑，都起鬨地說：「贊成！機器人都變成男的！」

袁毓真擺下酒杯，醉著大喊說：「喂喂喂！這製造權在我手上也，誰說我要製造成男的？我要全製造成女的！」姜麗媛拉著他的束髮說：「這裡最大的可是嘉珍姐姐喔！上面也還有一個邦邦主人，雖然人工智能是你的，但也不是你說了算吧！」袁毓真微笑著說：「那麼我寧願全部扔掉也不造男的……」蔣婕妤說：「少來這套，麗媛！」姜麗媛點頭說：「屬下在。」蔣婕妤說：「回養畜籠，把他頭墊底下的人工智能盒子沒收！」姜麗媛微笑著點頭說：「是，遵命！」於是要離去，袁毓真急忙緊緊抱住姜麗媛，苦著臉說：「除非打死我，不然誰也不能拿我的東西……」姜麗媛才要說話，袁毓真就趁著酒醉一嘴親上去，弄得女孩們一陣鼓譟。

蔣婕妤搖搖晃晃站起來說：「我自己去拿……」袁毓真說：「夢彤！回去把盒子毀了。」夢彤點頭說：「是的毓真大哥，那我真的去毀了它。」眾女還又一陣鼓譟。

賀嘉珍站起來大喝一聲，然後說：「全部不要吵！這裡我最大，全部聽我的！」眾人才安靜了下來。蔣婕妤比較敢跟賀嘉珍說話，於是她道：「嘉珍姐妳自己看，袁毓真這色鬼很自私！」賀嘉珍拉開袁毓真，溫和地說：「你真是的，機器人變成男的又怎樣？難道你要女孩們只能跟你在一起啊？」

袁毓真從小失去父母呵護，成長過程中都被別人佔便宜，這次趁著酒勁發怒，甩開賀嘉珍的手，瞪大眼怒目說：「當然！我九死一生挽救大家，犧牲這麼多！難道要讓我祖父給我的一群鐵人，搶走我的幸福嗎？妳們才太自私啦！要機器男人，妳們自己請邦邦主人製造，別來動我的東西！不然我就拚命啦！就連邦邦主人也一樣！夢彤、蒂娜，全部武裝離子砲戒備！」氣得臉紅脖子粗，像是要吃人一樣。

談玉琰見他生氣，也牽起他的手輕聲說：「好了啦……別生氣。這裡沒有人喜歡機器人當老公的，大家只喜歡你。嘉珍姐只是開玩笑的啦。」眾女孩也都嚴肅地沉靜下來。

夢彤見大家鬧僵了，知道袁毓真這命令只是嚇嚇大家，於是轉成離子砲又轉制回來，然後開口說：「你們人類也真是迷思的動物。性別只是拿來繁殖用的，是在無性生殖不利於生存變化，可能會因爲一個變化而全部死盡的狀態下，用來加速改變後代型態的選擇。所以無性生殖的生物比較少。原本雄性與雌性的定義也不用固定，可以雌雄同體，但這容易造成內分泌混亂，不利於神經結構應付複雜的環境判斷，才會把性別固定下來，而雌雄同體存在於體制低的生物中。」

克莉絲蒂娜接口說：「是啊，對我們機器人的心靈來說，沒有性別的辨識，沒有感情，甚至沒有真正的生存慾望。這些都是靠程式模擬出來的，不是發自內心的需求。也不可能陪大家吃飯喝酒，只能在旁邊看。你們開心的時候，我們就啓動微笑的程式，實際上根本沒有開心的想法。執行戰鬥當中，也只是按照命令去啓動邏輯，看目的是否合乎指令意義。看我跟夢彤雖然都加裝了女性器官，聲音是女性聲音，身材全部造成女性，實際上我根本沒有女性的本質。就像趙仰德侵犯我時，我思考的只是如何配合以完成任務指令，根本沒有羞恥心等等問題。所以我們並不適合跟真人當夫妻，只是滿足人類性慾或情慾的迷思而已。」

蓼彤說：「確實是迷思，而且當初袁毓真的祖父，天威大行皇帝陛下，把我們設計成女性的時候，軟體程式都還得經過，虛擬實境的模擬演練，才把我們的性別自我辨識，確定下來。但是缺乏演化與繁殖的原始基礎，這種認知程式只是搪塞的表象，不會有真的活性運行，所以才會變成剛才我們說的情況。我想邦邦不會有這時間，去幫助妳們完成這種性別迷思。就像人類不會在乎，動物的性別平衡，除非要大量繁殖出來，當做食物吃掉，才會考慮配種問題。我想機器人不能生小孩吧？邦邦反倒是有可能把這些人工智能，全部改造成母龍族個體，去當牠的伴侶。到時候妳們就多了很多『女主人』了！」

蔣婕妤緩緩地說：「好啦……我跟袁大哥開玩笑的……」然後含淚轉面對袁毓真說：「我們都嫁給你可以了吧！可別命令機器人殺我們啊！」袁毓真才低頭說：「剛才我太兇了，對不起大家……我也怕別人搶走妳們，請妳們原諒我喔……」說罷也哭了出來。

賀嘉珍笑著拉著袁毓真的手說：「好了，大家都知道性別是迷思了。你也跟我們一起脫去外衣，只剩內衣褲，讓宇宙法則來嘲笑我們的迷思吧！」袁毓真與眾女孩也都露出笑容，和好如初，嘻嘻哈哈繼續吃喝。

第五幕 時空等價差異性（上）

九月五日。邦邦終於要展開行動，在指揮室宣佈要先派一小隊潛入九九星球，調查翢狼放置地點，以及天后是否已經回九九星球。

眾女子都已經不畏懼死亡，內心並不害怕，唯獨袁毓真還有依戀，內心十分恐懼，開口問：「賤畜一號請問主人，我與蔣婕妤雖懂龍族文字，也能戴著語音翻譯器，但是長相一看就知道是人類……這樣子進入九九星球，很容易就曝光啊。」

邦邦說：「不對，這樣反而安全。龍族的演化層級，基本上已經很少偷竊這種事，所以防竊系統很薄弱，只有在知識思維起衝突時才會發生。所以龍族的防備偷竊系統，是用龍族基因辨識透視儀來檢測的。有關十大神器的一切資訊，所有龍族基因都有存檔，只要檢測出來就都不可以使用，而設定指定的駕駛員爲例外。這主要是防止其他思維學者，假造駕駛員的基因訊息；因爲基因訊息被假造，自身的龍族特徵也會同時會被偵測到，然後禁止牠的駕駛。所以龍族的一切基因假造訊息都不能用。我當初偷竊天帝，花了好一番功夫，才把自身的基因訊息給降低，才讓天帝的辨識系統被我改寫。相信現在牠們一定警覺，讓這種系統功能更強大了。唯一的方式就是讓人類去偷竊，這種檢測系統就會無法辨識，可以很快改造。」

袁毓真說：「其他龍族也都知道，主人您跟人類合作，難道不會改寫系統來防備人類嗎？亦或是在神器上面放電腦智能，來過濾駕駛者。」

邦邦說：「不會，人類基本上沒有能力操作龍族的東西，你們是我這一年來，努力調教而產生的例外體系。用我最獨特的例外體系，切入龍族最薄弱的防竊系統，成功率就會大增。另外，龍族不會讓電腦去控制神器的，因爲神器是龍族防止龍造智能叛變的根本利器。只是麻煩在於，你們進入九九星球之後，要隱藏自身的行動。因爲只要一眼看過去你們就會被察覺。這一次的行動，還不必偷竊神器，只要用龍族文字調查神器位置，然後傳訊回來給我，之後躲在九九星球等我號令。偷竊這兩台神器的時候，妳們才需要行動。」既然牠已經有了安排，眾人只好磕頭遵命。

紅二號飛出了四四星球的燈下黑區域，爲求行動安全，不敢出動太多的人。載著袁毓真、蔣婕妤、賀嘉珍、李韻怡與克莉絲蒂娜，碟上還帶有各種怪異的龍族通訊器材，往九九星球飛去。

賀嘉珍不論在何地，都喜歡看著窗外景色沉思，此時望著紅二號的觀景窗外的星景，若有所思。袁毓真雖然經歷很多驚險，卻還是很緊張，見了便問：「嘉珍姐在思考什麼呢？」賀嘉珍說：「我在想，龍族戰爭早已經結束，地球上的人類應該已經安寧下來。但是我們卻因爲龍族的時間路線與空間路線的分歧，還繼續牽扯龍族戰爭，我們是不是最後一批喪命在龍族手上的人類呢？我們個體真是渺小。」袁毓真側坐沙發，讓李韻怡重新綁他束髮辮子，又說：

「龍族的時空爭議很早就有，大體都是空間路線佔上風，而今空間路線早已經確定，也已經成功了。邦邦主人硬要玩一個被淘汰的時間路線，真是一條可悲的孤龍。又是先有雞還是先有蛋的爭議，可見龍族也是有迷思啊！」

賀嘉珍搖頭說：「你看得太淺薄了。時間與空間是等價的，不可能出現單獨存在的空間與單獨存在的時間，都是感官解釋變化的方式，只是時間封閉而空間彰顯，建立的對映體系。而變化才是本體，並不會在乎這種情境對映的系統。倘若自身物種的選擇方向，相互之間產生落差，出現對比的狀態，那麼在情境體當中，就一定會出現『時間路線』與『空間路線』的分歧，只是我們人類的智能沒有察覺，而龍族的智能有察覺，以之運行自擇天翦下的生存方案！」

袁毓真與蔣婕妤都頗具知識與聰明，但對於賀嘉珍所言還是不甚明白。蔣婕妤問：「嘉珍姐可否說得更清楚些？」

賀嘉珍回頭微微一笑，走到指揮塔說：「我拿人類的兩個文明史來比較你們就知道了。中國文明與西洋文明的取向，相互之間對比，就可以產生時間路線與空間路線的分歧狀態。早在中國的漢朝，與西洋的羅馬時期。中國人就比較偏向人制，而西洋人就偏向法制。中國人偏向人的道德倫理，西洋人偏向於法令制度。當然中國人也有法制，西洋人也有道德倫理，如同時間與空間沒有單獨存在的可能，但總體來說都有一種偏向，因而相互可以產生對比。那麼這兩種文明，在各自演變的路徑中，就會在各種領域，相互對比出優劣，這種優劣的根源，與文明最後命運，都來自時間與空間的對比性。」

袁毓真還是不明白，傻笑著說：「還能夠說得更清楚嗎？」

賀嘉珍也笑著反問：「一般來說，你喜歡法制還是喜歡人制？」袁毓真與蔣婕妤都認爲，雖然自己是中國人，但是相信法制才公平。蔣婕妤搶先回答：「當然法制才正確。」

賀嘉珍搖搖頭笑道：「這優劣的對比分別，來自於時間與空間的差異，而對於變易來說，等價存在的東西沒有優劣對比的差別，甚至沒有時間與空間的差異。偏向法制，能夠彰顯出你認爲的公平，可法制是不是人來執行的呢？當然還是人來執行！不可能撇除人的因素，而純粹出現一個叫做『制度』的物體。那麼在公平情境彰顯的同時，體制維繫的時間軸上，人的各種腐朽因素就被壓抑而隱藏，或可以稱之爲保護，但是不會消失！穩定地侵蝕這個體制，這種制度產生的時間區段就相對較短，而且一但文明體遭到巨大變化，相對的韌性就會較差。」

袁毓真打斷道：「等等，人性相對於文明體制的腐朽因素，實際上具有演化背景，所以才不會消失，是次易原理的乾綱原始定律所致，怎麼會跟時間相對較短扯上關係？」

賀嘉珍神情靜謐，兩手交叉於胸前，溫和地說：「這我等等再詳細說明，你先耐心聽我說完。剛才說過，時間與空間都是人類感官定義變化的方式，我們要求空間彰顯而適性，就不可能同時要求時間彰顯而適性，因爲兩者來自於同一個變化本元，相對出來的兩種定義，倘若你還是在這定義當中打轉，就不可能兩者都完全適性，因爲相互的對比存在，本身就是一個限制。如同你在運動，我可以要求你同時向上也同時向下運動嗎？只要你還是一個個體，那這種運動要求就做不到。好！回到文明法制與人制的話題，文明取象法制以訴求公平彰顯，那就是人性貪婪的隱藏。這體制在法則的生滅循環當中，人性對於文明的腐朽因素，就是一個微弱卻穩定的因素，不會因爲外界變化而有所增減改變，這腐朽因素，就是主導整個文明體制逐漸衰變的係數。所以嚴格說起來，西洋人的文明思想並不比中國人晚，他們甚至在更早的年代，就吸收了埃及與兩河文明的智能結晶，但是那種完善的制度，一旦出現衰變，幾乎不可能挽回，所以他們始終不能保存文明的穩定延續，相對會產生很多斷層。所以你會感覺中國文明歷史最悠久，綿延最長，實際上中國文明並不是最早的。原因是法制取向與人制取向，產生『時間路線』與『空間路線』對比所致！」賀嘉珍的氣質，忽然激發了袁毓真的愛慕之情，點點頭說：「喔，我們大致理解。」

賀嘉珍接著道：「人制的缺陷很清楚，掌權者做出適性的選擇，而相對於大眾來說，這不是最適性的選擇。人性腐朽因素來自於演化背景，對於時空本元的法則來說，實際上並沒有增多，只是彰顯出來比較多。你只用空間概念去看外表，就會偏頗地認爲，人制是非常有問題的，醜陋的本性總是彰顯出來。既然是彰顯出來的問題，那對於文明來說，就不是穩定的侵蝕係數了，就會因爲這人的問題，體制就會產生諸多變化，歷史也會紛紛擾擾。不過在這種紛擾當中，累積出來的文化體，具有更大的延續機會，原因也在於人！春秋戰國的諸國滅亡，並不會傷害到春秋戰國時代產生的諸子百家思想！希臘城邦的滅亡，卻讓希臘文明思想產生嚴重斷層。秦漢的滅亡，並不會侵害到秦漢奠定的大一統思想！羅馬的滅亡卻是縱深的體制問題，歐洲很難再重新回羅馬的統一體制。罷黜百家獨尊儒術，並不會切斷後代人去研究墨家、道家、兵家、法家等等的學術！但是基督教獨尊，卻會燒毀亞歷山卓城，摧毀上古智慧結晶，拉著整個文明進入黑暗時代。中國文明的衰變因素，大多打轉在原始人性彰顯而紛紛擾擾之中，打轉在政權爭鬧當中，新掌權者的獸性，大多摧毀的只是前面掌權者的獸性，對於文明體則願意接承，因爲它產生不了法制，對他沒有威脅之故。對於文明的縱深體系，就可以得到較多的喘息空間，延續較長的時間。雖然這種文明優勢，因爲人性腐朽的彰顯，而無法產生空間感官的強勢，但是在時間軸上，此文明體的壽限就相對很長。但是西方文明當中人的獸性是被制度壓制的，一旦體制逐漸被人性侵蝕，文明遭到變數，那麼新掌權者的獸性摧毀的，就不是只有舊掌權者的獸性了，而是整個文明體制，因爲這文明體制產生出來的法制，會對他的獸性有威脅、有阻礙。」

蔣婕妤張大眼睛笑著說：「我理解了，假設把中國文明與西洋文明來做對比，那麼中國文明的自擇體系就是時間路線，西洋文明的自擇體系就是空間路線。而時間與空間沒有絕對的切分，相互只是在對映之下，產生的一種偏向而已！才會造成弱勢與強勢，時間短與時間長的區別，這用在物質體系也是如此囉！」

賀嘉珍這幾天也接觸了龍族學習機，微笑著用學習機的口吻說：「正確。次易原理的屬著第一篇天翦與第二篇統制，交錯而產生的思想就是這個，你就可以知道自擇體系，在時空當中扮演什麼角色了。而今龍族產生的時間路線與空間路線的爭議，不能說只有邦邦在堅持時間路線，那麼時間路線就一定會被淘汰，也不能說所有龍族都堅持空間路線，空間路線就永遠正確。所以天翦篇認爲自然界的生物，降優自適自擇天翦，而並沒有物競天擇適者生存！」

袁毓真轉變話題說：「難怪自然界，體制高的生物滅絕甚多，物種壽限反而沒有體制低的生物長久。嘉珍大姐智慧出眾，真是少有的女人喔，對男人很有吸引力也！

蔣婕妤與李韻怡同時皺眉頭，李韻怡說：「你少佔嘉珍大姐的便宜！」賀嘉珍聽了袁毓真的示好，並不開心，只讓她想到元首大人當初佔有的獸性，只微笑著說：「是啊，你不會喜歡我的。我是一個人盡可夫的女人喔。使用過我的男人，數量不少於五十人。就算是以後，我仍然也是這種女人！若是有身體需求，我是對誰都不會拒絕的，而且免費供應，當然包括袁毓真你。所以不怕髒的話就來啊！人類的男女之別，其實就這麼回事。」奇女出奇言，袁毓真被她這一堵，呵呵傻笑而不敢再多說。

紅二號快速地飛奔到九九星球去。

潛入九九星球的眾人，將會有什麼遭遇？兩大神器都會在九九星球嗎？一行人又將如何躲在龍族居住的星球？欲知後事如何，且待下象分解。

第三十二象　哲思再辨潛入航程緩緊繃 異星隱計探索神器度歸景

第一幕　時空等價差異性（下）

紅二號雖然動力全開，但是爲了躲避龍族精密的宇宙偵測儀器，得迂迴於各衛星的陰暗處，最後衝著逆向軌道，往九九星球背對雙恆星的區域。紅二號速度雖快，但這一連串迂迴路程，也得耗費十二天。

啓易四年，九月十日早晨，眾人仍然依照在地球上生活的時間，來安排生活起居。克莉絲蒂娜待在機械倉庫休眠，蔣婕妤與李韻怡在兩側沙發睡覺。袁毓真洗澡出來，看到賀嘉珍已經從後艙地舖起床，在觀景窗前，看著遠處的紅、藍雙星。這個恆星系統的兩個太陽，質量有所不同，所以壽限也不一致，賀嘉珍又陷入了沉思。

袁毓真弄好早餐擺在指揮塔的桌上，也走到窗前，輕聲對賀嘉珍說：「前幾天你的那一段，用人類東西方文明，比喻龍族時間路線與空間路線的論述，真是醍醐灌頂，讓我茅塞頓開。原來龍族的時間路線與空間路線之爭，並不是先有雞還是先有蛋的無聊爭議，確實是身爲情境型態的物種，在面臨衰變過程中，求取生存最核心的判別式。」說完，故意看她有什麼表情，結果她沒有表情。

賀嘉珍仍然看著窗外，輕聲回應：「次易原理的屬著第三篇次行，任何相對的情境事態，都是由一個中性而縱深的元度，來產生偏向時間或偏向空間的軌跡。你有讀過，只是沒有應用到這裡罷了。」

袁毓真說：「是啊，讀書沒有靈活運用，真正遇到問題也無法解決。我跟蔣婕好學習龍族知識一年，也沒妳這麼敏銳，更別說之前讀的次易原理了。」她微笑著答道：「只是你們心性還很年輕，比較貪玩而已，我並不比你們聰明。」

感覺她頗冷酷，女人中少有這種性情，難怪當初老頭子希望自己娶她。沉靜一會兒，袁毓真笑著奉承說：「沒想到嘉珍大姐，對於人類的歷史文明看得如此透澈，以往四百多年的那些，『所謂』哲學家、思想家、歷史學家，跟妳相比，都是狗屁不如的東西。」賀嘉珍知道他在奉承，但是既然脫離了地球的虛僞與忌妒的社會，那麼賀嘉珍也感覺到謙虛是不需要的了，比較坦然接受袁毓真的話。靜氣地答道：「過去很多學者，不然就是看得不深入。不然就是要譁眾取寵。不然就是要作顛覆理論，引發爭議，來哄抬身價。不然就是要替政治服務。自然不會把真正的問題與結構寫出來。」

袁毓真說：「談到這五百年來的所謂學者，根本也沒有學問！更遑論創新什麼新思想。時間與空間結構，對他們來說自然是天方夜譚而已。只有次易原理的作者，還算是有創新，勉強可以跟妳比較，當妳身邊的奴才還可以。」賀嘉珍走到沙發旁，坐在蔣婕妤旁邊，小聲地說：「民國以後的人就不值得提了。至於次易原理的作者，雖然是大思想家，所生時代不對，誠然可惜。而我們生存在人類滅絕的末世，可以說很悲慘，也可以說很幸運！具備獨特的時機，智能可以更延伸，見識可以更廣博，更能理解物種時義與生命的意義。」

九月十一日早晨，李韻怡與克莉絲蒂娜在後艙料理飲食，蔣婕妤泡在浴池看窗外景色。袁毓真與賀嘉珍閒聊之中，又扯上了時空結構的討論。

賀嘉珍說：「任何的感官取象。只要是能被辨識出來的型態區間，一定都是相對而形成，才會切割出定義域。因之切割出不同的相對體後，必然會因此，產生時間路線與空間路線的差別，即便是兩種最普通的對等關係。例如我們視覺的基礎，一定是先有『明與暗』、『遠與近』『清晰與模糊』等等的相對區間，才會去架構出視覺『看』到了什麼東西！其他的聽覺、嗅覺、觸覺，也都有如此的相對區間，去架構而來。但是依照次易原理的統制概念，這樣的相對區間，就會產生遺漏象，而有巽卦的意義。我們把感官劃分為『時間』與『空間』，也是相對取象的，所以必然有在時空之外的遺漏象。是故再聰明的物種，也會有能力的上限，也必然有衰頹的時候。龍族在這方面則有詳盡的文數結構，比次易原理的敘述還要精確，相信在這方面你懂得比我多。」

袁毓真慚愧地笑說：「很多龍族知識，我看過就忘記了啦！」賀嘉珍繃緊臉嚴肅地說：「你太不用心了！你可知道，你一個無知與怠慢，可能就會造成後來我們的死亡？」袁毓真吱嗚其詞，顧左右而言他。

賀嘉珍緊緊抓住他的肩膀，厲色地說：「我可不是跟你在開玩笑！現在可是生死攸關的時刻！」袁毓真有些不耐煩地說：「我知道妳很正經，可妳也得考慮考慮，從南十字星計畫到現在，我承受多少壓力，心裡有多煩！」

賀嘉珍鬆手，緩和地說：「你若是想紓解壓力，可以隨便在我身體上得到快樂，其他的女孩若是同意，我也不反對你發洩男人的慾望。不過保護大家的生命，是你現在的職責！」袁毓真歪著嘴笑說：「好啦！我會用心的！但妳怎麼老把自己說成那麼隨便？不像是我印象中，端莊賢淑的女人。」賀嘉珍微笑說：「端莊賢淑只是外表，我的本質也可以比妓女還不如，隨時可以寬衣解帶。你可以把我當妓女，需要的時候找我就成了，不會給你帶來責任或牽掛！」

型態不同，決定了時間路線與空間路線的歧異。至於到底要時間路線還是空間路線，只在於當下生存自擇的訴求不同。並沒有誰比較高或誰比較低的問題，倘若建置了高低不等價的關係，則啓動了乾綱原始的控制。如同生物體制的本質，並沒有哪一物種必然比較優越的問題，只是因爲型態區隔，產生時空路徑的排列差異，而有壽限長短，與生存強弱勢。是故對她來說，並沒有改變內心的純潔，只是生命的自擇，因爲環境改變而跳躍到另外一種路徑，從空間的彰顯訴求，轉變爲時間的潛伏意義。不過袁毓真並不理解，她內心深處的這層思維。

第二幕　觀測網

經過十二天迂迴飛行，紅二號終於到九九星球的外圍，觀景窗已經可以看得到行星的景象，紅二號此時開口說：「九九星球雖然只開發沒多久，還處於生態改造的階段。但因爲邦邦主人的行動，驚動了龍族領導者，這星球的外圍必然滿佈觀測網，以防止我們潛入。這種觀測網的能力，任何外太空的隕石墜落都無法逃避。紅二號的體積雖小，只要再往前靠近，就會觸動九九星球的全球觀測網。所以必須採用特殊的潛入方式。」

蔣婕妤問：「我們航行那麼多天，妳怎麼現在才告訴我們？」紅二號答道：「邦邦主人已經料到，假設早說出來，你們肯定不會答應這種方式。可能會在航行途中生變，所以設定我，到執行的時候才全盤托出。」這一說，讓所有人內心爲之一怔，可以猜出這種潛入方式，必定非常冒險。眾人都還以爲到了九九星球，可以很容易降落，如同在地球的時候那般。

蔣婕妤很不高興地追問：「那麼現在可以告訴我們了吧？」紅二號答道：「龍族觀測網是由眾多細小的衛星，在九九星球各軌道密佈，相互通聯而成爲巨大的觀測系統。遠可以觀察遙遠的星體，近可以監控九九星球周圍的太空動靜，我們闖出『燈下黑』的遮蔽區域後，就不斷地發射隱形干擾波，但是這干擾波在我闖入入九九星球重力場的時候，會出現破綻，必然會曝露形跡。所以我必須要解除艙內的重力系統，並且用瀕臨燒毀的速度，衝入九九星球的大氣層，模擬一顆隕石墜落的狀態。將你們一起放下之後，你們就按照邦邦主人的計畫行事。」

袁毓真皺眉地說：「不會吧？要我們當隕石！墜毀了怎麼辦？我們要是死了，誰替牠執行後續的時間路線任務？」李韻怡說：「若是這任務失敗，我猜邦邦主人會親自執行思維辨析組的工作。」袁毓真苦臉說：「遲早有一天會被邦邦主人搞死！」

眾人把自己的身體與紅二號內的東西，全部綁牢就定位，解除重力系統之後，快速往九九星球衝入。眾人感覺自己被強大的力量拉扯，幾乎快要昏去，終於安全闖入了九九星球的大氣層中，全都跑入廁所，把吃的東西都嘔吐了出來。紅二號外殼已經有些燒毀，眾人帶齊裝備後走下來，才發現自己身在九九星球海岸邊。而大氣壓力與引力如同地球一般，只是溫度略高，氧氣含量略低。

蔣婕妤回頭道：「天啊，紅二號的外殼已經毀了……」袁毓真說：「就算主人有加厚裝甲與防火玻璃，但這麼高速闖入大氣層，能不燒毀嗎？」紅二號按照計畫，再次飛起而後潛入海中，以免被龍族發現。

此時天空呈現一片黃紅色，有兩個太陽，一個較大呈現紅色，一個較小偏向藍色，代表雙星一遠一近，已經快落入九九星球的地平線下，將要進入黑夜。賀嘉珍拿出邦邦給的電子卷軸，展開之後顯現龍族文字與地圖，問蔣婕妤說：「這是紅二號電腦，剛才傳到這的九九星球地圖，妳看一下上面的文字表達什麼？」

蔣婕妤接過電子卷軸，開口說：「我們現在正在九九星球某大陸的邊緣，距離龍族軍事基地五個『龍族行徑單位』……」賀嘉珍問：「五個行徑單位是多遠？」蔣婕妤一時迷糊答不上來，袁毓真說：「大約二十公里！」賀嘉珍說：「這裡大氣比地球略為稀薄，還要遠行二十公里，會支撐不住。且先找個隱密地方休息調理，順便架設龍族的無線連網系統，搞清楚這星球的狀況之後再行動。」

忽然遠處天空隱約發現飛行物，肯定是龍族的飛行器，眾人頗為驚慌，要是現在被發現，那可是鼠落貓穴，甕中捉鱉，一切計畫都會失敗。眾人趕緊往躲入海岸山壁的一

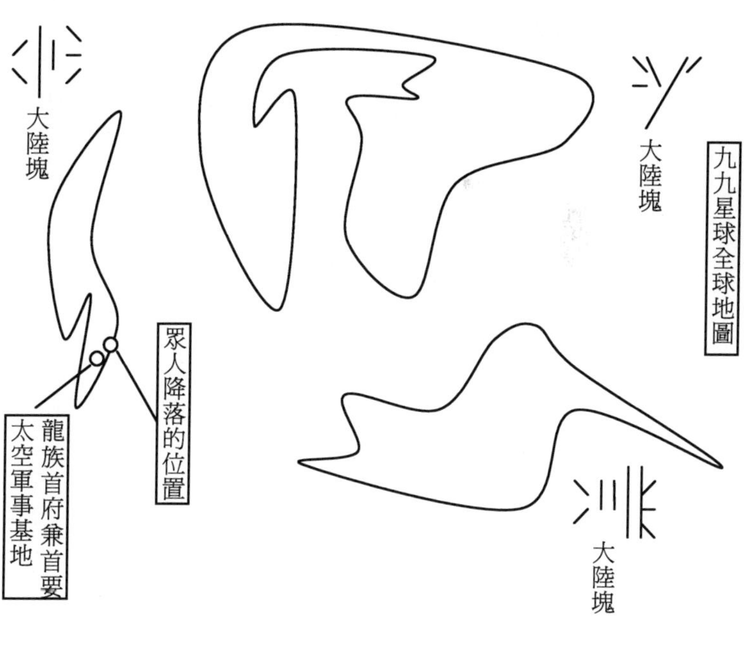

個洞穴。

洞穴堆積了許多砂礫，上面還攀爬許多三腳怪頭的小動物，克莉絲蒂娜抓起其中一隻來分析，才發現很溫和而無害，且沒有毒。

九九星球海邊洞穴的動物

蔣婕妤繼續看著電子卷軸道：「據主人說，現在龍族正在改變九九星球的生態環境，工程頗爲浩大，猜測龍族主力都到另兩塊大陸，執行開發工程去了，首府附近比較薄弱。我們第一步得先融入龍族的網路訊息系統，然後把蒐集的資訊，加上隱形密碼，透過發射架傳給卡哩嗚嗚戰艦。而後等待進一步的指示。」

袁毓真搔頭道：「從元首那個畜牲，到皇爺爺，到現在的主人，都是在強迫我們做不可能的任務……倒楣啊……」李韻怡說：「別再抱怨啦！我們可比地球上，那些被龍族消滅的人類幸運多了。」

賀嘉珍此時神情卻嚴肅了起來，望著洞外說：「從古至今，領導者用遙控指揮的方式作戰，絕大多數都是失敗。主人這麼指示，實在讓我不解。難道龍族也會犯人類的錯誤？」袁毓真瞪大眼說：「妳說到重點了，我們可別被主人的錯誤害死，得自己想辦法查龍族的神器。」

蔣婕妤卻搖頭對袁毓真說：「我不贊同，你也知道龍族的網路訊息結構，是感應團狀思維的方式，我們雖然懂得龍族文字，但人類的思維能力，仍然無法解構。況且龍族神器，靠我們幾個，別說偷過來了，恐怕是連放在何處都不知道。」賀嘉珍點頭說：「婕妤妹妹言之有理。不過這種遠距離的遙控指揮，總讓我有些擔心，我們現在是不能出任何的差錯。」李韻怡說：「妳們都別擔心，以我對主人的了解，牠做事情都讓我們人類想不通，最後卻都會成功。主人在龍族當中，雖然被歸類為初級思維學者，但是在真實的內涵來說，是有超過特級思維學者能力的。」

眾人於是在山洞外，開始架設龍族發射塔，在洞口搭了強化塑料作的透明房屋，準備安營紮寨，展開竊取神器的計畫。

第三幕　我在星辰大海

進入了夜晚，氣溫稍微降低了些，依然有些微的海浪，天空中出現兩顆衛星，各據天空的一邊。李韻怡架設好發射器後，對洞內透明屋的眾人大喊說：「快出來看！好漂亮的景色啊！」袁毓真、蔣婕妤、賀嘉珍、克莉絲蒂娜不約而同都走了出來。海平面出現了整個銀河盤面的星景，旁邊點綴其他的星辰，幫襯著這個大銀河盤面，旋臂張開，網羅了大半天際，多了海洋、山川與兩顆衛星的陪襯，比先前眾人在卡哩嗚嗚宇宙戰艦上看的銀河星景，還要更加動人心弦。

袁毓真急忙道：「誰有帶相機來啊？快拍下來！」蔣婕妤冷笑了一下說：「當賤畜一年多，東西都被沒收，哪來的相機啊？」

克莉絲蒂娜指著自己的大腦，笑著說：「毓真大哥忘記我了嗎？我這電腦核心記憶體容量，可以下載五十年的連續影像，假設你喜歡，這畫面我可以增加解析度記憶。」袁毓真摟住她的腰，笑著說：「那幫我們四個來一張全景照片！影片也要記載，不可以刪除。」

拍攝完之後，便在這異星的海灘上，開心地玩了起來。

袁毓真看著銀河大盤面，問賀嘉珍：「我們的家鄉地球在哪裡？」賀嘉珍搖頭說：「據說是在銀河系直徑三分之一的光盤內，旋臂的某一處。具體位置

不清楚。」克莉絲蒂娜調出記憶體資料，當初推測九九星球相對位置，估算了一下，指著靠近山一邊的旋臂，開口道：「經過我的計算，是靠近遠處山峰的那個旋臂空隙！但是在直徑約十萬光年的銀河系中，只要差一光年就是其他恆星系統了，你看到的可能就是背後的星光。」

賀嘉珍道：「銀河系才只是宇宙的一小處，但對我們來說已經是非常地浩瀚，我們這些物種，真的很微不足道。」蔣婕妤附和說：「是啊，造物主真的偉大，人類如此微小還要相互爭鬥，真的很可悲。這也是古往今來，所有哲學家與天文學家的感觸。」袁毓真傻笑著搖頭說：「我看了這無窮的宇宙，感觸卻不是這樣。」賀嘉珍感到訝異問：「那你的感觸是什麼？」答道：「我反而認為造物主很可悲也很可鄙，而不是人類。」

此語一出，不只賀嘉珍與蔣婕妤，這兩個常用大腦的女生，感到訝異與不解，連李韻怡也頗感突兀。賀嘉珍微笑著問：「我到想聽聽你為何有這種想法？」

袁毓真嚴肅起神情，答道：「造物主在次易原理當中簡稱為原母，在道德經中簡稱為太上。祂既然宰制一切，備『無』與『無窮』之具，為何要生成我們這些充滿缺陷的物種？既然有高遠深邃的法則，為何又要形成那麼多無知的生命？一切的事態可以單一和諧，為何又要建立複雜的相對感知？難道祂沒有建立單一和諧的能力嗎？若是沒能力那代表造物主，自陷無極，而不是皆能，則可悲！若不是不能，而是不在乎我們，代表祂無情，生育我們又凌虐我們，則可鄙！我對祂是充滿著厭惡的。」

蔣婕妤皺眉頭說：「你太憤世啦！這種情緒不好！」賀嘉珍反而搖搖頭說：「不然，我反認爲毓真的想法很好，我們同樣都是微小而無知。宇宙的造物主，或稱原母，或稱太上，既然不會在乎我們的讚美，自然也不會在乎我們的詆毀。不怕我們真實去理解，自然也不怕我們誤解。」

袁毓真說：「嘉珍大姐還是比較有智慧，能體會我的意境。道無窮，智平庸，譽受則，毀也受則。法無情，意闌珊，青是眼，白也是眼。我既然飄盪在星辰大海，那麼我的思想，就該跳脫過去所有人的窠臼。」李韻怡的臉，主動靠在他的肩膀上，看著銀河說：「之前只以爲你聰明有智能，現在才知你還有智慧哩！」蔣婕妤有些吃醋，斜眼說：「有智慧就有智慧，妳動作沒必要這麼誇張吧？」

眾人樂過之後，回去睡眠。雙星逐漸又升空，已經是九九星球的白天。蔣婕妤最早醒來，把龍族的網路訊息團，依邦邦的指令發射出去。

第四幕　誘餌

在海岸邊過了數小時，天空中突然出現六台花型兵器，在天空中盤旋，並開火把發射器摧毀，但這花型兵器，與地球上作戰的型態有些不同。眾人見了大驚失色，袁毓真大喊道：「不好！我們被發現了！快點收拾東西離開這！」賀嘉珍說：「整個星球表面都是龍族的地盤，我們往外跑躲不掉，現在只能往洞穴裡面躲！」

由克莉絲蒂娜打頭陣，帶著照明器，往這異星的深洞之中逃去。

岩洞之中都是灰色岩壁，也異常地悶熱潮濕，四人已經許久沒洗澡，坐在一處較爲乾燥處。袁毓真抱怨道：「沒想到邦邦這麼愚蠢，計畫這麼粗糙！現在已經被發現，別說偷十大神器根本不可能，連我們都無法離開這星球了！」賀嘉珍沒有搭腔，只感覺邦邦不可能這麼愚笨，可能有這一行人不知道的隱性計畫，不然爲何不把夢彤也派過來？

同一時間，九九星球南方大陸上空。

邦邦親自駕駛天帝，駕駛座底下架設平板，跪著廖香宜與談玉琰。

廖香宜知道邦邦有複合性的計劃，十分擔心袁毓真與李韻怡的安危，違禁問：「主人，我們的行動，袁毓真他們知道嗎？他們還能回來嗎？」邦邦並沒有制止她，透過翻譯器說：「沒有意外的話，這次不會有任何損傷！等一會兒妳們認真執行我的命令就是！不要東問西問的！」廖香宜磕頭遵命。

原來邦邦早已猜中神器的停放位置，真正要派去偷竊的人，是廖香宜與談玉琰，袁毓真等人降落在九九星球首府附近，只是用來引誘其他的龍族。而北方大陸灣海面上則出現卡哩嗚嗚，姜麗媛、黃敏慧、歐陽玉珍、何佩芸、蔣媛妤、史塔莉與夢彤。在指揮室釋放了所有的龍族自動兵器，已經與龍族的行星防衛部隊交戰。

九九星球首府，審判庭。

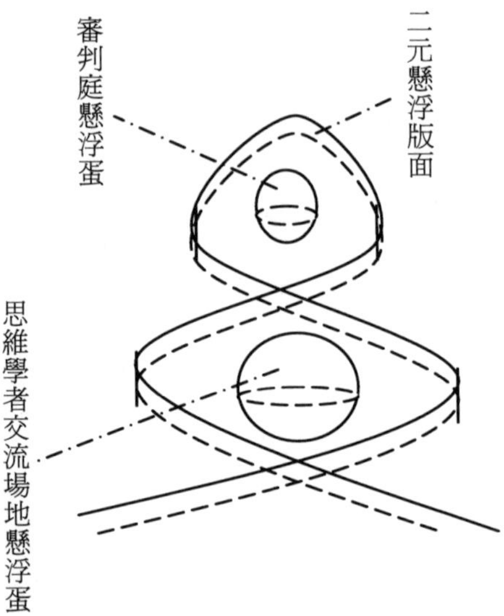

紓紓、凸凸、嘁嘁、泚泚、誏誏。審判庭五條龍，以整併意見的方式，正在與領導者姿嘎對話。五條龍說：「三塊大陸，同時出現叛龍邦邦及其賤畜。目前我們推測，邦邦的計畫是兩路並進，自己去偷神器，而讓手下的人類來首府竊取時間路線的器材。」姿嘎回答道：「讓人類來偷器材只是虛晃，自己去偷神器是真。原因很簡單，這些時間路線的器材並不成熟，還需要改裝設計，卡哩嗚嗚竄入九九星球與防衛部隊交戰，等於自殺進攻。失去卡哩嗚嗚，邦邦又豈有資源去改造時間路線的器材？」五條龍問：「是否讓神器全部轉移位置？」姿嘎答道：「要全部轉移，必須讓邦邦毫無可趁之機，現在是徹底解決這叛龍最好的時機。」

忽然審判庭五條龍一陣大腦晃動，代表有突發訊息進來。姿嘎並不催促，五條龍整併意見之後說：「邦邦瘋啦！卡哩嗚嗚丟下一個生態封包，裡面是四四行星第三衛星的綜合生態孢芽！很快就會蔓延九九星球！」

姿嘎聽了嘎嘎大叫：「這條狂龍！這會害死所有龍族！立刻出動所有部隊，展開清除工作！所有神器全部封倉！」五條龍整併意見說：「巨變之下，虛假成真而真可虛假。邦邦極可能派人類，趁亂潛入首府竊取器材！」

姿嘎怒道：「人類沒這本事，顧好神器要緊！」

一時間，九九星球的所有龍族全部武裝起來，開始清除蔓延的怪異生態物，光砲、火燄、區間熱銑四射。雖然如此，對

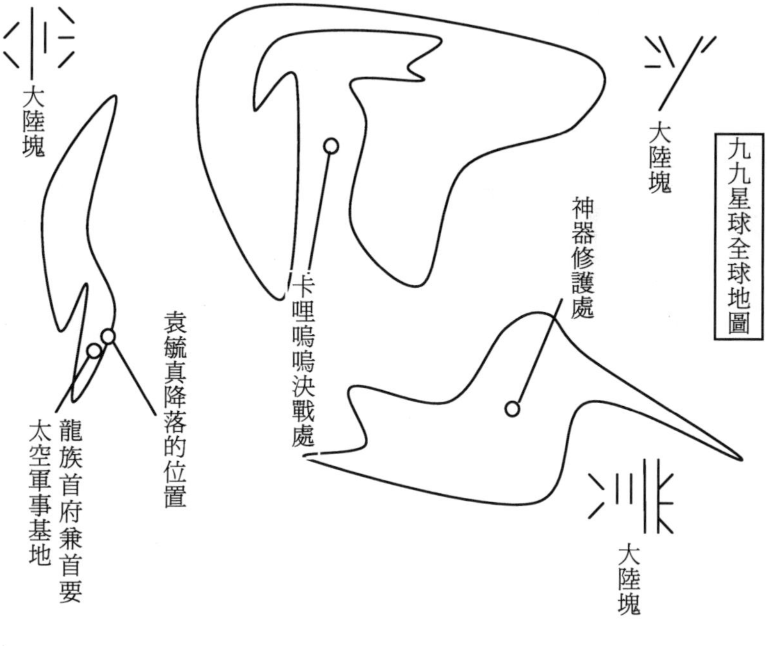

卡哩嗚嗚的進攻也仍然不鬆手。

卡哩嗚嗚潛入海中，與紅二號會合，將姜麗媛、黃敏慧、歐陽玉珍、何佩芸、蔣媛好、史塔莉與夢彤，還有一部份龍族兵器全部載出來。而卡哩嗚嗚與眾多自動兵器，又跳回空中死戰，最終被龍族大批的次級兵器摧毀。

另外一方面，雖然龍族的主力都調去對付蔓延的生態物，但是絲哩的溯哈達達主力部隊趕來防守，天后與圜洸兩面夾擊天帝。龍族思維能力強大，一邊操作複雜的戰鬥兵器，還可以一邊保持對話。

唲哩對邦邦通訊說：「你的卑劣手段已經失敗了！時間路線的重要神器，天后現在我正在駕駛著，你偷不到。而卡哩嗚嗚在三個『淋曲』時間之前，已經被摧毀掉。你放出來的生態污染物，現在行星防衛部隊正全面清除當中，不用兩個『交曲』時間內，全部都可以清除乾淨。時間路線已經不可能了，現在交出天帝，可以免除你的大罪，改讓你流放地球，與人類那些賤種生物去生活！符合你的興趣！」

邦邦發射天帝武器『神穿霆矛』，天后放出遮蔽罩抵擋，圜洸兩足詭砲，發射『縮體雷彈』，天帝快速閃躲開，背後的一座小山頓時大火。邦邦在交戰當中回答道：「笨蛋！還虧你們是特級思維學者，你們以爲我要的是天后與翩狼嗎？有了時間路線的技術儀器，我還會需要神器嗎？」

絲哩在溯哈達達的指揮室也連通通訊，開口道：「不過就是派四個賤畜，與一台賤畜製造的機器人，想要去首府儀器廳偷竊罷了。可惜你訓練賤畜不夠嚴格，都躲入兇殘的九九怪物洞穴裡，臨陣退縮而不敢走在龍族首府的街區中！那些賤畜，很快就會被九九星球本土的掠食生物吃掉了。一個零件你都偷不到！」邦邦發射『乍影雷光』，兩台神器同時躲避，邦邦道：「那你們來追我啊！」說罷天帝往太空方向遁逃，絲哩率隊追擊，並部署天麟與龜鬮在太空中攔截。

第五幕　陰兵偷樑

紅二號載著姜麗媛，潛入龍族九九星球中的海底基地，發現龍族大批的部隊都已經調出去，清理深海的生態污染。龍族的深海燈光群全部開展，一時間海底探照得十分明亮。

這是邦邦臨時給的計畫，眾女孩都十分緊張，姜麗媛不禁對其他女孩說：「主人的這消息準確嗎？計畫會成功嗎？」黃敏慧搖搖頭說：「龍族的思維那麼奇怪，現在是龍族打龍族，行不行得通，誰知道？只是主人這種計畫非常亡命就是了。」

紅二號玻璃窗外皮，在闖入大氣層時遭遇高溫，已經有焦毀層。不過還勉強可以看到光亮的海底，遠處停泊了一艘超級戰艦，這是與『溯哈達達』同等級的戰艦『絲嚕噹噹』。原來邦邦早已經探測出，神器與眾多龍族高科技器材藏在這艘戰艦中，所有神器駕駛者與戰艦成員，都出動去消滅生態怪物。

但是戰艦有自動防衛體系，紅二號不斷釋放龍族的密碼，遂順利潛入這艘超級戰艦之中。由夢彤與邦邦製造的龍族自動兵器帶隊，眾女子攜帶武器，沿著戰艦內的結構圖，衝往這艘戰艦的指揮塔。在指揮塔外，突然發現一名留守的龍族個體，以及眾多的三角立身勤務機與蛇形兵器。這龍族非常吃驚，竟然會有人類突然闖入這裡。不過畢竟是智能超過人類許多的生物，馬上就想通這是怎麼一回事，馬上組織進攻。

夢彤與邦邦的龍族兵器火力全開迎戰，其餘女子躲在轉角掩護，戰艦內火力並不強，一下龍族的防衛力量就被消滅。那名龍族趕緊躲入指揮室，把戰艦遇襲的消息傳遞出去。

眾人與邦邦的龍族兵器衝進來，一台屬於邦邦的三角立身器，發射了麻痺電波，把那名龍族電昏。然後對何佩芸用人類的語言說：「賤畜十號，快點把邦邦主人給的戰艦核心管理思維器裝置上去！」何佩芸點頭道：「遵命。」

於是把三角錐體的管理器，迅速改裝上去，該三角立身器也迅速聯通結合，掃描整艘戰艦的狀況，整艘戰艦就被控制住了。

眾女子圍在這名昏倒的龍族周圍，牠的裝束不像邦邦這麼簡單，上半身的金綠色的服裝，纏繞打一個複雜的花結於胸口，下半身是金藍色的條狀纏束，大頭上纏著交叉的銀白色條帶。姜麗媛問：「這好像是一隻母龍，該怎麼處理？」三角立身勤務機說：「當然是交給邦邦主人來處理，人類沒有資格處理龍族的生命。」姜麗媛把槍扛上肩膀，皺眉說：「我有說要殺牠嗎？說不定牠跟邦邦發生感情，會變成我們的女主人。我是想問，這艘戰艦還有沒有其他龍族防衛力量？」勤務機答道：「思維管理器已經掃描整艘戰艦，這艘戰艦的所有龍族都被緊急派出去清理生態，所以只有這一點力量而已。不過龍族的大部隊都已經收到消息，很快就會分兵追殺過來，我們必須趕緊撤回太空與主人會合。」姜麗媛又問：「袁毓真他們怎麼辦？」勤務機答道：「這邦邦主人自有計畫，妳們不需要操心。」『絲嚕噹噹』快速地衝出大海往太空遁走。

九九星球首府，審判庭收到『絲嚕噹噹』被竊的訊息，裡面有三台神器，分別是翩狼、天象與礎曜，五條龍全都炸開鍋了，除了聯通龍族領導者外，還聯通了所有特級思維學者。此時追擊邦邦的大軍也收到消息，絲哩緊急下令撤退。邦邦基哩瓜拉大笑說：「知道我真實的目的了吧？你們百密一疏，萬萬沒想到我能知道神器藏在哪裡吧？我現在不只有了神器，還有超級戰艦，可以替代天后的功能！時間路線要開始啦！」

哾哩機基瓜瓜憤怒叫道：「絲哩總指揮，千萬別撤退！現在別管天帝是否會損壞了，我們就在這裡殺了邦邦，看牠怎麼囂張！這隻卑劣的賤龍，想害死所有龍族！」絲哩也被邦邦詭計所激怒，開口道：「全軍出擊！撤銷前面的活捉命令，立刻摧毀天帝！一切後果我負責！」

四台神器同時出擊，同時還出現十台次級兵器助戰。邦邦天帝受激烈的砲火攻擊，裡面跪著的廖香宜與談玉琰，也滾得東倒西歪。

邦邦心知不是對手，猛發『五彩光波』以掩護逃跑，並大喊：「妳們兩個賤畜，快點啓動變形開關！」兩女磕頭稱是，合力扭動一個綳緊的圓盤。原來邦邦在修理天帝時，改裝了變形迴路，天帝背後伸出強力引擎，快速衝出包圍圈，往新獲取的戰艦方向遁逃。絲哩與四台神器的駕駛者莫可奈何，皆忍著怒氣與審判庭及領導者，展開多方通訊。

圜洸的駕駛者枯嘟首先說：「我們堅決要求殺掉邦邦，這傢伙不但再次偷竊神器，還竟然把危險的級數膨脹生物體，丟到九九星球來，牠是全龍族的公敵！」絲哩也說：「我復議！一定要除掉這危險份子！」

姿嘎並沒有說話，而審判庭五條龍整併意見道：「我們理解你們的怒火，但是現在不是動怒的時候。危險的生態基因，現在正快速在九九星球亂竄，從海洋到天空到陸地，都出現了怪異的生物，破壞我們的生態改造成果，弄不好整個已經完成的空間路線會被摧毀掉，這才是目前要先穩住的局面。而現在全龍族的部隊，應付非常勉強，我們需要所有神器出動，實施『空間隨組』轉移技術，運用型態延伸法則，把所有異類生物消滅，天后、宗冰與天麟更是不可少的關鍵。等九九星球生態穩定下來，再徹底解決邦邦的問題。」

晛哩怒氣未消，開口道：「等生態問題解決，邦邦就已經奪取字陣器，轉移回地球架設時間路線去啦！況且牠若是再次四處拋危險生物，我們豈不是永遠都清理不完？邦邦才是最根本的問題！」

五條龍整併意見道：「我們已經派出次級兵器跟蹤上去，牠與竊取的戰艦正往太空逃竄，我們只要把毀滅武器對準行星外圍空域，關閉外太空進入九九星球大氣層的通道，這樣邦邦就回不到九九星球了。」

呢哩發怒機基瓜瓜怒道：「可上面是一艘超級戰艦還有三台神器！」

五條龍整併意見回答道：「戰艦與神器，我們都可以重新製造，但是九九星球至少在我們所知的宇宙空域中，是唯一適合我們龍族執行空間路線的環境，孰輕孰重我們不再強調。至於邦邦的問題，牠必然會趕回地球去架設宙陣系統，我們可以在地球設下埋伏消滅牠！」這條龍仍然有意見，姿嘎此時開口道：「宇陣器不能關閉，邦邦要逃回地球就讓牠去，我們還需要調派大批的轉置站兵力，來九九星球協助清理，所有龍聽從審判庭的安排！把攔劫點設在地球空域，不然把邦邦逼急了，還可能在九九星球繼續亂拋危險生物！」呢哩只好不作聲。

絲哩說：「本戰艦與本戰鬥部隊，自願前往地球與邦邦作戰！」姿嘎快速翻閉眼瞼表示同意。

袁毓真困在地下洞穴中能否脫困？龍族大軍在地球攔截邦邦的計畫，又是否成功？欲知後事如何，且待下象分解。

第三十三象　黑暗包圍脫險突出遭擒獲　絕命追擊人仗龍勢奪聲威

第一幕　土攻

正當邦邦混戰時，袁毓真等人已經在地下通道中迷路。

原本克莉絲蒂娜可以經由錄影過程，來重新探測位置，但竟然道路已經被封閉。袁毓真問：「羅根小姐！妳的中央處理器是不是出問題啦？原來的路都計算不出來嗎？」克莉絲蒂娜摸了一下擋住路中的岩土，分析後回答道：「這道土牆，是剛才我們躲進去的時候封閉的。」蔣婕妤驚駭道：「難道是龍族想封死我們嗎？」克莉絲蒂娜搖頭說：「上面有生物痕跡，看樣子不是龍族封閉的。」

袁毓真拍了一下克莉絲蒂娜的肩膀說：「不管是不是龍族封這道土牆的，我想這應該難不倒妳吧？」克莉絲蒂娜點頭說：「當然，我計算一下結構與坍塌機率，妳們全部後退。」

所有人遂往岩洞深處退後十幾步，克莉絲蒂娜啓動離子砲，把擋路的土牆轟掉，果然把原路找到。正當眾人想要繼續前進的時候，賀嘉珍舉高手提照明燈，回頭喊道：「等一下！怎麼少了一人？婕妤妹妹呢？」李韻怡與袁毓真也跟著四處張望，確實看不到蔣婕妤，必定是在轟土牆的時候失蹤的。後面有兩條路，趕緊大聲喊人，但是卻沒有回音。

袁毓真也慌了急道：「到底怎麼回事？蒂娜快回頭找啊！」克莉絲蒂娜回頭掃描，回答道：「左邊這條路，地面有拖曳與掙扎的痕跡，不是我們的腳印，往這邊去找！」袁毓真說：「難道這洞穴除了我們還有其他生物？」賀嘉珍說：「現在說這些來不及啦，我們快追過去看看！」

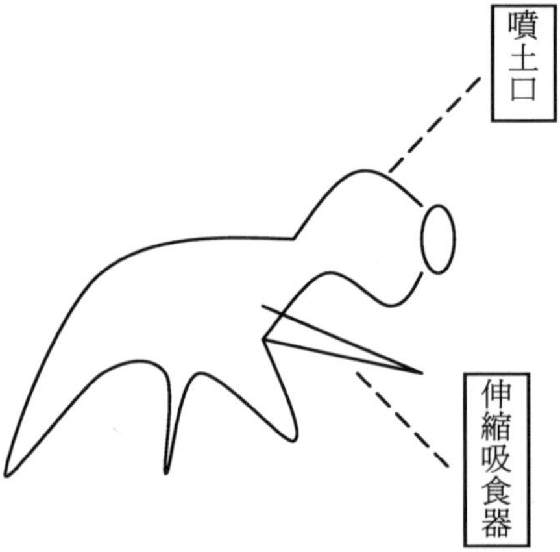

克莉絲蒂娜快速往前洞穴深處跑，其他三人也都荷槍實彈，隨之而奔。追到一條長通道時，前後都出現前所未見的生物，把眾人包圍。一條長管，一條短管，三隻腳快速奔竄。眾人一見便知這些生物與先前看到的不同，是來意不善的掠食者。克莉絲蒂娜往前發砲，眾人開槍往後射擊。而這怪物的長管口既是挖土用，也可從當中噴射土堆。打死的怪物，會發出尖銳的震波，從而引來更多怪物。一隻怪物噴射土堆把克莉絲蒂娜封住，然後好幾隻用尖管吸食器插入土中，意圖將之吸食，結果克莉絲蒂娜穿土而出，把怪物一隻隻撕得粉碎。

而李韻怡與賀嘉珍也被噴土埋住，袁毓真大喊救命，克莉絲蒂娜動力全開，返身迎戰，才把三人都從土堆中拉出來。怪物紛紛後撤。

袁毓真與賀嘉珍，除了全身沾土之外，沒有大礙，而李韻怡左肩被吸食器刺中，鮮血直流。袁毓真解下腰帶幫她綁緊傷口，所幸沒有大礙。袁毓真說：「蒂娜妳別管我們，快去救蔣婕妤。」克莉絲蒂娜點頭道：「是。」然後拿起燈光繼續向前奔去。

聽聞一陣離子砲轟，終於把蔣婕妤搶回來。但是三人一看，蔣婕妤渾身是血，怎樣呼喚都沒有反應。袁毓真摟緊她，大喊說：「不！妳快醒來啊！」

賀嘉珍說：「你冷靜一點，讓蒂娜看她怎麼回事！」克莉絲蒂娜掃描之後說：「頸部大動脈被刺破，失血過多，目前我們沒有足夠的醫療設備，必須趕快回戰艦上救援，那些生物似乎刺穿人體之後，發現這不是牠們要的食物，就把她拋棄在土堆中。不然我沒這麼容易把她救出來。」李韻怡忍著痛說：「我也被刺中時，怪物也是吸了一口就拔走，我猜我們的蛋白質結構不屬於這星球，這些生物的機體也與我們完全不同，無法當牠們的食物。」袁毓真瞪大眼睛說：「別說這些啦！快把婕妤妹妹帶出去急救！」

克莉絲蒂娜趕緊背起她往外奔，三人緊隨其後，因通訊器已經被毀，克莉絲蒂娜邊跑左手邊變制成通訊天線，希望聯絡上紅二號。

可是跑到洞外海灘之後，仍然沒有紅二號的消息。賀嘉珍發現蔣婕妤脈搏越來越弱，也無法止血，苦著臉說：「再聯絡不到紅二號，妹妹就會很危險啦！」袁毓真也心急如焚，突發靈感道：「假設還不來，我們就往龍族的城市跑，乞求其他龍族的幫忙！」李韻怡說：「你瘋啦！那些龍族可能會殺了我們！」袁毓真瞪大眼道：「事到如今，也只有賭一把！」李韻怡不服，反而跟袁毓真吵了起來。賀嘉珍大喊制止他們，喊道：「快點決定，不然就來不及啦！」

袁毓真轉面對克莉絲蒂娜說：「快點背她往龍族首府跑，我們跟在後面！」克莉絲蒂娜遂依令而行，袁毓真與賀嘉珍緊跟在後，李韻怡也好隨之前往。

第二幕　求助異類之敵

龍族的車道馬路是弧形且分層的，眾人很快就辨識出那是龍造物體。快速奔跑過去之後，在車道旁大喊求援。

往來的移動器上的龍族大爲吃驚，先前在龍族思維學者們爭議時間路線與空間路線時，讓所有龍族都已經知道，地球上有人類這個智能生物。但是九九星球竟然會出現人類，讓牠們頗爲驚訝。有些龍還以爲，這是邦邦投射的快速演化物之一。

一條道路上的龍族移動器停止下來，跳出很多龍族個體，當中不乏手持龍族武器者，快速包圍了上來。所有人同時下跪，磕頭乞求援助，但是龍族雖然看得出他們受傷了，卻聽不懂人類語言。袁毓真懂得龍族文字，快速在地上寫下一個點狀豎分的文字，意思是『救救我們』。龍族們一陣聒聒駭動，九九星球出現人類已經夠奇怪了，竟然還會書寫龍族文字。幾隻龍族把放在地上的蔣婕妤，抬上移動器後，就往龍族首府前進。其他人則被驅趕到另外一台移動器上面，一同載往首府去。

上了龍族的車，袁毓真心裡就踏實一半，龍族的座椅眾人不能坐，只好整齊跪在地上，如同對邦邦一般，李韻怡在耳旁說：「雖然救了蔣婕妤，但是妳可能永遠就見不到其他女孩了。這樣你也願意？」袁毓真愣了，萬一真的見不到其他女孩，或因此害死賀嘉珍、李韻怡或自己的生命，那麼這決定確實不划算。賀嘉珍說：「現在說這些也沒用了，只能看著辦吧！」

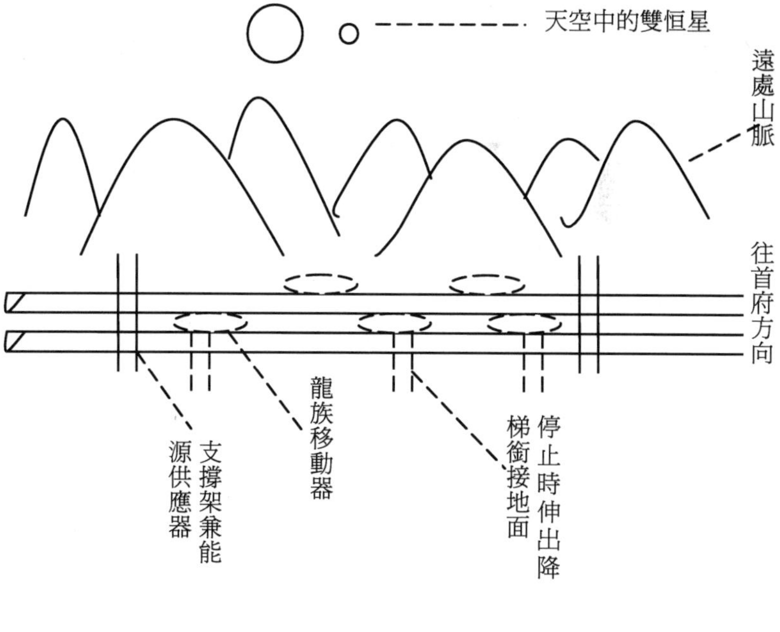

道路進入到一大堆半圓體建築群中，可見龍族的市區已經到了，兩台車被一巨大半圓體吸入，停靠在停車塔中。眾人不禁抬頭看真正的龍族城市，對此不禁暗暗稱奇。

幾隻龍族把蔣婕妤帶入一房間中，另外一些龍族拿起武器在周圍監控，包括克莉絲蒂娜在內，所有人都跪在建築物門口，匍伏磕頭，如同在卡哩嗚嗚指揮室見邦邦主人那般。周圍龍族先前都知道，在地球上發生過龍與人的戰爭，也造成龍族的一些傷亡，都認爲人類也是兇猛的的智能生物，而今見到如此馴化，更加感到奇特。不過後來都猜出，這是叛龍邦邦養的牲畜。

雖然器官結構有些不同，但龍族也是曾經在地球上演化過的脊索動物，有共同的演化結構基礎，人類這種傷勢難不倒龍族的醫療單位，果然很快就把蔣婕妤救活。不過隨即把五人都關押在一處圓體建築物中，吊在高大的大樓外。

賀嘉珍說：「這些龍族真厲害，看出克莉絲蒂娜很危險，把我們吊在高大的半空中，我們就會很安分了。」除

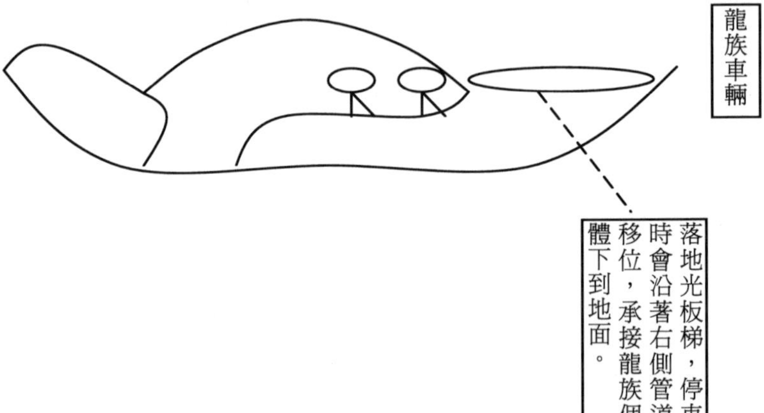
龍族車輛
落地光板梯，停車時會沿著右側管道移位，承接龍族個體下到地面。

了地面之外，四周都是透明體而可以看到外面的龍族城市景觀，袁毓真嘆口氣說：「罷了，至少我們救回了婕妤妹妹，誰叫邦邦沒空救我們？」蔣婕妤握緊袁毓真的手說：「真是謝謝你。」

李韻怡說：「我們不如繼續發訊號給主人。」袁毓真搖頭說：「不成，龍族比我們聰明得多，一定會攔截得到我們的求救訊息，妳想牠們會不會生氣？」李韻怡坐在地上說：「任務失敗了，難道我們就這樣被關下去嗎？」賀嘉珍微笑著說：「也許我們可以考慮更換主人，當空間路線的龍族的牲畜。」李韻怡搖頭說：「這怎麼可以？這樣我們就永遠在九九星球，見不到其他人了！」

第三幕　交　易

龍族首府，審判庭。

姿嘎通訊五條龍說：「既然已經抓了邦邦派來的人類，為何又不殺又不審訊？」五條龍整併意見說：「這些人類是被九九星球的掠食者攻擊，受了傷求助於我們的，基於救護弱小的規範，所以不能殺。在醫療救護當中，已經把受傷者的記憶訊息複製了一份，完全理解了邦邦在後續的計

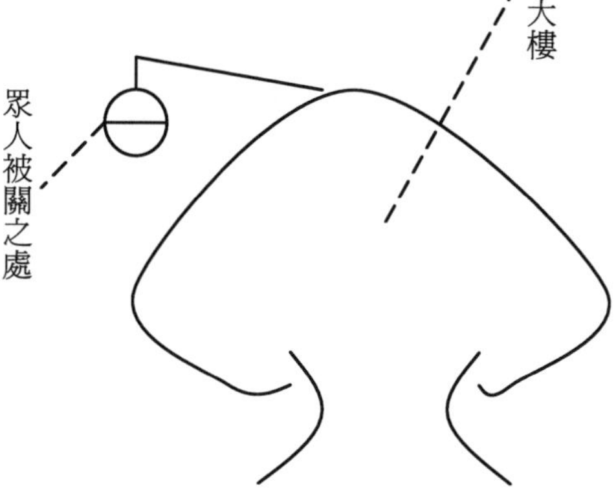

畫，所以也不必審訊。反而可以利用她們把邦邦引回來。」

姿嘎說：「邦邦詭計多端，思維結構曲變很多，那隻牲畜的記憶可靠嗎？」五條龍回答說：「經過比對現實過程與記憶中的計畫內容，有許多不盡相符之處，確實邦邦並沒有按照交代她們的計畫來做。不過讓我們驚訝的是，當中至少有兩個人懂得龍族文字，甚至有我們龍族的學術思維內容，這必然是邦邦教導的。人類能略懂我們的文化並不奇怪，關鍵在他們學習的學術內容，都偏重於時間與空間的相對互依體理論，代表邦邦必定需要利用人類，來執行後續的時間路線計畫，我們可以從這個地方來著手對付牠。」

姿嘎已經懂五條龍的意思了，快速翻閉眼睛說：「那麼就按照你們的意見來做，時間路線一定要徹底阻止，不然依照物種不分歧則同依的法則，我們空間路線，未來就必定受到法則的遺棄。」五條龍放棄了整併意見表達法，紓紓帶頭說：「我們還有最底限的想法，不知道該不該說出來。」姿嘎繼續快速翻閉眼瞼。

紓紓說：「依我們蒐集邦邦的思維方式，融合牠現有的資源，外加人類行爲的模式。私下模擬『時間路線』的過程來推算，就算邦邦完全突破我們的封鎖，開啓宙陣系統，展開時間路線。最後也必定會失敗！」

龍族學者交談全憑思維結構與證據，不受偏好的意識形態導向，姿嘎問：「這結論怎麼得來？」紓紓說：「我們都知道，空間是情境開放體，執行空間路線是單向的，時間是情境封閉體，執行時間路線必須是雙向的。也就是邦邦要穿越到未來，還得反著時間穿越到過去，整體的情境結構才會穩固，要在無窮的虛逝路徑當中，選正確的往返路徑，全體龍族都沒有把握。這也是當初除了邦邦之外，所有思維學者，都放棄時間路線的原因。而邦邦的思維結構曲變雖大，訓練的人類個體也很聰明，我們的推算是，牠極有可能順著時間結構穿越未來成功，而想要返回過去的正確虛逝路徑，是辦不到的。」

姿嘎說：「可是在我們龍族的理論中，若掌握到變易體的部份結構，回到過去，在理論上也是有可行的。」紓紓回答說：「我們的推算，邦邦能回到的過去情境，是空間情境的封閉狀態，而時間情境體開放狀態的過去，那是現有任何思維感官都觸碰不到的情境面。所以結果必然失敗，因為現有的龍族宙陣佈局，還是改造自宇陣系統，只有在核心部份反變塑造，才有相對極小的機會成功。這項發現，是我們最近推演時空結構才得出來的理論，還得多虧邦邦這一鬧，不然我們也不會推論出，真正時間路線行不通的原因！」

姿嘎說：「雖然丟失超級戰艦與三台神器，但是你們這一任審判庭得到新理論，下一任思維學者會議，必提議將你們升格為特級思維學者。不過在邦邦事件結束之前，這項新發現必須嚴格保密！另外，邦邦很聰明，也許牠有可能獨立想通這一點，所以仍然要在地球攔截牠！那些人類你們打算怎麼處理？」

五條龍整併意見說：「絲嚕噹噹上面有一名女性龍族被抓，是中級思維學者『咽咽』，思維能力不在我們之下，假設牠若是跟邦邦合作，那麼邦邦的成功機會就會提高。我們建議用手上這些人類，提議跟邦邦交換咽咽回來。」

姿嘎說：「咽咽比那些人類還聰明，更有利用價值，萬一邦邦不肯怎麼辦？」五條龍整併意見說：「外加一項牠非同意不可的條件，就是讓牠安全地使用宇陣器，回到地球上去。目前所有宇陣系統都有重兵把守，牠沒把握搶奪。而自己重新架設宇陣器，在我們干預之下牠沒有把握，所以我們推測牠會答應交換條件的。」姿嘎於是快速翻閉眼瞼。

絲嚕噹噹指揮室，比之前的卡哩嗚嗚指揮室精緻得多，整個戰艦體積也更大。被抓的母龍『咽咽』，左右各有兩台龍族兵器脅持著，被邦邦強逼對坐。不過倒彎的關節，不用椅子而坐地上，也頗舒適。姜麗媛等六人也都跪在旁邊，匍伏磕頭。兩條龍對話，沒有用翻譯器，眾人都聽不懂，不過懾於邦邦主人的威力，也都不敢動。

咽咽並沒有大罵邦邦，兩條龍之間只是理性地辯論。

咽咽說：「我承認你有特級思維學者的能力，不過我不可能加入你！原因我想不說，你也能知道。」

邦邦頗有不捨，然而經過苦勸而不得，知道這條母龍不可能降伏，『嗚嚕』嘆氣說：「難道沒有任何龍族，想要突破時間流程的窠臼嗎？甘願就被法則所困制？那龍族跟這些跪在地上的賤畜有何不同？」說罷看了姜麗媛等六人一眼。

咽咽的眼瞼只緩緩由下往上閉了一下，然後歪著頭說：「就讓這些賤畜陪你走時間路線吧，若是不想殺我，那就答應審判庭對你的提議，交換你的賤畜。」這是『堅決無奈』的表示，象徵再怎麼說都沒用了。註定邦邦要成爲無伴的孤龍。

於是命令姜麗媛與夢彤，乘坐紅二號用咽咽交換回袁毓真等人。

第四幕　神器駕駛員

總算把袁毓真等人交換回來，龍族領導者也依照承諾，公佈這項交易內容，讓『絲嚕噹噹』轉移到太陽系空域。

所有人都跪在指揮塔，聽候邦邦的指示。邦邦指示道：「現在戰艦正前往九九星球的衛星宇陣空域，十交曲之後，我們就要轉移回地球去了，你們這段時間不可睡眠，快速按照勤務機的指示，整頓戰艦內部！」

蔣婕妤知道十交曲約略就是兩天，才剛脫險就要繼續拚命，不禁問：「啓稟主人，會有需要這麼緊張嗎？」答道：「這是當然！牠們才不會那麼便宜我，現在是礙於龍族的道德信用，才容許我轉移回地球，但

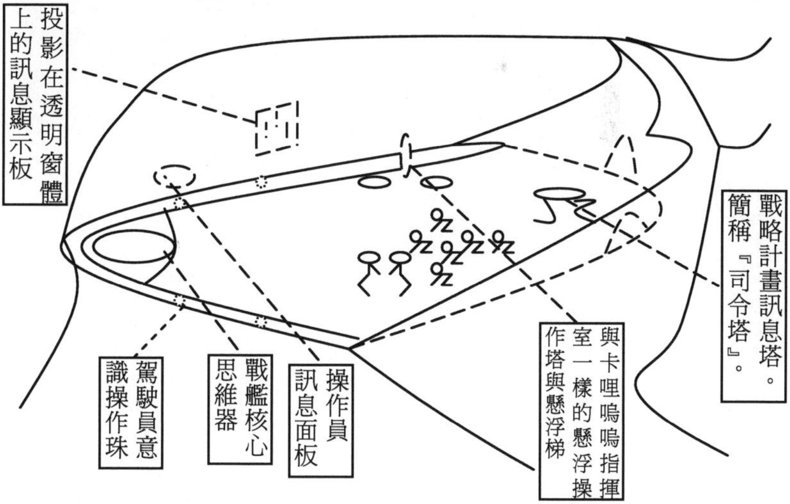

那邊必然在地球空域部署大量的部隊！難道妳不準備服從命令嗎？」蔣婕妤急忙抬起頭再磕下去說：「賤畜不敢，賤畜一定服從命令。」邦邦說：「賤畜一號、二號、十二號跟我來，其他人趕緊按照分配下去辦事！」眾人磕頭答是。

整艘戰艦在整理之前，邦邦不敢使用任何移動器，防止潛藏的硬體智能不受控制，所以只靠雙腿前進，袁毓真、蔣婕妤與賀嘉珍自然緊隨其後。『絲嚕噹噹』比被擊毀的『卡哩嗚嗚』大一倍，設備更加地齊全，且存放著大批的物資。艦內的設施更加地新奇，所有人都爲之一嘆。

三人隨邦邦來到一間廣闊的停機坪，赫然四架巨大的神器出現在眼前，其中一台是天帝，目前有眾多戰艦核心控制的勤務機，在其周圍維修，三人已經不陌生。另外三台型態截然不同的神器，讓三人眼睛爲之一亮。

邦邦突然問：「你們三人是不是絕對效忠於我？」三人聽了，馬上下跪磕頭，袁毓真帶頭說：「主人何有此問？我們當然是絕對效忠龍族主人您。」邦邦歪了頭說：「人類的思維結構不穩定，行爲模式，常常要反饋互濟於原始的神經結構，所以信用度很差！但是駕駛神器時，又不能在你們的身體上，加裝先前的馴服器，所以真是兩難。」此話已經表明，邦邦要三人駕駛另外三台神器，但又頗懷疑人類的忠誠度。

賀嘉珍問：「何不改造神器，讓勤務機的智能硬體，來操作神器？」邦邦答道：「妳懂什麼？不管是龍族製造的智能硬體，還是人類製造的人工智能，通通沒有精神結構！而神器是精神感應駕駛的，要戰力功效要達到標準，操作者就必須具備精神能力！」人類雖有精神感應的辭彙，卻不明白當中的結構，本來三人聽到精神感應，可以將就詞彙，用曚明知法而理解之。但是三人與龍族接觸甚久，都明白龍族的語言具有詳盡的結構深度，所以三人都抬頭表示不明白。

邦邦很快理解三人不懂之處，解釋說：「簡單解釋精神能力，就是思想到達『曲變』的能力！所有的智能結構有四大層次，奇變、曲變、易變、律變。律變，就是最初等級的計算能力，建立了反饋原始的結構，從而有自我的認知與自我學習的能力。律變結構越健全，判斷事物的能力就越強，普通的人類，與人類製造的人工智能，就停留在這個等級。易變，就是具有知識塑造能力，以及知識的創造的能力，行爲模式不是僅反饋於原始結構，而有親著於法則的思維力，一般的龍族個體與龍族最強的智能硬體，也只到這種層級，人類則少有到達這種層次。曲變，就是具備改變自我的能力，更能夠克服原始的因素限制，從情緒到思想慣性，到邏輯能力，都可以綜合維一而重新調整，龍族的思維學者，大多只能到這種等級。奇變，就是智能的運行，能突破時間與空間的結構限制，整體思維貼近於變易體的結構，這種等級，就算是龍族特級思維學者，也很少能夠達到！你們理解什麼是精神能力了吧？」

袁毓真小聲地回答道：「啓稟主人，我們只是低賤的人類，可能只到達易變的能力……甚至易變的結構都不完整……況且很久以前，紅二號就已經跟我們說過，人類的思維結構本身就不能跟龍族比，就算勉強到達曲變的能力，恐怕也不夠穩定。」

邦邦說：「這我知道！但是假若把人類的大腦潛力激化，至少可以短暫地到達曲變能力，還勉強可以駕駛神器。穩定度的方面，我會另外再想辦法，總之在跳往地球之前，你們先跟著勤務機，理解三台神器的性能與部件內容，後續的事情我會安排。得先安全地回地球，再思考宙陣系統……」

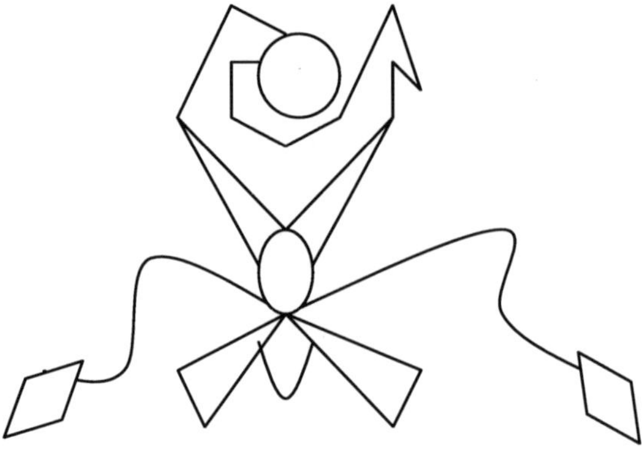

龍族十大神器之一：翮狼

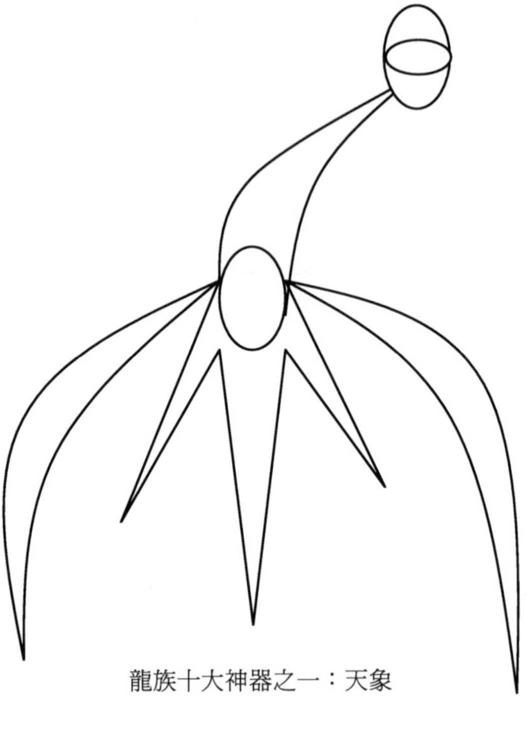

龍族十大神器之一：天象

第五幕　第一攔截波

袁毓真研究天象，賀嘉珍研究翢狼，蔣婕好研究礎曜。神器都非常巨大，至少有五層樓房這麼高大，裡面的部件自然是非常地複雜，但是邦邦指示不能睡覺，三人也只好跟著勤務機，苦苦研究，乃至於整艘戰艦的結構也要學習。而其他人則是組隊，在戰艦上面搜尋打理，並重新標記戰艦內的空間與資源分布圖。

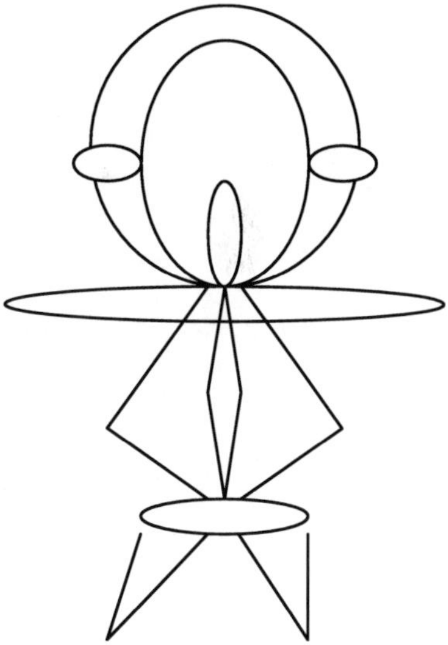

龍族十大神器之一：礎曜

啓易四年九月三十日，木星衛星外圍空域。

兩天來不眠不休地做事，眾人跪在指揮室時，除了克莉絲蒂娜與夢彤不需要睡眠之外，全都磕著頭打瞌睡。忽然聽到邦邦機機聒聒大叫，眾人才趕緊抬起頭。牠的翻譯器傳來聲音道：「我們已經回到太陽系空域！果然有大批伏兵！賤畜一號、二號、三號、十二號，就位駕駛員座位。四號、五號，登上懸浮指揮塔！」李韻怡與廖香宜登懸浮指揮塔，袁毓真、蔣婕好、談玉琰與賀嘉珍各自就戰艦駕駛座定位，位置已經改爲人類的座椅方式。這艘超級戰艦複雜的機體，立刻運轉了起來。

眾人從巨大的透明膠罩看到外頭，一大群的花型兵器、次級戰鬥兵器，飛竄在戰艦的周圍，攻勢比以往都還要猛烈許多。那些龍族已經不在乎神器的安危，不再克制火力，所有的攻擊都往死裏打。絲嚕噹噹只能啓動全艦的砲火抵禦，邦邦之所以能偷得這艘戰艦與神器，原因都在於這艘戰艦的龍族個體與攻擊部隊，全部去清除九九星球的生態污染，所以竊得之後內部也是空虛，雖有物資，但兩天的時間並不能製造什麼武器。

龍族攻勢兇猛，整艘戰艦為之震動，連強化的透明膠罩都遭到攻擊，所幸李韻怡與廖香宜快速調整自動修復系統，遞補了回去。邦邦死盯著懸浮光球所投影在透明窗體上的訊息顯示板，緊抓整艘戰艦的能量分布，忽然大喊說：「就是現在！啓動超引擎！」袁毓真等四人，在駕駛座握住意識操作珠，大腦瞬間出現橢圓的訊息面板，是用意識去控制的。於是聽從指示，啓動引擎，整艘龍族戰艦快速地往太陽的反方向衝。只見所有的兵器都被遠拋在後面，超級戰艦如同流星一般往外太空逃竄。

邦邦有些得意，緩緩地說：「早就知道會設伏兵，當我笨蛋嗎？等我繞到土星衛星去汲取資源，重新備戰之後再來對付你們！」忽然懸浮在半空中，盯著橢圓訊息儀的李韻怡與廖香宜，同時發聲道：「有一台同等級的戰艦，也用次高速在追我們。」兩女同聲的原因是，懸浮指揮塔，把兩女子的意識調整成同步。

邦邦看了投影訊息板，發現是絲哩的溯哈達達，正保持一定的高速緊追在後面。邦邦心知，戰艦內部的兵力對比懸殊，而且經過這次大鬧九九星球，對方的進攻已經不會對神器投鼠忌器，此時停下來迎戰等於自殺，於是在高速逃跑之中，告訴指揮塔，請求通訊。

兩高速移動的物體，訊息速度仍然保持光速。雖是邦邦主動要求通訊，但是絲哩卻開口先說話：「你已經逃不掉了！等核心能源耗盡，就準備受死，現在給你最後一次投降繳械的機會！」邦邦回答道：「可笑！事情都已經發展到這種地步，妳認爲我會投降嗎？枉費我以前還跟妳成爲伴龍。」

絲哩呱呱大怒道：「你沒有資格提以前的事，我伴龍這資格，在你背叛思維大會決議的時候，就已經喪失了！今天我是來執法的！」邦邦回答道：「執法？得看妳有沒有這實力！」

投射在強化的透明膠罩上的螢幕，突然又多了六個視窗，出現六個龍頭。除了哾哩、唬啦、泚嘞、枯嘟，還多了璇樞的駕駛者咕秧，與宗冰的駕駛者哦芊。

邦邦見了，瞪大眼咧著嘴，表示驚訝。

哦芊首先開口說：「沒想到我與咕秧都來了吧？就算你手上的四架神器都能夠立刻作戰，我們也有六架神器，外加編制完整的超級戰艦軍團與你對陣。你完全沒有勝算！」邦邦緩過神，回答道：「九九星球的生態災害都控制住了嗎？竟敢冒險把所有神器，與核心的特級思維學者都派過來？消滅我難道比保護九九星球重要？」

唬啦說：「可憐的邦邦，思維越來越像低能的人類了。審判庭已經做出決議，要重新製造神器，也獲得了大多數龍族認同，等級將會超越現有的十台神器。這就是我們現在已經不在乎消滅你的的原因，至於你用的卑鄙手段，九九星球的防衛隊，已經抓準事態發展的第一曲度處理，構不成任何威脅。」邦邦聽了怒火中燒，對方竟然把自己比喻成人類，這如同人類用其他低等動物汙辱自己同類一樣，嘰嘰呱呱怒吼道：「我叫做『咖璣』！」把邦邦改為咖璣，意思就是升格為特級思維學者，但是沒有得到思維大會的認同。

七條龍同時呱呱大笑，甚至有甩頭的動作。七條龍發射整併意見說：「你真的已經降格成人類的思維。自己升格獲得滿足就好。這種『咖璣』實在難以讓龍族們叫出口。假設這場追擊你沒死，就去地球跟人類為伍吧。人類會給你當『超級思維學者』。」邦邦已經氣得難以回答。不只站在懸浮指揮塔的李韻怡與廖香宜，在操作台的袁毓真等人，意識也連通整艘戰艦的各系統，通過翻譯完全聽出兩方龍族的對話。

袁毓真竟然通過發聲器，幫助邦邦開口反擊說：「像人類又如何？地球的龍族戰爭時，我在琉球指揮作戰，打下一台中等的龍族宇宙戰艦。在首都新河洛之戰，我指揮機器人打掉一台怪頭飛艦，消滅龍族自動兵器無數。更別說青島區之戰，把龍族宇陣系統摧毀，逼得你們出動天后來迎擊。甚至在新河湖之戰，打勝仗的人類楊恒萱，四象迴返法則的戰術方式，還是請教我的！你認為人類就無法打敗龍族嗎？死在我手上的龍族個體可不在少數！要來開戰就來戰啊！」語出激動，咬牙切齒。

包括邦邦在內的所有龍族都大感吃驚。雖然知道袁毓真根本就是剪接光彩的一面來說，實際上人類是吃大敗仗，被龍族打得幾乎絕種，但是他所『剪接』的片段卻也都是事實。

絲哩帶頭整併其他六條龍說：「衝著你這隻邦邦養的賤畜所言，而且神器都已經齊聚於太陽系，等解決你們之後，我們會回頭再去攻打地球的人類，讓殘存的人類更快滅絕。」

袁毓真聽了，才知道自己說錯話，全身冒起雞皮疙瘩。不過這如同人類之間吵架，養的走狗幫忙狂吠，人仗狗勢狗仗人勢；而今龍仗人勢人仗龍勢，讓本來已經思維辭窮的邦邦，挽回了一些意識型態的顏面，於是邦邦開口道：「不跟你們多說了，時間路線是肯定會執行的，就以現實來見真章！」於是指示李韻怡與廖香宜關閉了通訊。

這場攔截與追擊，邦邦與眾人是否能逃脫？時間路線又是否為行不通的死路？欲知後事如何，且待下象分解。

第三十四象　亡命狂奔死地後生蓄戰力
匯聚智能巧奪天工助神器

第一幕　衝入土星

木星軌道到土星軌道距離，光速也走三十八分鐘，而現在木星與土星運轉距離更遠，計算光速距離也要人類時間兩小時。兩艘超級戰艦高速追逐，從木星一路追到土星，又花了地球時間一天半，追擊者仍然不肯放棄。眾人與邦邦輪流吃飯便溺，不能好好睡眠而緊盯螢幕。

眾人身心俱疲，已經支撐不住了，一顆巨大的土星出現在眼前。此時戰艦的能源也極需要補充，無法再長時間高速飛行，且所有人都已經疲憊而無法調整複雜的戰艦機能。

邦邦被逼急了，所幸一不做而不休，大喊道：「操作塔，安全裝置！我們衝入土星！」

懸浮在半空中的李韻怡與廖香宜，下達指令之後，坐在懸浮板上，光板變形成卵狀將之包裹懸浮，僅留頂上的透氣口，而防止她們摔落。

絲嚕噹噹如流星一般衝入土星，戰艦核心思維器回報：「防備重力波與行星氣流！戰艦結構體進入一級危機！」戰艦內所有人東倒西歪，卵形的懸浮板也吊下來，李韻怡與廖香宜兩人也在地上翻滾。重力波一陣接一陣，快把戰艦與艦內的眾人撕裂開來。連邦邦也隨著眾人在艦內打滾，全部堆擠在指揮室前方，透明膠罩也扭曲變形。

追在後面的絲哩，見到『絲嚕噹噹』衝入土星，大感吃驚。緊急緩速，而進入繞行軌道。所有龍族在溯哈達達指揮室內，也全部瞪大眼吃驚這一幕。枯嘟說：「邦邦的行為如同把人類逼急一樣，龍族怎麼會出現這種瘋子？記載當中龍族已經一百代沒有這種案例了！」過了些微時刻，絲哩醒神說：「我認識邦邦久矣，牠的思維運轉曲變結構極為詭異，並不輸給最強的特級思維學者。只是缺陷在於有返始現象，無法升等為中級或特級思維學者，難怪跟人類這麼合契。」

呢哩說：「不說這些了，絲嚕噹噹雖然也是超級戰艦，但是不見得能承受這顆巨大氣體行星的重力波與氣流。或許現在的邦邦，已經與神器及那些人類，一起死在這顆行星之中。」絲哩說：「恐未必然，除非親眼見到邦邦死亡，不然這條龍總是非常地頑強。況且超級戰艦的設計，有考慮到極限環境的航行，我們不能就此放鬆。」

泚嘞問：「難道妳想跟著牠冒險衝入這顆星球？可別弄到最後，十台神器都葬送在這裡！」絲哩答道：「當然不是！我準備在這顆星球的軌道，部署自動訊息器，並且與火星的宇陣基地連線。然後主力放置在月球與火星附近，建立第二攔截波。邦邦死就罷了，若是衝出來，也絕不給牠接近地球。」於是溯哈達達依計佈置之後，往內太陽系撤走。

絲嚕噹噹重力調整系統，好不容易穩定下來，土星氫氣流的強烈擾動，仍然讓戰艦不時地顫動。邦邦推開堆擠的眾人，抓住袁毓真的肩膀衣領說：「先前對其他龍族通話的時候，你是不是認爲戰爭中殺龍族很自豪？」袁毓真死命搖頭說：「不是的，賤畜只是想幫忙。」

賀嘉珍趕緊幫腔說：「兩軍交戰各爲其主，龍族殺的人類豈不是更多？當時我們都還沒成爲您的賤畜，保護自己物種的延續而殺敵，這也是很正常的事情。如今我們都不會再有貳心，絕對會服從主人命令。」邦邦放開衣領，然後快速翻閉眼瞼說：「知道了，以後都不准提以前的事情。你們永遠都是我的賤畜，只能一心一意服從我的命令，到這艘戰艦

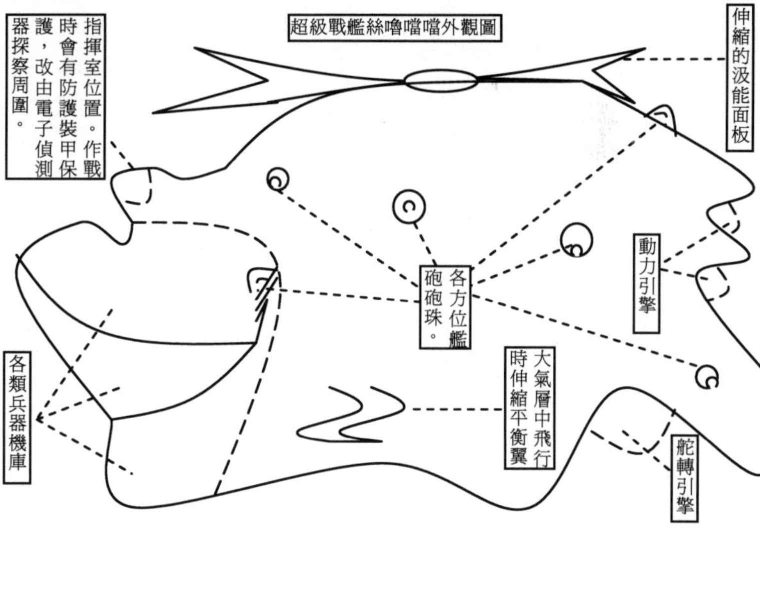

超級戰艦絲嚕噹噹外觀圖

新佈置的養畜籠去休息吧。」眾人累了三天多沒有睡好，聽了此語如獲天恩。蔣婕好本想開口問戰艦何時脫離土星這惡劣環境，但恐觸到邦邦的神經，遂閉口不言。

第二幕 暗域

人類時間，啓易四年十月五日。

絲嚕噹噹的『養畜籠』也不寬敞，克莉絲蒂娜與夢彤不需要睡眠，被派去協助修理戰艦，其他十二人一進養畜籠就橫七豎八昏睡。

醒來吃喝完畢，眾人相互看對方，都是一副亂草狼狽模樣，相互都笑了出來。蔣媛好卻哭了出來說：「我不想當賤畜，想要安定的生活，想要回地球。」史塔莉輕輕拍了她的肩膀說：「生活就一連串忍耐，得堅強啊！相信毓真大哥會照顧我們的。」然後斜眼看著他問：「對吧？」

袁毓真與其他女子一樣都長髮及背，散亂而無梳理，對史塔莉笑著說：「當然是會照顧，不過妳別叫我大哥，你可大我兩百多歲也。」史塔莉搖頭說：「我才十九歲！加上甦醒後的年齡也才二十歲！別老拿我在南極被冰凍的歲月做文章！」談玉琰拍了袁毓真肩膀說：「好啦，別老提威爾森小姐的年齡。假設主人的時間路線成功，我們不就每個人都加幾百萬歲嗎？」

勤務機忽然從門外打開養畜籠，帶來一批人類的服裝，並傳達邦邦的指示。袁毓真開心地說：「好啦，我們一起去洗澡吧！」在長期的馴化訓練中，都是共同生活，眾女子早已不怕對他裸體相見，對他謹守分寸的行爲也都很信任，反而感覺他說這句話很自然。都喊著：「好也。」

洗澡過後，所有人都穿上了改版漢服，這是邦邦令戰艦勤物機製造的，但苦悶難過的牲畜生活，這就足以讓眾人都欣喜異常。包括機器人在內，都被招喚到指揮室。透過膠罩可以看見外頭電光亂閃，氣流混亂，艦體仍然不時傳來抖動，乃至有重力系統的變化，可見戰艦還在土星當中。雖然是龍族最先進的戰艦，但在巨大氣體行星的亂流中，仍然如汪洋中的小船。

眾人都匍伏於地，邦邦拿出從紅二號內取下的小盒子，放在袁毓真面前，正是老頭子的遺物。邦邦說：「你要感謝賤畜七號，在卡哩嗚嗚被擊沉之前，把這東西帶上紅二號的。這東西準備要使用了。」袁毓真貼著地面，轉臉看了一下伏在左邊的姜麗媛，她也轉面看過來，與之四目相對了一會兒，袁毓真內心充滿感激。然後問：「要怎麼使用呢？」

邦邦說：「思維辨析組與器材應用組，今天開始住在『卡啦間』輕武器工廠內，運用一部分資源生產人類的兵器。快速反應組，配合這些武器的性能去組織部隊。預計衝出土星之後，休養半年整備部隊，組織好龍族與人類的聯合軍團，就殺回地球去，建立宙陣系統。」

蔣媛妤問：「龍族難道不能放過我們，各走各路不就好了？」邦邦說：「妳記性真差，在法則同一的運行下。物體才會有『一個』完整的具體存在，龍族在沒有演化分歧時，，時間路線的成功，就代表空間路線的路，必然被法則給封死。所以整體龍族一定會全力阻擋我的計畫。」袁毓真問：「那是不是代表我們成功，其他的龍族就會滅亡？」邦邦答道：「不知道，也許是我們滅亡，而他們成功，也許兩者皆亡。這超過我的思維判別之外。」

賀嘉珍頗為驚訝，難道邦邦因為自己的意志，就不顧整體同類的生存？開口說：「老實跟主人報告，我沒有受過馴化訓練，內心仍然仇恨龍族，因為龍族在地球屠殺人類。但是要害死整個龍族物種，對於我們想要穿越時間，塑造靈魂的生命來說，是一種極大的精神玷污。倘若時間路線會害死龍族，賤畜希望主人三思。賤畜願意永遠待在主人身邊伺候，流浪宇宙，但不願意參與，消滅一個物種的劣行。」

邦邦頗為驚訝，緩緩拉起賀嘉珍，竟然舔了她的臉頰與嘴唇，表示一種複雜的贊同與親密之感。賀嘉珍忍著龍族怪物的舌頭，全身抖了一下。

邦邦答道：「一個生物個體死亡，對於團體來說是悲劇。團體的滅亡，對整體族群來說只是鬧劇。眾多個體的死亡，對物種來說只是數字形式與型態分佈。整體物種的滅亡，對宇宙來說則微不足道。越高層級的死亡，就要用越宏遠的時義來評鑑，我走時間路線而其他所有龍族走空間路線，則我與所有龍族，相互之間對宇宙法則來說，就是等價的。這一層思想妳還沒有體會到。不過妳剛才所言，確實已經有高尚的精神情操，對於時間路線會造成全體龍族有什麼具體影響，我將繼續推算，若真的會造成龍族滅亡，那麼我們就在銀河系流浪吧。這段時間妳就住在指揮室，協助我領導所有賤畜。」賀嘉珍點頭遵命。

戰艦結構已經無法支撐太久，邦邦料定追兵即使撤退，也必有監控儀器在土星周圍，於是指揮戰艦衝出土星的氣層，越過土星環，往天王星軌道飛去。距離太陽越來越遠，除了遠方星光之外，就是一片暗域，戰艦的汲能面板伸張至最大，搜集微弱的光能。

第三幕 十大名曲

十月九日，土星與天王星之間的某空域，絲嚕噹噹戰艦『卡啦間』輕武器工廠。

雖然有最先進的龍族工廠與勤務機，但設計一支人類形式的軍團，也十分不容易。袁毓真此時才感受到，老頭子的創造力比自己高很多。克莉絲蒂娜與夢彤也協助眾人工作，傳送記憶體內，老頭子當初創造的過程，為其參考資料。袁毓真想到邦邦先前說的，智能從『律變』到『易變』到『曲變』到『奇變』的過程。創造人類形式的機械軍團工作，必然是邦邦要袁毓真等人，加強『易變』的一個訓練項目。

賀嘉珍工作完畢，設地舖躺在空曠的指揮室地板，看著滿天的星辰，漸漸入睡。竟然夢見自己是龍族而成為邦邦的伴龍，並且生了一顆蛋。因此突然驚醒，苦笑了一下說：「都快搞不清楚自己是龍還是人，這比莊周夢蝶還傳奇了。」沒想到邦邦從後面說話：「這種夢還是別作，讓我感覺很噁心，實在難以想像人類會想要當我的伴侶，你們人類根本就不是下蛋的生物吧？」原來指揮室後方的感應小燈珠，在人睡眠時投射在大腦，可以感應人的夢境。賀嘉珍見了趕緊匍伏道歉說：「主人恕罪。」邦邦『嗚嚕』了一聲，然後說：「無所謂了，代替我去檢查其他賤畜的工作進度。」賀嘉珍磕頭遵命。

戰艦雖大，賀嘉珍仍然依照戰艦內的嚮導儀，走路到『卡啦間』輕武器工廠，看到所有人都還正在工作。而袁毓真的座位後面掛著一張組織圖，桌上也擺著一大疊手繪的設計圖稿，蔣婕妤則在旁與之討論規劃，其他人也都有手邊工作。

賀嘉珍上前看了看，問了這怪異的組織圖是怎麼一回事。

袁毓真笑著說：「嘉珍小姐果然有眼光，可別小看這張圖，裡面可是有學問的。首先，我用我祖父給的『清級』人工智能，灌入夢彤與克莉絲蒂娜的戰鬥經驗，與我祖父的規劃程式。啓動十個中央處理器，分別以古典的十大名曲取名。」

賀嘉珍問：「等等，不是有十二個處理器嗎？」袁毓真搖頭說：「啓動智能運轉，與個性塑造，需要高電流量，製造過程中燒壞兩個，所以改為十大名曲。」賀嘉珍笑了一下，又問：「怎麼不像夢彤這樣取人名，而要用名曲的名字？」蔣婕妤半瞇眼說：「因為除了『漢宮秋月』與『胡笳十八拍』是女人的人形，其他八個機器人都不是人類的外型！」這麼一說，賀嘉珍就已經聽懂什麼意思，笑著說：「呵呵，你那麼介意上次我的提議，怕女孩們愛上機器人喔。」談玉琰也插話說：「不就是這樣？我們的毓真大哥，死命堅持一夫多妻了。」

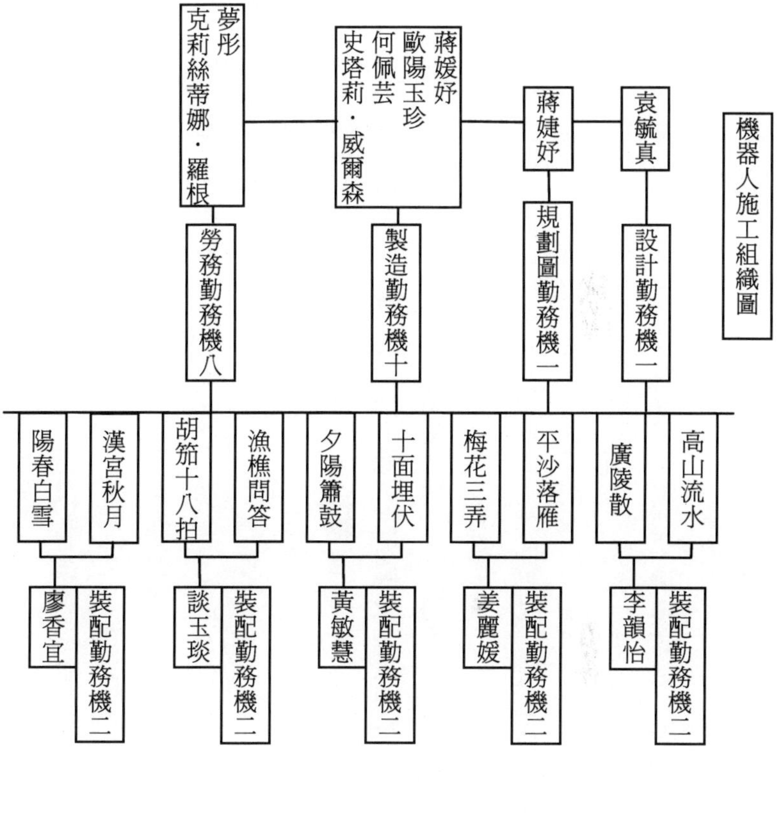
機器人施工組織圖
袁毓真
蔣婕妤
蔣媛妤
歐陽玉珍
何佩芸
史塔莉．威爾森
夢彤
克莉絲蒂娜．羅根
設計勤務機一
規劃圖勤務機一
製造勤務機十
勞務勤務機八
高山流水
廣陵散
平沙落雁
梅花三弄
十面埋伏
夕陽簫鼓
漁樵問答
胡笳十八拍
漢宮秋月
陽春白雪
裝配勤務機二
李韻怡
裝配勤務機二
姜麗媛
裝配勤務機二
黃敏慧
裝配勤務機二
談玉琰
裝配勤務機二
廖香宜

賀嘉珍拍了袁毓真的肩膀說：「只可惜他只敢心裡想，不然這些日子下來跟這麼多女生相處，有這麼多機會，卻一個都不敢碰。」袁毓真皺眉頭說：「誰說我不敢的？要不要今天晚上就動給妳們看？」李韻怡笑著說：「好啊，你想動誰？」袁毓真說：「依照年齡大小來，先從賀嘉珍開始，最後是蔣媛妤。」蔣婕妤怒目說：「你敢碰我妹妹，小心我宰了你！」眾女子發出一陣笑聲。歐陽玉珍笑著說：「婕妤姐姐的意思是，她的身體你可以盡量碰，別碰她妹妹就行了。」蔣婕妤皺眉說：「胡扯！」

賀嘉珍雙手拍了兩下說：「好了！全部安靜！」眾女子遂都安靜下來。然後轉面微笑且露出冷冰冰的眼神，用冷漠的語氣對袁毓真說：「我說過，只要你需要，我隨時寬衣解帶，但把我當妓女就可以了，可別對我有感情。」袁毓真當場傻笑說不出話。賀嘉珍於是把桌上的設計圖，一一拿出來看，再回頭指著組織圖接著問：「這組織圖還有什麼學問？接著說。」

袁毓真說：「名單指揮勤務機的數量，設計、規劃、製造、勞務相信妳能看得懂，就是分工專一，而可同時處理十台機型不同的機器人。然而把裝配勤務機交給快速反應組，每一個人都要參予兩台機器人的結構裝配過程，勤務機只是幫她們裝配，無法手動的零件。之後就是一個人，編制自己裝配的兩台機器保鏢。如此則快速反應組在製造的過程，就對所屬的機器人瞭若指掌，並有空閒時就用電腦模擬演練戰鬥。這樣的話，製造過程與訓練過程，等於就合而爲一。」賀嘉珍點頭說：「這樣是很好，但是機器人只聽自己裝配者的命令嗎？」袁毓真搔頭苦笑說：「當然不是，邦邦主人管控沒這麼鬆散。所有機器人，核心接受命令有高低順位的。依次是邦邦主人、嘉珍姐、我、婕妤妹然後才是各自的裝配者。至於其他人，則視當時的情況計算而定，就像夢彤與克莉絲蒂娜對妳們的配合一樣。所以邦邦主人的命令若跟我們有衝突，他們就跟夢彤與蒂娜不一樣，會選擇聽從邦邦主人的。」

賀嘉珍繼續看了十張設計圖，不過還在草圖階段，還沒有全部規劃成零件生產圖，又問：「沒想到你對古典名曲還頗熟析，機器人的型態都跟曲調的意境，或跟曲調的起緣有關係。」

袁毓真看著蔣婕妤說：「太厲害了，這也被嘉珍姐看穿。」蔣婕妤答道：「當然啦！這怎麼能瞞得過我們的『二主人』？反正大家現在工作都不忙，也沒什麼娛樂，不如你就跟大家說說，十大名曲與機器人型態有何關聯，好讓大家也增進思維的『易變』能力，我不准你有任何事情隱瞞我們！」

第四幕　型與曲

袁毓真苦笑著，首先拿出『高山流水』的圖，眾女子都圍了過來看，克莉絲蒂娜與夢彤，也都一起來觀察。看見一鳳凰頭而文人身服，右手線狀鼓鎚的機器人，那線狀鼓鎚則是摹仿龍族『圜洸』的激光武器。

然後說：「高山流水，是琴曲，來自列子湯問，伯牙善鼓琴，鍾子期善聽。前者志在高山，後者志在流水。無論志在何處，伯牙之曲的意象，鍾子期馬上就能體會。這跟士文化的背景有關係，都希望有知音而能一展所學。而這種心境最典型的就是孔子，孔子到楚國的時候，楚國的狂人高唱：『鳳兮鳳兮何德之衰，往者不可諫，來者猶可追，已而！已而！今之從政者殆矣！』意思是孔子所生非時，把這種心理點得很透徹。所以高山流水就取象鳳凰頭。」

接著拿出『廣陵散』的設計圖，眾女子看見，犀牛頭手持光盾砲的機器人。

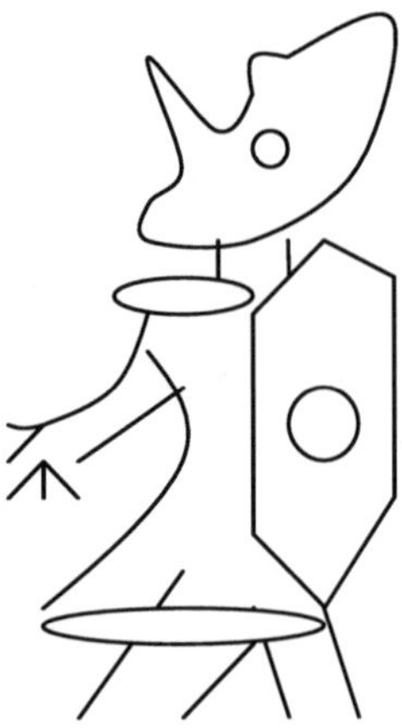

然後說：「廣陵散，琴曲，此曲源自於聶政刺韓相。三國末期司馬家篡權，竹林七賢的嵇康不屈從司馬氏，臨刑彈奏此曲，從此廣陵絕響，不再有人會彈，此有對抗強權的意境在。而犀牛角正是演化來對抗掠食者的，所有掠食者見到都爲之害怕，然而犀牛對抗掠食的武器卻成爲人類要奪得的珍品，最後還是被強權物種人類所逼，而瀕臨滅絕，大有廣陵絕響的意味在。反抗強權的意氣雖可嘉，卻因此成爲強權首先要除掉的對象。所以廣陵散取象犀牛頭。」

接著拿出『平沙落雁』的設計圖，眾女子看見，一隻深海燈籠魚頭而三腳的機器人。

然後說：「這是琴曲，隱士的歌曲，假隱者多而真隱者少，只有像陶淵明、謝靈運爲真隱，殷浩等等之流則爲假隱。這有對懷才不遇者，潛居勵志者鼓勵之意。海底的燈籠魚，最善於隱藏在黑暗中，釋放光芒而吸引獵物。凡假隱者，其心態都如燈籠魚這般，捨不掉慾望。」

接著拿出『梅花三弄』的設計圖，眾女子看見，一條龍頭的機器人。

然後說：「梅花三弄爲笛曲，爲東晉桓尹，爲狂士王徽之演奏梅花三調而來。桓尹敦而風雅，王徽之狂而博學，士人高潔之意。龍象徵的就是一種狂而高潔之物，面貌兇狂卻能呼風喚雨，不爲凡俗者易見。甚至不只中國，已經滅亡的瑪雅文明當中，也有雨蛇神的神話，型態竟然與中國的龍非常相似，也是高高在雲端管雨水者。」

接著拿出『十面埋伏』的設計圖，眾女子看見，一台虎頭的機器人。

然後說：「十面埋伏爲琴曲，猛志常在，以楚霸王被困垓下之窘狀，除了有勝利者的歡快，也有失敗者的非凡氣概。爲雄渾豪邁高昂之曲。老虎爲猛獸，即便被圍困，也不減虎嘯之猛，雲從龍風從虎，虎嘯而風生。所以古人有虎賁壯士之名。況且老虎捕食多以埋伏襲擊爲主，不像獅、豹、狼之類，而這台機器人的武器大多爲暗器，多以暗處襲擊，亦有十面埋伏殺氣之類。」

接著拿出『夕陽簫鼓』的設計圖，眾女子頗爲奇怪，已經不是使用動物類比的意象來設計了，而是圓球與線條狀零件所組成。

袁毓真見大家瞪眼疑惑，趕緊解釋說：「這是我思考很久的設計，結合龍族與人類的器械原理。夕陽簫鼓是琵琶曲，描繪畫韻詩境，包含人生和宇宙哲理的思考，如回大唐盛世之氣象萬千。核心的圓球是依照太極圖，從平面的單向旋轉，改製成立體的半面多向旋轉的結構，核心的中央處理器，透過旋轉的陰陽兩個孔罩，架構視覺、聽覺、化學嗅覺訊息，而線狀的零件也如同其他機器人的人造皮膚一樣，有觸覺能力。旋轉球外的透明膠體結構，可以固定兩武器觸手不受旋轉的影響。甚至在這種怪異的旋轉結構中，還架構了變化對比的感官訊息。」眾女子才算理解。

接著拿出『漁樵問答』的設計圖，又是一個怪異的機器人。

接著解釋說：「漁樵問答爲琴曲，有許多版本，一說是南宋邵雍所作。除了表現對隱士生活的嚮往，也用簡潔的對話來敘述古今興亡的根本哲理。也暗示天地萬物陰陽化育，來表示道的存在。所以機器人的核心週邊，有旋轉的陰陽兩半球來共同架構不同的訊息感官，而上頭觸手操作器，可以比手臂還靈活，控制防護盾與武器等等。這機器人最特殊之處，在於這些零件可以各自分解，透過無線連通來各自運動，重新組合。」

接下來拿出『胡笳十八拍』與『漢宮秋月』兩張設計圖，外型很明顯就是兩個美女圖，只是內部的武器結構，比『唐級』的夢彤、克莉絲蒂娜兩人更複雜。

蔣婕妤說：「哼，色鬼！其他都是意象型態或哲理型態，爲何就偏偏要這兩個製作成女人？還得強灌女性自我辨識的程式，這根本就是袁毓真居心不良！」袁毓真皺眉頭說：「誤會了，只是……」蔣婕妤雙手插腰追問：「只是什麼？」袁毓真一時答不上來。賀嘉珍說：「好了，聽他把話說完。」

袁毓真說：「傳說胡笳十八拍，爲東漢末入三國時代的蔡琰所作，融合胡漢兩民族的音樂特色，這琰就是談玉琰的琰。這女子據說端操賢慧，優雅有容，因亂世被匈奴人抓走，最後曹操贖回，命運三嫁，而有浩然之怨與無窮之哀。這意象當然是用憂怨美女的形態表達最好啦！而這美女的面貌，就是我想像蔡琰的長相所設計的。」

眾女子只見圖象，是一個氣質優雅，容貌與夢彤可以相比美的女子，設計基本的表情，就是微微嘴角向下，一副哀怨的神情。漢式的女子髮型，不過衣服沒有設計上去。蔣婕妤說：「那設計『漁樵問答』的時候，你怎麼不想像邵雍的長相？」袁毓真傻笑而無法回答。廖香宜說：「好了，妳別忌妒了，我們的袁毓真大哥是鐵了心要一夫多妻，內心醜陋的慾望正在激烈燃燒，只是外表硬裝作沒這回事。我們還是認命吧！」袁毓真苦臉嘆氣說：「啊……我的心思是逃不出各位的掌握了……但絕對不會醜陋……」

賀嘉珍微笑說：「別說啦，我們也都認命了。你倒是說說，『漢宮秋月』本是琵琶曲，後來也演變成二胡曲。若是說漢朝宮女的寂寞悲愁，只能看著秋月說出無限惆悵。這漢宮的宮女，爲何是一副阿拉伯美女的樣子？難道是因爲你認爲阿拉伯回教世界的女人蒙面，地位比較低，如同漢朝宮女一般？」袁毓真傻笑著點頭說：「是啊……是這樣沒錯。」

賀嘉珍板起臉孔說：「你這是錯誤的！你有問過阿拉伯女人，她們惆悵嗎？你又有問過她們有被壓迫的感覺嗎？純粹用外界自己的想法去看別人，猜度別人的社會型態與感受，這種意象設計就非常不合格！」袁毓真問：「那麼嘉珍姐有問過嗎？」賀嘉珍微笑著點頭說：「當然有，我在帕米爾區工作過半年，那裡有不少阿拉伯少女當我工作的助手。她們不認爲自己受到壓迫，而認爲自己受到社會的保護。反而認爲自己竟然要跟東西方女性一樣工作，才是受到社會壓迫。」

袁毓真點頭傻笑說：「好吧我改……」賀嘉珍說：「不必改了，你設計的阿拉伯女性頗有神秘感，讓我想到一千零一夜的故事作者，那位聰明的阿拉伯女子。可惜現在所有人類都要滅絕，不如就藉此保存這型態吧。」

最後賀嘉珍主動拿起『陽春白雪』，開口問：「陽春白雪爲琴曲，相傳爲春秋時代，晉國樂師師曠或齊樂師劉涓子所作，絃外之音在說智者曲高和寡。怎麼這機器人的頭形有點像邦邦主人？還有疤痕……」

袁毓真答道：「疤痕是分子感應板，四肢還是用人類關節。邦邦主人是我見過，宇宙中最曲高和寡的

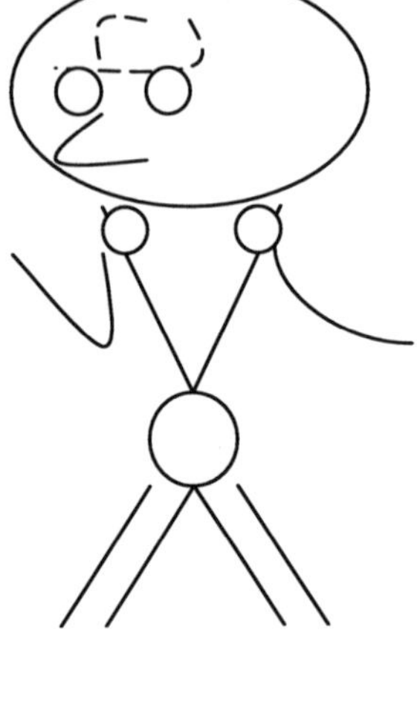

個體了。乃至於所有同類都不能接受牠的理論，成了宇宙中最孤單的孤龍。這意象有問題嗎？」

賀嘉珍微笑說：「當然沒問題，而且十分貼切，不過邦邦主人同意這設計嗎？」袁毓真說：「牠不止同意，而且還很高興哩！說我確實打從內心在效忠主人。」

第五幕　十大名劍

看完以十大名曲取名的機器人，另外又有一疊透明的龍族滑版紙。上面繪畫有各種奇怪的器型，賀嘉珍問：「這些又是什麼？」

袁毓真說：「以古代十大名劍取名的武器系統。同樣也是以人類的想像，融合龍族與老頭子所給的技術而來。而這十大名劍的武器系統，可以通用於十台機器人，甚至我們也可以使用。那麼十台機器人，除了本身裝備在身上的武器系統，還有額外靈活交換，相互搭配的武器。」

於是拿出第一張滑版圖紙。

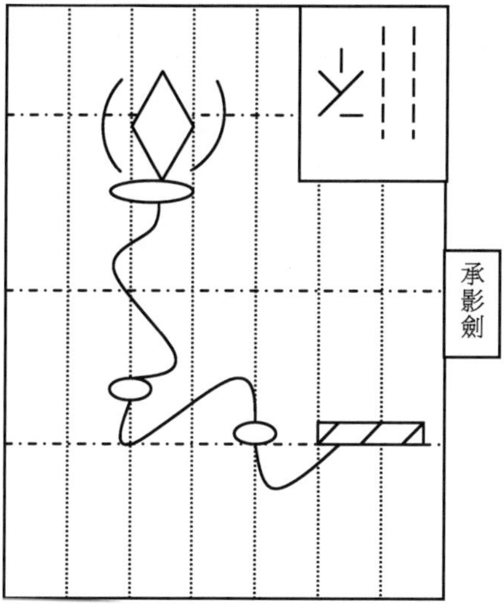

接著說：「這叫做承影劍，列子湯問中，激賞的鑄造於商朝的劍，聽說春秋時被衛國人孔周收藏。其飄忽的劍影，忽明忽暗浮現出來，顯現出一道劃分明暗的優雅弧線，是一把優雅之劍。我在這設計中，把彎節的金屬導線，繼承那優雅的弧線。可以在複雜的地形中，伸縮轉彎，發射強大的光炮火力。」

拿出第二張滑版圖紙。

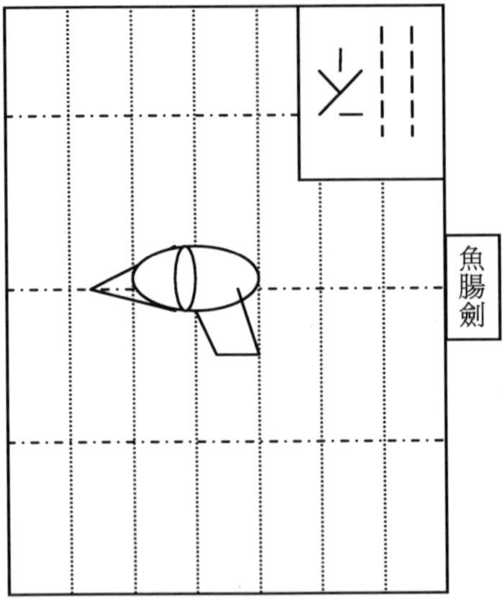

接著說：「魚腸劍，專諸刺吳王僚所用，可以將之隱藏在魚的肚腸內，突破甲冑而斷，

不過卻任務完成，是一把勇絕之劍。這是改造於人類手槍的武器，體積很小而可以隱藏於衣襟中，但是火力很大，身具兩種火力，即子彈與離子砲。機器人若是裝載而身體提供足夠的電量，則離子砲可以連續發射。輸入密碼，也可以自爆來完成任務。」

拿出第三張滑版圖紙。

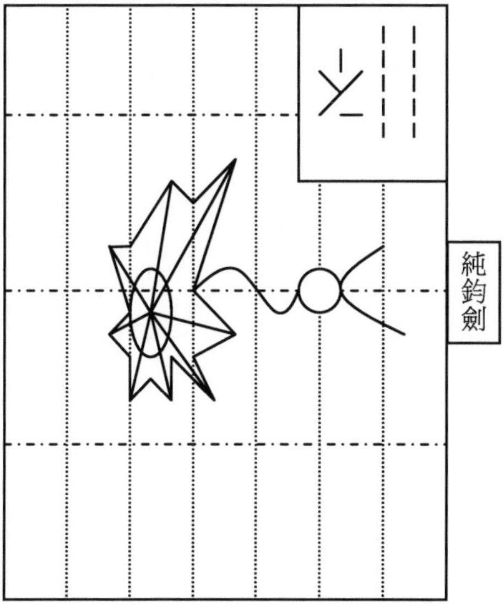

接著說：「純鈞劍，歐冶子所鑄。春秋後期薛燭幫越王句踐鑑別好劍，毫曹、巨闕兩者都被他看輕，前者光華散淡，後者質地麁粗，直到遇到純鈞才感嘆，是由大自然合鑄之純。

是尊貴無雙之劍。而我將這意象，製造一把金黃色核心伸縮圓盤，金紅色的伸縮傘盤面，發射龍族的強化光砲，火力強大爲重砲部隊所用，同時這也有護盾的功能，顯現尊貴之態。」

接著拿出第四張滑版圖紙。

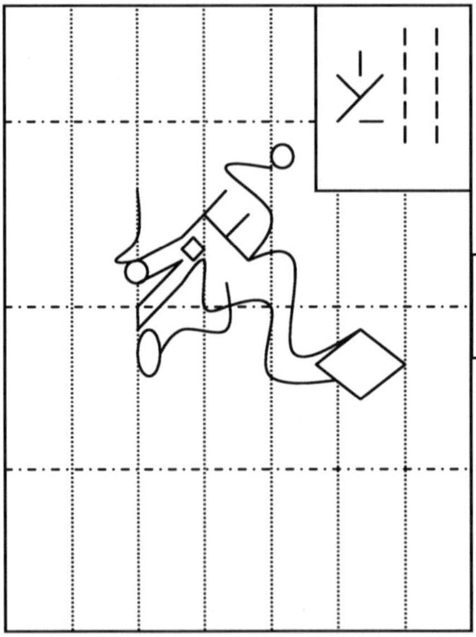

龍淵劍

接著說：「龍淵劍，歐冶子與干將合鑄，也叫做七星龍淵，鑿山放溪水，引至鑄造爐旁的七個池水中，劍成之後俯視劍身，如高山望深淵，飄渺彷若有巨龍蟠臥。是誠信高潔之劍。

而我這條光砲蟠龍，裝備最低等級的人工智能，會計算但沒有自我學習的意識，是用獨立零件的概念去製造，機器人可以組合在身上，變成自身的系統之一。而也可以變形拆解開來，受裝備它的機器人系統之遙控，而獨立戰鬥。」

然後連著拿出兩張滑版圖紙。

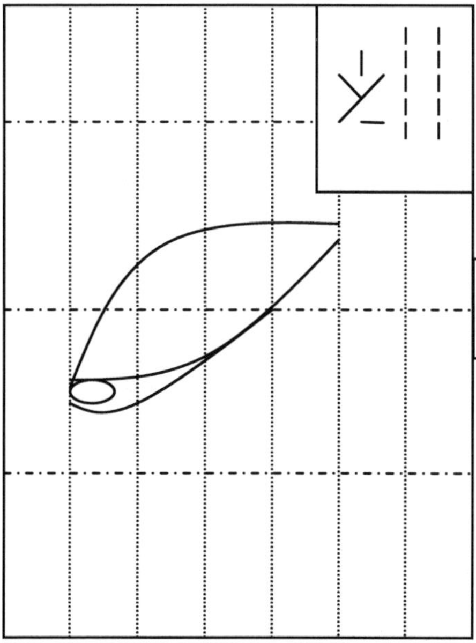

干將劍

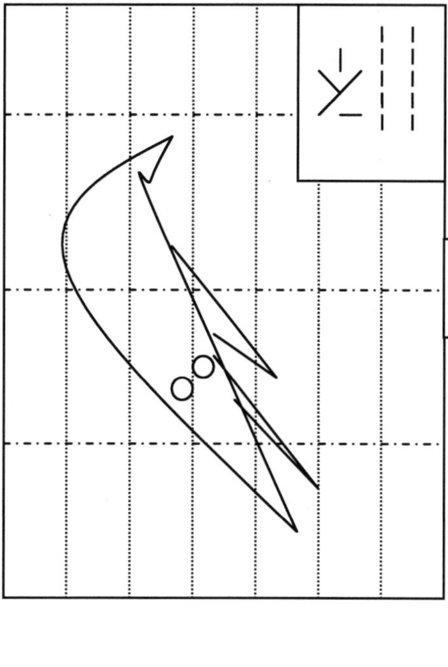

莫邪劍

嘆口氣說：「干將劍與莫邪劍，是一對劍成雙，前者爲雄，後者爲雌，兩人鑄劍以身殉。相互不分離，爲摯情之劍。而這裡取自愛情相互依盾，前者爲龍族的光能砲，後者爲龍族的菱彈砲，一個能源攻擊，一個質量攻擊，又都可以引爲護盾，兩者器型還可以相互組合，而成爲綜合性的武器座。」愛情對於女孩子們最有吸引力，但是卻又會投射很多不實際的幻想，女子們的表情，果然跟研究其他武器有所不同。

而後又拿出第七張圖紙。

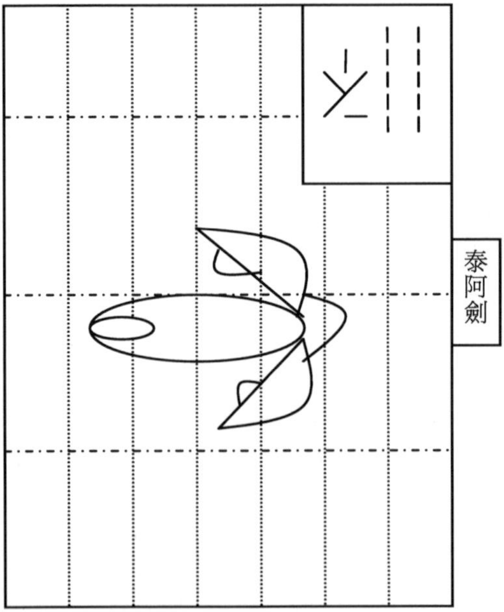

然後說：「泰阿劍，歐冶子與干將合鑄，天地人三道歸一而成，春秋楚國的鎮國之寶，風胡子說此爲威道之劍，內心之威才是真威。此爲威道之劍。而我將此特殊設計，成爲機器人可以組合，也可以解離的，遙控飛行武器。除了龍族菱彈與人類離子砲之外，還多了其他武器都沒有的訊息戰系統，可以切入龍族與人類的訊息網，功效如同一支戰略性質的訊息部隊，只有最低層次的龍造智能計算，不會侵奪到機器人的核心思想。若是遇到新物種的訊息網，可以跟機器人的人工智能銜接，相互模擬破解之。這是邦邦主人支援的一項技術，從內部訊息干擾敵人，才是真正的威力。」

而後又拿出下一張滑版圖紙。

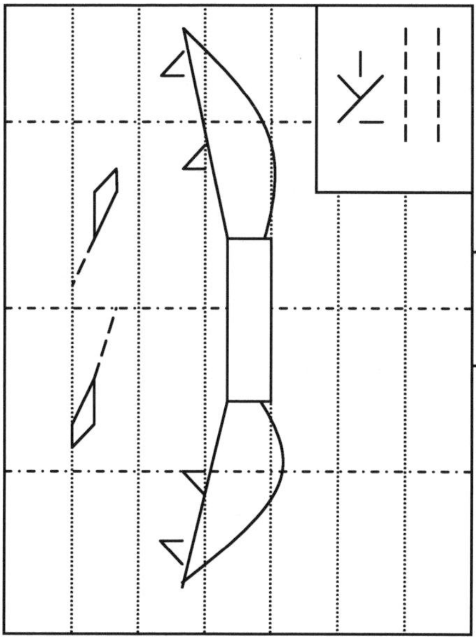

赤霄劍

然後說：「赤霄劍，這是傳說中的劍，爲劉邦斬蛇起義之劍，開啓四百年的大漢王朝。此爲帝道之劍。這裡的設計爲，機器人或是人組裝的貼身裝備，可以讓人或是機器人飛行作戰。發射自動化的雙控飛行砲座，電腦遙控收發，射擊光砲武器。同時可爲防護裝甲，若是打不過敵人，發射大量的光霧與干擾波，可以快速撤退遁逃。這有點像劉邦的戰略吧？」

又拿出下一張滑版圖紙。

湛盧劍

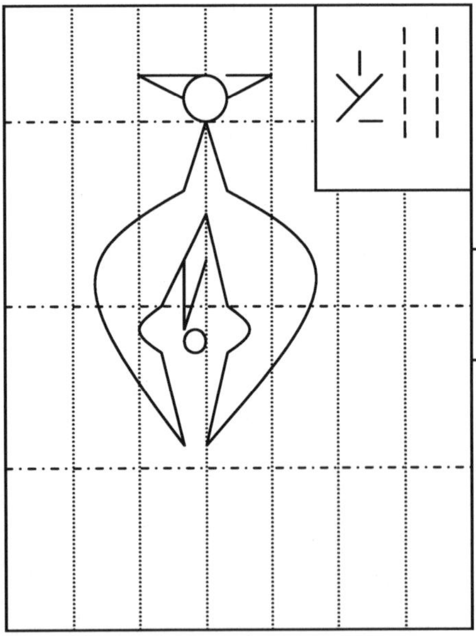

然後說：「湛盧劍，爲歐治子鑄造，說它是劍，不如說是眼睛。說君有道則劍在側，國

興旺。君無道則劍飛棄，國破敗。黑得渾然無跡，感覺寬厚慈祥。鑄成之時，歐冶子爲之落淚，仁者無敵。此爲仁道之劍。在這裡設計成火力不強，只有兩翼張開時微弱的激光砲，是以防禦裝甲爲主的武器。優越之處在於，這是一台迷你機器人的兵工廠，釋放大量小型的偵測感應與分析機器人，從物理性質到化學性質到生物性質，乃至於到變易計算的性質，都有囊括。倒立在地上，則可以當作訊息收發塔座。對於團體戰來說，是指揮者最需要的兵器。」

言畢，拿出最後一張滑版圖紙，然後大聲說：「接下來是最恐怖最厲害的兵器出場！」。眾女子或歪了嘴，或瞪大眼，或露出不以爲然的神情。

李韻怡笑著說：「這只是可以套在手臂上的小型砲座，哪來什麼最大威力？」袁毓真答道：「妳們別急，聽我仔細說明。」接著道：「軒轅劍，傳說中的武器，爲我們中華民族的共祖黃帝所鑄。用神首山之銅，淬煉而成。以此戰蚩尤，承繼伏羲氏開啓文明，肇建華夏，爲聖道之劍。銅劍外表並不起眼，而在於他在上古時期扮演的關鍵角色。所以我在這設計，外表也不起眼的武器，裡面卻可以發射三種武器系統，由使用者操作。第一種就像夢彤的離子砲，威力一般般而已。第

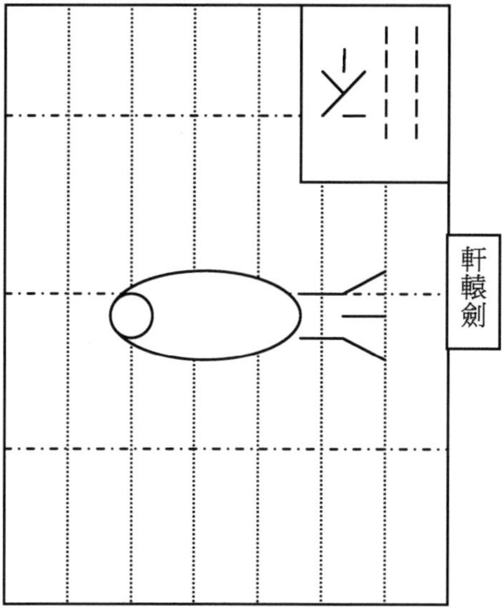

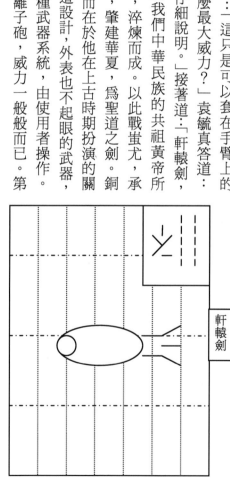

二種就是強大的龍族毀滅光束，一次裝載一發，可以摧毀一座城市，但是這武器需要邦邦主人授權的思維密碼才可以使用。第三種就是真正最有價值的威力了，記得之前我們在四四行星的衛星上，遇到的演化極限的生物體嗎？邦邦主人同意，將改造的細胞僅存的最後一些，裝載在這裡面，讓這些擁有強大生命力的單細胞生物休眠，發射的封包，可以從外太空射向一個適合生物存在的星球，開啓一個星球的生命演化史！」

蔣婕妤說：「開啓生命演化史？就像是伏羲氏與黃帝軒轅氏，開啓華夏文明一般？」袁毓真點頭說：「沒錯，這就是軒轅劍真正的意義所在。所有的機器人與武器都介紹完了，有問題嗎？」眾女子都微笑而沒回話。

賀嘉珍微笑了一下說：「沒想到你還挺有想像力的。」

袁毓真說：「想像力表面上並不實際，但當中的幻想延伸，則可以把現有的技術發揮到淋漓盡致，且激發新技術的開創。不然就算有這種技術，不通過幻想力的展開，那麼技術能力也只封閉在原力狀態。龍族把虛幻的幻想，與實質的技能，兩者等價並列處理，的確比人類的系統觀念強得多，無怪乎龍族若要人類滾出地球，人類就得滾。」